Delia Owens est née en 1949 en Géorgie, aux États-Unis. Diplômée de zoologie et biologie, elle a vécu plus de vingt ans en Afrique et a publié trois ouvrages consacrés à la nature et aux animaux, tous best-sellers aux USA. *Là où chantent les écrevisses* est son premier roman. Phénomène d'édition, ce livre a déjà conquis des millions de lecteurs et poursuit son incroyable destinée dans le monde entier. Une adaptation au cinéma est en cours.

Delia Owens

LÀ OÙ CHANTENT LES ÉCREVISSES

Traduit de l'anglais (États-Unis)
par Marc Amfreville

Éditions du Seuil

Ouvrage traduit avec le concours du CNL

TEXTE INTÉGRAL

TITRE ORIGINAL
Where the Crawdads Sing

ÉDITEUR ORIGINAL
Published by arrangement with G. P. Putnam's Sons,
Imprint of Penguin Publishing Group,
a division of Penguin Random House LLC.

ISBN 978-2-7578-8997-8

À Amanda, Margaret et Barbara

Salut à vous,
Si je ne vous avais pas vues
Je ne vous aurais pas connues.
Je vous ai vues
Vous ai connues
Vous ai aimées
À tout jamais.

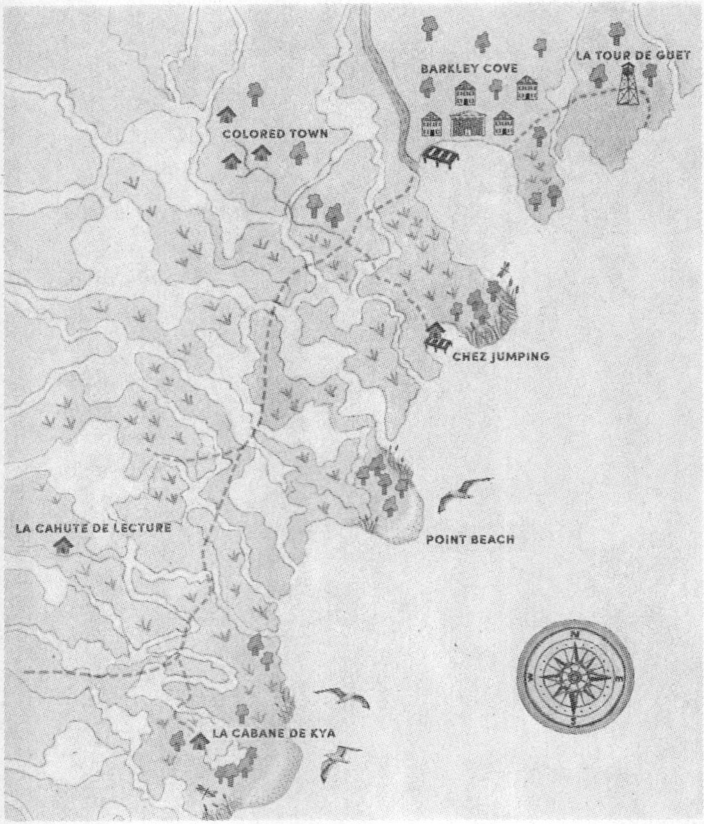
BARKLEY COVE
LA TOUR DE GUET
COLORED TOWN
CHEZ JUMPING
POINT BEACH
LA CAHUTE DE LECTURE
LA CABANE DE KYA
N

PREMIÈRE PARTIE

Le marais

Prologue

1969

Un marais n'est pas un marécage. Le marais, c'est un espace de lumière, où l'herbe pousse dans l'eau, et l'eau se déverse dans le ciel. Des ruisseaux paresseux charrient le disque du soleil jusqu'à la mer, et des échassiers s'en envolent avec une grâce inattendue – comme s'ils n'étaient pas faits pour rejoindre les airs – dans le vacarme d'un millier d'oies des neiges.

Puis, à l'intérieur du marais, çà et là, de vrais marécages se forment dans les tourbières peu profondes, enfouis dans la chaleur moite des forêts. Parce qu'elle a absorbé toute la lumière dans sa gorge fangeuse, l'eau des marécages est sombre et stagnante. Même l'activité des vers de terre paraît moins nocturne dans ces lieux reculés. On entend quelques bruits, bien sûr, mais comparé au marais, le marécage est silencieux parce que c'est au cœur des cellules que se produit le travail de désagrégation. La vie se décompose, elle se putréfie, et elle redevient humus : une saisissante tourbière de mort qui engendre la vie.

Le matin du 30 octobre 1969, le corps de Chase Andrews fut retrouvé dans le marécage, qui, sans surprise, l'aurait englouti en silence. Le faisant disparaître à tout jamais. Un marécage n'ignore rien de la mort, et ne la considère pas nécessairement comme une tragédie, en tout cas, pas comme un péché. Mais ce matin-là, deux garçons de la petite ville pédalèrent jusqu'à la vieille tour de guet et, en arrivant au troisième palier, repérèrent en contrebas son blouson en jean.

1
Ma

1952

Le jour brûlait par ce matin d'août et le souffle humide du marais suspendait des voiles de brouillard aux branches des chênes et des pins. Les bosquets de palmiers nains étaient inhabituellement silencieux mis à part le lent battement des ailes du héron qui s'envolait de la lagune. Kya, alors âgée de six ans, entendit claquer la porte à moustiquaire. Juchée sur un tabouret, elle cessa de récurer les restes de gruau de maïs collés à la marmite et la plongea dans l'eau savonneuse déjà sale de la cuvette. Aucun son à présent, rien que sa respiration. Qui venait de quitter la cabane ? Pas Ma. Elle ne laissait jamais la porte claquer.

Mais quand Kya se précipita dans la véranda, elle aperçut sa mère, vêtue d'une longue jupe brune dont les plis d'aisance lui caressaient les chevilles, qui descendait le chemin sablonneux sur ses hauts talons, des chaussures à bout carré en similicuir d'alligator. Celles qu'elle portait pour sortir. Kya aurait voulu crier, mais elle savait qu'il ne fallait pas réveiller Pa : elle ouvrit la porte et se posta en haut des marches en brique et en bois du perron. De là, elle vit que Ma portait sa grande valise de voyage bleue. D'ordinaire, avec la confiance d'un chiot, Kya savait que sa mère reviendrait bientôt, les bras chargés de viande emballée dans du papier marron huileux ou d'un poulet entier dont la tête se balançait au bout de son cou. Mais jamais Ma n'avait aux pieds ses chaussures en alligator, ni ne portait une valise.

Ma se retournait toujours à l'endroit où le chemin rejoignait la route, le bras levé bien haut, agitant sa main blanche, avant de s'avancer sur la piste qui traversait les forêts des marais et les lagunes envahies de roseaux pour gagner la petite ville quand la marée le permettait. Mais ce jour-là, elle poursuivit sans s'arrêter, d'un pas mal assuré entre les ornières. Sa haute silhouette émergeait par instants dans les trouées des bois jusqu'à ce que seules quelques images fugitives de son foulard blanc apparaissent entre les feuilles. Kya s'élança jusqu'à l'endroit d'où elle savait qu'elle pourrait voir toute la route ; de là, elle en était sûre, Ma lui ferait un signe, mais elle n'y arriva que pour entrevoir l'éclair bleu de la valise – une couleur qui s'accordait si mal à la forêt alentour – juste avant qu'il disparaisse. Elle sentit un poids sur sa poitrine, aussi lourd que des mottes de boue noire, et elle revint s'asseoir sur les marches.

Kya était la benjamine. Ses quatre frères et sœurs étaient tous beaucoup plus grands qu'elle, même si plus tard elle devait oublier leurs âges respectifs. Ils vivaient avec Ma et Pa, serrés comme des lapins au fond de leurs clapiers, dans la cabane en bois brut, dont la véranda bardée de moustiquaires fixait les bois alentour comme un gros œil rond.

Jodie, le frère qui précédait immédiatement Kya mais avait néanmoins sept ans de plus, sortit de la maison pour se planter derrière elle. Il avait les mêmes yeux sombres et les mêmes cheveux noirs que sa petite sœur. Il lui avait appris des chants d'oiseaux, le nom des étoiles, et comment manœuvrer la barque entre les hautes herbes.

« Elle reviendra, dit-il.

– Pas sûr. Elle avait ses chaussures en alligator.

– Une mère, ça abandonne pas ses enfants. C'est pas dans leur nature.

– Tu m'as dit que tu avais vu une renarde abandonner ses petits.

– Oui, celle-là, elle avait les pattes en capilotade. Elle aurait crevé de faim si elle avait continué à essayer de nourrir ses petits en plus. Le mieux, c'était de les laisser se débrouiller, se soigner, et après, en avoir d'autres quand elle aurait la force de s'en occuper. Ma, elle, elle meurt pas de faim, elle reviendra. »

Jodie en était beaucoup moins certain qu'il l'affirmait, il voulait avant tout rassurer sa sœur.

La gorge nouée, elle murmura : « Mais Ma, elle a pris sa grosse valise bleue comme si qu'elle voulait partir loin. »

La cabane était en retrait de la ligne des palmiers nains qui constellaient les bancs de sable jusqu'à un chapelet de lagunes vertes et, dans le lointain, jusqu'au marais. Des kilomètres d'herbes coupantes si résistantes qu'elles poussaient même dans l'eau salée, interrompus seulement par des arbres si courbés qu'ils semblaient porter la trace du vent. Des bois de chênes encerclaient les autres façades de la cabane et abritaient la lagune la plus proche, dont la surface grouillait de vie. Chargée de sel, la brise venue de la mer amenait le chant des mouettes et des goélands en se faufilant à travers les arbres.

L'organisation du cadastre n'avait guère changé depuis le XVIe siècle. Les terrains éparpillés dans le marais n'avaient aucune limite légale, ils n'étaient signalés que par des éléments naturels – ici un ruisseau, là un chêne mort – choisis par des renégats de tout poil. Il ne viendrait à l'idée de personne de bâtir une hutte en branches de palmier à moins qu'on ne cherche à échapper aux poursuites ou qu'on ne soit au bout de sa propre route.

Le marais était bordé par un rivage déchiqueté, que les explorateurs d'antan avaient baptisé le « Cimetière de l'Atlantique », à cause de ses courants dangereux, de la furie de ses vents et des bancs de sable qui faisaient couler les bateaux comme des chapeaux en papier tout au long de la côte de Caroline du Nord. Dans son journal de bord, un marin avait écrit : « Avons caboté le long du rivage… mais trouvé aucune entrée visible… Une violente tempête nous a rattrapés… nous forçant à regagner le large, pour nous mettre en sécurité et protéger le bateau, mais avons été entraînés par un courant puissant…

Cette terre n'étant que tourbières et marécages, nous sommes retournés vers le navire. Tous pris par un désarroi pareil à celui qui ne manquera pas de s'emparer de tout homme qui viendra jamais s'installer sur ces terres. »

Ceux qui étaient partis à la recherche de terres hospitalières poursuivirent leur périple, et cet ignoble marais devint un véritable repaire pour tout un ramassis de marins mutinés, de renégats, de débiteurs, et autres fuyards tentant d'échapper aux guerres, à l'impôt, ou à des lois qu'ils jugeaient iniques. Ceux qui ne moururent pas de malaria et que le marais n'engloutit pas engendrèrent une tribu d'hommes des bois de plusieurs races et de cultures variées, chacun capable d'abattre à lui seul une petite forêt à la hachette ou de pister le gibier sur plusieurs lieues. Pareils aux rats d'eau, ils avaient chacun son territoire, mais devaient néanmoins trouver leur place dans les limites de la forêt sous peine de disparaître un jour noyés dans le marécage. Deux cents ans plus tard, ils furent rejoints par des esclaves en fuite, qui se réfugiaient dans les marais et qu'on appelait des « nègres marrons », et d'autres, émancipés, sans ressources et aux abois, qui n'avaient d'autre solution que de s'éparpiller dans ces tourbières.

C'était sans doute une région ingrate, mais pas un pouce n'en était stérile. Des strates de vie – crabes-fantômes tarabiscotés, écrevisses claudiquant dans la boue, gibier d'eau, poissons, crevettes, huîtres, cerfs replets et oies dodues – se pressaient sur la terre et dans l'eau. Ceux qui ne rechignaient pas à fouiller la boue pour se nourrir ne risquaient pas de mourir de faim.

On était maintenant en 1952, et certaines parcelles avaient été occupées par une série d'individus non répertoriés et sans rapport les uns avec les autres pendant plus de quatre siècles. Pour la plupart, depuis avant la guerre de Sécession. D'autres s'étaient installés sur ces terres plus récemment, en particulier après les deux guerres mondiales, quand les hommes étaient revenus ruinés et détruits. Le marais ne les assignait pas à résidence mais il les définissait, et comme tout sol sacré, il gardait jalousement leurs secrets. Nul ne se souciait de les voir occuper ces terres parce que personne d'autre n'en voulait. Après tout, ce n'était rien que des marigots inféconds.

Tout comme ils produisaient leur propre whisky de contrebande, les habitants des marais manufacturaient leurs propres lois – rien à voir avec celles que l'on grave dans la pierre ou consigne dans des documents officiels : des lois plus profondes, incrustées dans leurs gènes. Anciennes et naturelles, comme celles qui régissent le monde des faucons et des colombes. Quand il est acculé, désespéré ou isolé, l'homme se replie sur son instinct de survie. Exécutives et justes. Pareilles à des atouts aux jeux de cartes, ces lois se transmettent plus fréquemment d'une génération à la suivante que d'autres. Plus clémentes. Elles ne relèvent pas de la moralité mais d'un simple calcul. Les colombes entre elles se battent aussi souvent que les faucons.

Ma ne revint pas ce jour-là. Personne n'en dit un mot. Pa moins que tout autre. Empestant le poisson et l'alcool de son alambic, il referma bruyamment le couvercle des marmites vides. « Qu'est-ce qu'on mange ? »

Les yeux baissés, frères et sœurs haussèrent les épaules. Pa lâcha un chapelet de jurons puis reprit le chemin des bois en traînant la jambe. Il y avait déjà eu des disputes. Ma était même partie une fois ou deux, mais elle revenait toujours, prenant dans ses bras ceux qui réclamaient ses câlins.

Les deux grandes sœurs préparèrent un plat de haricots rouges et de pain de maïs, mais personne ne prit place à table comme ils l'auraient fait si Ma avait été là. Ils se servirent les haricots à même la casserole, émiettèrent le pain de maïs dans leur assiette, et se retirèrent pour manger sur les matelas posés à même le plancher ou sur le vieux canapé défraîchi.

Kya ne pouvait rien avaler. Elle s'assit sur une marche du perron, les yeux rivés sur le chemin. Grande pour son âge, maigre comme un coucou, elle avait la peau brunie par le soleil et les cheveux raides, aussi épais et noirs que des ailes de corbeau.

La nuit tombante mit fin à son guet. Le coassement des grenouilles couvrirait tout bruit de pas ; mais elle resta malgré tout étendue sur son matelas dans la véranda, l'oreille dressée. Ce matin encore, la bonne odeur des rillons de porc qui rissolaient dans le poêlon en fonte et celle des biscuits qui doraient dans le four à bois l'avaient réveillée. Enfilant en hâte sa salopette, elle s'était précipitée dans la cuisine pour mettre le couvert, avait ôté les vers de farine du gruau. Au petit matin, le plus souvent, avec un grand sourire, Ma la serrait dans ses bras : « Bonjour, ma petite princesse ! » Et ensemble, elles s'attelaient aux tâches ménagères, en un joyeux ballet. Parfois Ma fredonnait des chansons folk ou récitaient des comptines. « Il était cinq petits cochons… » Ou bien elle entraînait Kya dans un jitterbug endiablé, leurs pieds martelant frénétiquement le plancher en contreplaqué jusqu'à ce que le transistor à piles arrive en bout de course, et que la musique venue de ses entrailles semble s'échapper du fond d'un tonneau. D'autres matins, Ma lui tenait des propos de grands que Kya ne saisissait pas, mais la fillette se disait qu'il fallait bien que les mots de Ma sortent de sa bouche, alors elle les laissait glisser sous sa peau tout en chargeant la cuisinière à bois. Elle hochait la tête et faisait mine de comprendre.

Ensuite, c'était ce moment de bousculade où il fallait réveiller et nourrir tout le monde. Pa n'était pas là. Avec lui, il n'y avait que deux possibilités : soit le silence, soit les cris. Alors, c'était aussi bien qu'il reste au lit ou ne rentre pas du tout.

Mais ce matin-là, Ma ne disait rien, son sourire avait disparu, elle avait les yeux rouges. Elle s'était noué un foulard blanc sur la tête, un peu comme un pirate ; il lui descendait bas sur le front, mais on apercevait le bord violet et jaune d'une grosse bosse qui dépassait. Après le petit-déjeuner, sans même faire la vaisselle,

Ma avait fourré quelques affaires personnelles dans la grande valise de voyage et elle était partie vers la route.

Le lendemain matin, Kya reprit son poste sur le perron, ses yeux noirs fixant le chemin comme un tunnel qui attend le passage d'un train. Le marais était enveloppé d'un brouillard qui tombait si bas que sa traîne descendait majestueusement jusqu'à la boue. Pieds nus, Kya pianotait nerveusement avec ses orteils, et jetait sur des fourmilions des brins d'herbe qu'elle avait soigneusement torsadés, mais une fillette de six ans ne peut pas tenir longtemps en place, et elle partit caracoler dans la boue découverte par la marée, ses orteils s'y enfonçant avec des bruits de succion. Accroupie à la limite de l'eau claire, elle observa les petits poissons qui bondissaient entre les flaques de lumière et d'ombre.

Elle entendit soudain Jodie l'appeler à grands cris de l'autre côté des arbres. Elle releva les yeux. Peut-être apportait-il des nouvelles. Mais tandis qu'il se frayait un chemin entre les palmes piquantes, elle comprit, à la façon faussement désinvolte qu'il avait de marcher, que Ma n'était pas rentrée.

« Tu veux jouer aux explorateurs ? demanda-t-il.

– T'as dit que t'étais trop grand pour jouer à ça.

– C'était pour rire. On n'est jamais trop grand. On fait la course ? »

Ils s'élancèrent dans le marécage, puis à travers les bois jusqu'à la plage. Elle couina quand il la rattrapa et rit aux éclats jusqu'à ce qu'ils atteignent le grand chêne qui leur tendait les bras au-dessus du sable. Jodie et leur grand frère, Murph, avaient cloué des planches entre les branches, pour s'en faire un poste d'observation et une espèce de fort. Désormais, le sol menaçait de s'effondrer, et les planches ne tenaient plus que par quelques clous rouillés.

D'ordinaire, quand les autres acceptaient qu'elle joue avec eux, elle devait être l'esclave qui apportait à ses frères des biscuits encore tièdes qu'elle allait voler dans la poêle de Ma.

Mais ce jour-là, Jodie déclara : « Tu peux être le capitaine. »

Kya brandit son bras droit pour donner le signal de l'attaque : « Sus aux Espagnols ! » Ils cassèrent des rameaux pour s'en faire des épées et se laissèrent tomber dans les ronces en pourchassant l'ennemi à grands cris.

Puis, l'illusion du jeu n'ayant qu'un temps, elle alla s'asseoir sur un tronc moussu. Il la rejoignit en silence. Il aurait voulu dire quelque chose pour lui éviter de penser à Ma, mais aucun mot ne lui venait, et ils restèrent sans parler à observer les ombres sautillantes des puces d'eau.

Plus tard, Kya s'installa de nouveau sur le perron et attendit longtemps, mais, alors qu'elle gardait les yeux rivés sur le bout du chemin, aucune larme ne lui échappa. Son visage restait imperturbable, les lèvres serrées et le regard attentif. Ce jour-là non plus cependant, Ma ne revint pas.

2
Jodie

1952

Après le départ de Ma, durant les semaines qui suivirent, le frère aîné de Kya et leurs deux sœurs s'enfuirent aussi, comme pour l'imiter. Ils avaient supporté les accès de colère de Pa. Le visage rouge de rage, il commençait par vociférer, puis se mettait à distribuer coups de poing et volées de revers, et bientôt, un par un, ils décidèrent de prendre le large. Ils étaient presque adultes de toute façon. Plus tard, quand elle eut oublié jusqu'à leur âge, elle ne parvint plus à se rappeler leurs vrais prénoms, sachant seulement qu'on les surnommait Missy, Murph et Mandy. Sur son matelas dans la véranda, Kya trouva un petit tas de chaussettes laissées par ses sœurs.

Le matin du jour où il ne resta plus que Jodie, Kya fut tirée de son sommeil par un bruit de plats qui s'entrechoquaient et l'odeur de graisse crépitante du petit-déjeuner. Elle se précipita vers la cuisine, pensant que Ma était revenue, et qu'elle faisait frire des beignets ou des crêpes de maïs. Mais ce n'était que Jodie aux fourneaux qui touillait un gruau. Elle sourit pour cacher sa déconvenue, et il lui donna une tape affectueuse sur la tête pour lui recommander le silence. S'ils ne réveillaient pas leur père, ils déjeuneraient tous les deux tranquilles. Jodie ne savait pas confectionner les biscuits, et il n'y avait pas de lard, alors il avait fait rissoler des beignets de gruau avec des œufs brouillés dans du saindoux ; ils se mirent à table en échangeant sans un mot regards complices et sourires.

Ils se hâtèrent de laver leurs assiettes puis de passer la porte pour filer vers le marais, Jodie marchant devant. Mais à ce moment précis, Pa se mit à crier et les rattrapa de son pas chancelant. Il était invraisemblablement décharné, et son corps semblait flotter par défaut d'équilibre. Les dents aussi jaunes que les crocs d'un vieux chien.

Kya leva les yeux vers Jodie. « On peut partir en courant. Et filer jusqu'à notre cachette dans les bois.

– T'inquiète pas. Tout ira bien, tu vas voir. »

Plus tard, juste avant le coucher du soleil, Jodie trouva Kya sur la plage qui regardait la mer. Il s'approcha, mais elle ne se retourna pas, gardant les yeux fixés sur les vagues qui déferlaient. Rien qu'à la façon dont il parlait, elle devina que Pa l'avait frappé au visage.

« Il faut que je m'en aille, Kya. Je peux plus vivre là. »

Elle eut envie de lui faire face, mais y renonça. Elle aurait voulu le supplier de ne pas la laisser seule avec Pa, mais les mots s'entrechoquaient dans sa tête.

« Quand tu seras plus grande, tu comprendras. » Kya voulait crier qu'elle était sans doute petite, mais qu'elle n'était pas idiote. Elle savait très bien que c'était pour fuir Pa qu'ils s'en allaient tous. Elle se demandait seulement pourquoi aucun d'eux n'avait songé à l'emmener. Elle aussi avait pensé à partir, mais elle n'avait nulle part où aller, et pas de quoi payer le car.

« Kya, ouvre l'œil et le bon. Si quelqu'un s'approche, tu rentres pas dans la maison. Ils pourraient t'attraper. Enfonce-toi dans le marais, cache-toi dans les buissons. Efface les traces de tes pas. Je t'ai montré comment il faut faire. Tu peux aussi te débrouiller pour que Pa te trouve pas. »

Voyant qu'elle ne répondait pas, il lui dit au revoir et traversa la plage en direction des bois. Juste avant qu'il disparaisse derrière les arbres, elle se retourna enfin et le regarda s'éloigner.

« Et ce cinquième petit cochon, il est resté à la maison », récita-t-elle à l'adresse des vagues.

S'arrachant à son immobilité, elle se précipita vers la cabane. Elle cria son nom dans le couloir, mais les affaires de Jodie s'étaient déjà volatilisées ; sur le plancher, plus de draps sur son lit.

Elle se laissa tomber sur le matelas, et regarda les dernières lueurs du jour glisser le long du mur. La lumière s'attarda comme toujours après le coucher du soleil, formant des flaques dans la chambre, si bien que durant quelques instants la masse des lits et les piles de vieux vêtements parurent plus nettes et de couleurs plus vives que les arbres au-dehors.

Une faim pressante la surprit – quelle sensation terre à terre ! Elle se dirigea vers la cuisine mais s'arrêta sur le seuil. Toute sa vie, la bonne odeur du pain au four, des haricots beurre qui bouillaient, ou des marmites de poisson qui mijotaient avait réchauffé la pièce. Aujourd'hui, elle était sombre, silencieuse et sentait le renfermé. « Qui va faire la cuisine maintenant ? » s'interrogea-t-elle à haute voix. Aurait pu demander aussi : *Qui va danser maintenant ?*

Elle alluma une bougie et tisonna les cendres encore chaudes dans la cuisinière avant d'y jeter du petit bois.

Puis elle actionna le soufflet jusqu'à ce que le feu prenne, et ajouta une bûche. Le réfrigérateur servait de garde-manger parce qu'il n'y avait pas l'électricité dans la cabane. Pour lutter contre l'humidité, on maintenait la porte ouverte à l'aide d'une tapette à mouches. Tout de même, de sombres traces de moisissure verdâtres envahissaient chaque fissure.

Elle sortit des restes du garde-manger et se dit : *Je vais plonger les boulettes de gruau dans le saindoux et les faire réchauffer*. Elle s'exécuta et mangea à même la casserole, en guettant le retour de Pa par la fenêtre. Mais il n'apparut pas.

Quand la lumière du croissant de lune atteignit enfin la cabane, elle regagna son lit dans la véranda – un matelas plein de bosses posé à même le sol, mais avec de vrais draps à petites roses bleues que Ma avait dénichés dans une brocante –, seule cette nuit pour la première fois de sa vie.

Au début, toutes les quelques minutes, elle se redressait et jetait un coup d'œil à travers la moustiquaire. Elle guettait les bruits de pas en provenance de la forêt. Elle connaissait la silhouette de chacun des arbres, et pourtant, certains semblaient soudain jaillir de l'obscurité et se déplacer au gré des rayons de lune. Durant un certain temps, son corps se raidit tellement qu'elle ne pouvait plus déglutir, mais au bon moment, le chant familier des rainettes et des sauterelles emplit le silence. Plus rassurant que la comptine des trois souris aveugles et du couteau à découper. La nuit exhalait un parfum suave, le souffle palpable des grenouilles et des salamandres qui avaient réussi à survivre à la fournaise du jour. Le marais sembla se pelotonner contre elle quand une brume basse l'enveloppa et elle s'endormit.

Pa ne rentra pas avant trois jours, et Kya se fit bouillir les fanes des navets ramassés dans le potager de Ma matin, midi et soir. Elle alla aussi chercher des œufs dans le poulailler mais le trouva vide. Ni poules ni œufs nulle part.

« Saletés de bestioles ! Vous êtes rien que des saletés de bestioles ! » Elle avait pensé plusieurs fois à s'occuper des poules depuis que Ma était partie, mais l'idée lui était sortie de la tête. Et maintenant, tel un troupeau bigarré, elles s'étaient enfuies vers les bois, et elle les entendait caqueter sur les branches dans le lointain. Elle allait devoir éparpiller du maïs dans l'espoir de les faire rester dans les parages.

Le soir du quatrième jour, Pa pointa le bout de son nez, une bouteille à la main, et il s'affala sur son lit.

Il entra en braillant dans la cuisine le lendemain matin : « Où qu'ils sont tous passés ?

– J'en sais rien, répondit-elle sans le regarder.

– T'as pas plus de cervelle qu'un bâtard, et tu es aussi utile que les tétons d'un sanglier mâle. »

Kya se glissa sans bruit par la porte de la véranda, mais en arpentant la plage à la recherche de moules, elle sentit une odeur de brûlé, et leva les yeux pour voir un panache de fumée qui s'élevait de la cabane. À toutes jambes, elle se précipita et découvrit un feu de joie sur leur terrain. Pa était en train de jeter dans les flammes les tableaux, les robes et les livres de Ma.

« Non ! » s'écria Kya. Il ne lui accorda pas la moindre attention mais précipita le vieux transistor dans le brasier. Elle sentit son visage et ses bras la brûler quand elle tendit les mains vers les tableaux, et la chaleur intense la fit reculer.

Elle se hâta vers la cabane pour empêcher Pa d'aller chercher d'autres objets, et affronta son regard, les yeux dans les yeux. Il leva la main sur elle, mais elle tint bon. Soudain, il se retourna et partit en claudiquant retrouver son bateau.

Kya demeura prostrée sur le sol de la véranda, observant les aquarelles du marais peintes par Ma se réduire en cendres. Elle y resta jusqu'au coucher du soleil, jusqu'à ce que tous les boutons des vêtements brûlés brillent comme des perles d'ambre, et que le souvenir des jitterbugs endiablés qu'elles avaient dansés ensemble se fonde dans les flammes.

Au cours des jours suivants, Kya tira la leçon des erreurs des autres, et aussi de l'observation des petits poissons, pour essayer de supporter la vie avec lui. Il fallait s'écarter de son chemin, ne pas le laisser la voir, bondir des flaques de lumière aux zones d'ombre. Elle se levait et quittait la maison avant son lever, vivait dans les bois et les marécages, puis rentrait sur la pointe des pieds pour regagner son lit dans la véranda aussi près des marais qu'elle le pouvait.

Pa s'était battu contre les Allemands pendant la Seconde Guerre mondiale, c'était là qu'il avait pris des éclats d'obus dans son fémur gauche, irrémédiablement détruit, ce qui constituait leur ultime fierté. Ses chèques de pension d'invalidité, leur unique source de revenus. Une semaine après le départ de Jodie, le réfrigérateur était vide et il ne restait presque plus de navets. Quand Kya entra dans la cuisine ce lundi matin, Pa désigna un billet d'un dollar tout froissé et quelques pièces éparses sur la table.

« T'as de quoi t'acheter à manger pour la semaine. Les cadeaux, ça existe pas. Tout a son prix, et si tu veux du fric, il va falloir tenir cette maison, ramasser du bois et faire la lessive. »

Pour la première fois, Kya prit seule le chemin de Barkley Cove pour faire les courses – *ce petit cochon est allé au marché.* Elle pataugea dans le sable profond et la boue noire pendant près de sept kilomètres jusqu'à apercevoir le miroitement de la baie, et les maisons tout près du rivage.

Des terres marécageuses entouraient la petite ville, mêlant leur brouillard salé à celui de l'océan, qui enflait à marée haute de l'autre côté de la rue principale. Ensemble les marais et la mer séparaient les habitations du reste du monde, la seule liaison étant la grande route à deux voies qui traversait la bourgade cahin-caha, avec son asphalte craquelé et ses multiples ornières.

Il n'y avait que deux rues. La principale, Main Street, longeait le front de mer et s'y trouvait une rangée de boutiques, l'épicerie Piggly Wiggly à un bout, le concessionnaire Western Auto à l'autre, un petit restaurant au milieu. Égrenés entre ces commerces, le bazar Kress, une boutique de vêtements Penny's (vente sur catalogue uniquement), la boulangerie Parker, et un magasin de chaussures Buster Brown. À côté de l'épicerie, la brasserie Dog-Gone, qui proposait des hotdogs grillés, du chili con carne et des crevettes frites, servis dans des barquettes en papier. Les femmes et les enfants n'y entraient jamais parce que ce n'était pas un endroit convenable, mais un guichet avait été aménagé dans le mur pour qu'ils puissent commander des hotdogs et des boissons gazeuses depuis l'extérieur. Les gens de couleur ne pouvaient ni franchir la porte ni utiliser ce guichet.

L'autre rue, Broad Street, s'enfonçait de la vétuste grand-route à Main Street, où elle se terminait. Si bien qu'à l'unique carrefour se croisaient Main Street, Broad Street et l'océan Atlantique. Les boutiques et les magasins ne se touchaient pas comme dans la plupart des agglomérations, mais étaient séparés par des parcelles de terrains vagues, hérissées de palmiers nains et d'avoine de mer comme si le marais avait entamé une incursion. Pendant plus de deux siècles, les vents âpres et chargés de sel avaient attaqué les bardeaux en cèdre des façades jusqu'à ce qu'ils prennent une couleur de rouille, et les cadres des fenêtres, peints en bleu ou en blanc pour la plupart, s'étaient écaillés et fendillés. Dans l'ensemble, la petite ville, lasse de lutter contre les éléments, semblait s'affaisser lentement.

Le quai, envahi de cordages élimés et de vieux pélicans, s'avançait dans la petite baie, dont les eaux, quand la mer était calme, reflétaient la coque rouge ou jaune des crevettiers. Des chemins de terre, bordés de bicoques en bois de cèdre, s'enfonçaient à travers les arbres, contournaient les lagunes, et longeaient l'océan de part et d'autre des boutiques. Barkley Cove était littéralement un trou perdu, ses différentes composantes éparpillées çà et là parmi les estuaires et les roseaux, semblable à un nid d'aigrettes ballotté par le vent.

Pieds nus et vêtue d'une salopette trop courte, Kya s'arrêta à l'endroit où le chemin des marais croisait la route. Se mordillant la lèvre, elle avait envie de faire demi-tour. Elle ignorait complètement comment s'adresser à des inconnus, ou comment compter l'argent à l'épicerie. Mais poussée par la faim, elle s'engagea dans Main Street, et continua d'avancer, tête baissée, en direction du Piggly Wiggly sur un trottoir délabré, qui émergeait de temps à autre entre les touffes d'herbe. En approchant du bazar, elle entendit un vacarme derrière elle, et bondit de côté au moment où trois garçons, plus âgés qu'elle de quelques années, la dépassaient en trombe sur leurs bicyclettes. Celui qui roulait en tête se retourna vers elle en riant de l'avoir presque écrasée et faillit percuter une cliente qui sortait de l'épicerie.

« CHASE ANDREWS, reviens ici tout de suite, et vous autres aussi ! » Ils continuèrent à pédaler durant quelques mètres, puis, y réfléchissant à deux fois, revinrent vers la dame, Mlle Pansy Price, vendeuse de tissus et articles de mercerie. Sa famille possédait autrefois la plus grande ferme en bordure du marais, et bien qu'ils aient été contraints de la vendre longtemps auparavant, elle continuait à se comporter comme une propriétaire terrienne distinguée. Ce qui n'allait pas sans effort quand on loge dans un minuscule appartement au-dessus d'un restaurant. Mlle Pansy portait invariablement des turbans de soie, et ce matin, son couvre-chef était rose, et contrastait avec son rouge à lèvres et son fard à joues, tous deux écarlates.

Elle gronda les garçons. « J'ai bien envie d'aller me plaindre à vos mères. Ou mieux encore, à vos pères. Rouler à une vitesse pareille sur le trottoir… Vous avez failli me renverser. Qu'as-tu à dire pour ta défense, Chase ? »

Il avait la bicyclette la plus rutilante – selle rouge et guidon chromé en position haute. « On est désolés, mademoiselle Pansy, on vous a pas vue à cause de cette fille qui vous cachait. » Chase, le teint hâlé, les cheveux noirs, désignait Kya, qui avait reculé de quelques pas et s'était réfugiée derrière un buisson de myrtes.

« Oublie-la. Tu ne peux pas faire porter le chapeau de tes péchés à quelqu'un d'autre, même à la racaille des marais. Maintenant, les garçons, il va falloir faire une bonne action pour compenser. Je vois là-bas Mlle Arial avec ses sacs de commissions, allez donc l'aider à les porter jusqu'à sa camionnette. Et rentrez vos chemises dans vos pantalons !

– Oui, m'dame », dirent les gamins en se précipitant vers Mlle Arial, qui avait été leur institutrice au cours élémentaire.

Kya savait que les parents du garçon aux cheveux noirs possédaient la concession Western Auto, la raison pour laquelle il roulait sur le plus moderne des vélos. Elle l'avait déjà vu décharger de gros cartons du camion ou les hisser sur le plateau, mais elle ne lui avait jamais parlé, pas plus qu'aux deux autres.

Elle attendit quelques minutes, puis, baissant à nouveau la tête, reprit le chemin de l'épicerie. À l'intérieur du Piggly Wiggly, Kya examina un assortiment de gruaux de maïs et choisit une mouture de gros grains jaunes, parce qu'une étiquette annonçait que c'était « l'affaire de la semaine ». Comme Ma le lui avait appris. Elle attendit impatiemment dans le rayon qu'il n'y ait plus aucun client prêt à payer, puis s'avança pour affronter la caissière, Mme Singletary, qui lui demanda : « Où est donc passée ta maman ? » Elle avait les cheveux courts et bouclés, teints en violet, de la couleur d'un iris au soleil.

« Elle fait le ménage, madame.

– Dis-moi, tu as de l'argent pour ce gruau ou pas ?

– Oui, madame. » Incapable de compter sa monnaie, elle posa le billet d'un dollar sur le comptoir.

Mme Singletary se demanda si cette enfant savait faire la différence entre les pièces, et en posant la monnaie dans la paume ouverte de Kya, elle compta lentement à haute voix. « Vingt-cinq, cinquante, soixante, soixante-dix, quatre-vingts, quatre-vingt-cinq, et trois cents. Parce que ce gruau coûte douze cents. »

Kya sentit son estomac se soulever. Était-elle censée rendre quelque chose ? Elle fixa le casse-tête des pièces posées au creux de sa main.

Mme Singletary parut s'adoucir. « C'est bon maintenant. Tu peux y aller. »

Kya se précipita hors de la boutique et marcha aussi vite qu'elle put pour reprendre le chemin du marais. Un nombre incalculable de fois, Ma lui avait répété : « Ne cours jamais dans la rue, sinon les gens vont penser que tu as volé quelque chose. » Mais à peine eut-elle regagné le sentier sablonneux qu'elle courut sur presque un kilomètre. Et ralentit, mais à peine, pour parcourir le reste.

De retour à la maison, pensant qu'elle savait préparer le gruau, elle jeta les boules de farine dans l'eau bouillante comme elle avait vu Ma le faire, mais elles s'agglutinèrent pour former une grosse masse qui coula au fond de la casserole. La base eut tôt fait de brûler et l'intérieur resta cru ; le tout si caoutchouteux qu'elle ne put en manger que quelques bouchées, et dut repartir dans le potager où elle dénicha quelques fanes de navets oubliées entre les buissons de verges d'or. Elle les fit ensuite bouillir et les dévora, léchant la casserole jusqu'à la dernière goutte de jus.

En quelques jours, elle apprit à préparer le gruau, même si, bien qu'elle s'applique à touiller le mélange, il gardait une tendance à s'agglutiner. La semaine suivante, elle acheta des morceaux d'échine de porc – nouvelle promotion marquée par une étiquette rouge – et les fit bouillir avec le maïs et des feuilles de chou vert dans une sorte de bouillie qu'elle jugea délicieuse.

Kya avait souvent fait la lessive avec Ma, et savait comment frotter les vêtements sur une planche à laver sous le robinet du jardin avec du savon à la soude caustique. Mouillées, les salopettes de Pa étaient si lourdes qu'elle avait les mains trop petites pour les essorer et elle ne parvenait pas à atteindre la corde à linge, si bien qu'elle les accrochait aux branches des palmiers nains à la lisière du bois.

Pa et elle dansaient ce pas de deux, menant chacun sa vie dans leur cabane sans même se croiser parfois plusieurs jours durant. Ils ne se parlaient presque jamais. Elle faisait le ménage pour deux, comme une brave petite femme d'intérieur. Elle était loin d'être assez bonne cuisinière pour lui préparer ses repas – de toute façon, il n'était pratiquement jamais là – mais, le plus souvent, elle faisait son lit et la vaisselle, débarrassait la table et balayait. Non pas parce qu'on le lui avait demandé, mais parce que c'était la seule façon de rendre la cabane présentable pour le retour de Ma.

Ma avait toujours dit que la lune d'automne se montrait au moment de l'anniversaire de Kya. Et donc, alors qu'elle ne savait plus à quelle date elle était née, un soir où la lune s'éleva toute ronde et dorée au-dessus de la lagune, Kya songea : *Je dois avoir sept ans*. Pa n'y fit pas la moindre allusion ; en tout cas, il n'y eut pas le moindre gâteau d'anniversaire. Il ne lui parla pas non plus d'entrer à l'école, et elle, qui n'en savait pas grand-chose, avait trop peur pour aborder le sujet.

Sans aucun doute, Ma allait revenir pour son anniversaire, et donc, le matin d'après la lune des moissons, elle enfila sa robe en calicot et se posta face au chemin. Kya se l'imagina se dirigeant vers la cabane dans sa longue jupe, ses chaussures en alligator toujours aux pieds. Ne voyant personne venir, elle prit la casserole de gruau et marcha à travers bois jusqu'au rivage. Les mains en cornet autour de la bouche, elle rejeta la tête en arrière et lâcha des cris stridents : « Kriou, kriou, kriou. » Des taches d'argent apparurent dans le ciel et fondirent sur la plage, bondissant au-dessus des vagues.

Les voilà. Je sais pas compter assez loin pour toutes ces mouettes et tous ces goélands.

Piaillant et criaillant, les oiseaux de mer tourbillonnaient avant de plonger, voletaient tout près de son visage, et se posaient sur le sable tandis qu'elle leur jetait du gruau. Ils finirent par s'apaiser et entreprirent de se lisser les plumes pendant qu'elle restait assise, les jambes repliées sur le côté. Un gros goéland s'approcha tout près d'elle.

« C'est mon anniversaire », confia-t-elle à l'oiseau.

3
Chase

1969

Les pieds de la vieille tour de guet abandonnée, rongés par l'humidité, enjambaient le marécage d'où s'élevaient des volutes de brume. Mis à part le croassement des corbeaux, la forêt était plongée dans le silence et semblait attendre quelque chose, tandis que les deux blondinets, Benji Mason et Steve Long, tous deux âgés de dix ans, entreprirent de monter l'escalier détrempé le matin du 30 octobre 1969.

« En automne, il devrait pourtant pas faire aussi chaud, lança Steve en se retournant vers Benji.

– Pas un bruit en plus, à part ces saletés de corbeaux. »

Jetant un coup d'œil entre les marches, Steve s'exclama :

« Waouh ! Qu'est-ce que c'est que ce truc ?

– Où ça ?

– Là, regarde. Des fringues bleues. On dirait qu'il y a un type couché dans la boue. »

Benji s'écria : « Hé, vous là-bas ! Qu'est-ce que vous fabriquez ?

– Je vois bien sa figure, mais elle a pas l'air de bouger. »

Battant des bras, ils se hâtèrent de redescendre et se précipitèrent de l'autre côté de la tour, de la boue verdâtre collant à leurs bottes. Un homme était étendu là, couché sur le dos, sa jambe gauche saillant de façon grotesque à partir du genou. Il avait la bouche et les yeux grands ouverts.

« Ça alors ! s'exclama Benji.

– Bon Dieu, mais c'est Chase Andrews !

– On ferait mieux d'aller chercher le shérif.

– Sauf qu'on n'est pas censés être dans les parages.

– Ça a plus d'importance maintenant. Sans compter que les corbeaux vont pas tarder à s'intéresser à lui. »

Ils tournèrent la tête en direction des croassements et Steve déclara :

« L'un de nous deux ferait peut-être mieux de rester là pour les empêcher de s'approcher.

– Si tu crois que je vais rester ici tout seul, t'as perdu la boule. Et je te parie cinq cents que toi non plus, tu veux pas rester. »

Sur ce, ils enfourchèrent leurs bicyclettes et pédalèrent de toutes leurs forces sur le sable collant pour regagner Main Street, traversèrent la ville et se précipitèrent à l'intérieur de l'édifice bas de plafond où le shérif Ed Jackson était assis à son bureau dans une pièce éclairée par des ampoules nues suspendues par leur fil électrique. Robuste, de taille moyenne, il avait les cheveux roux, le visage et les bras constellés de taches de son claires, et il feuilletait un magazine, *Sports Afield*.

Sans frapper, les deux garçons franchirent la porte ouverte.

« Shérif…

– Eh, Steve, Benji. Vous m'avez l'air en nage.

– On vient de voir Chase Andrews couché par terre dans le marais sous la tour de guet. On croit qu'il est mort. Il bouge plus du tout. »

Depuis la fondation de Barkley Cove en 1751, aucun homme de loi n'avait étendu sa juridiction au-delà des prairies. Dans les années 1940 et 1950, quelques shérifs avaient lâché leurs chiens à la poursuite de condamnés en fuite qui avaient trouvé refuge dans le marais, et on en gardait encore deux ou trois au cas où leur flair pourrait être utile. Mais en règle générale, Jackson se s'intéressait pas aux crimes commis dans le marais. Pourquoi empêcher les rats de continuer à s'entretuer ?

Mais là, il s'agissait de Chase. Le shérif se leva et prit son chapeau au porte-manteau. « Montrez-moi. »

Les branches de chêne et de houx sauvage griffaient le véhicule de patrouille sur le chemin de sable. Le shérif était au volant, accompagné du seul médecin de la ville, le Dr Vern Murphy, un type mince et athlétique aux cheveux grisonnants. Ils se balançaient au gré des profondes ornières et la tête de Vern faillit même heurter la vitre. Presque du même âge, les deux vieux amis allaient souvent à la pêche ensemble et il n'était pas rare qu'ils travaillent sur la même affaire. En ce moment, tous deux restaient silencieux en songeant au garçon qui gisait dans le marais et dont ils allaient devoir identifier le corps.

Steve et Benji avaient pris place sur le plateau du pick-up avec leurs bicyclettes et, parvenus à destination, ils bondirent à terre.

« Il est là-bas, monsieur Jackson. Derrière les buissons. »

Ed descendit du camion. « Les garçons, vous attendez ici. » Puis, le Dr Murphy et lui traversèrent l'étendue de boue jusqu'à l'endroit où se trouvait le corps de Chase. Les corbeaux s'étaient envolés à l'arrivée du véhicule, mais d'autres oiseaux et des nuées d'insectes tourbillonnaient au-dessus. La vie dans toute son insolence qui continuait à bourdonner.

« C'est bien Chase, pas de doute. Sam et Patti Love vont jamais s'en remettre. » Toutes ces années, c'était pour Chase, leur unique enfant, que les Andrews avaient commandé chaque bougie d'allumage, tenu scrupuleusement leurs comptes et préparé chaque vente dans leur concession Western Auto.

Accroupi près du corps, l'auscultant à l'aide de son stéthoscope, Vern prononça le décès.

« La mort remonte à quand ? s'enquit Ed.

– Au moins dix heures, je dirais. Le coroner va l'établir avec certitude.

– Il a dû grimper hier soir alors. Et tomber de là-haut. »

Vern examina brièvement le corps sans le déplacer avant de rejoindre Ed. Tous deux regardèrent les yeux de Chase, qui au milieu de son visage bouffi continuaient à fixer le ciel, puis sa bouche béante.

« Combien de fois j'ai prévenu les habitants qu'un truc pareil risquait d'arriver ! » s'exclama le shérif.

Ils connaissaient Chase depuis sa naissance. Ils avaient vu le charmant bambin grandir jusqu'à se transformer en adolescent avenant. Quarterback vedette de son équipe et coqueluche de la petite ville jusqu'à devenir l'employé de ses parents. Finalement, un bel homme qui avait épousé la plus jolie fille. Et aujourd'hui, il gisait là, dans une solitude aussi ignoble que le bourbier alentour. Le coup de faux de la mort qui, comme toujours, jouait les vedettes.

Ed brisa le silence : « Un truc m'étonne quand même. Pourquoi les autres ont pas donné l'alerte ? Ils viennent toujours en bande dans le coin, enfin au moins par deux, pour s'envoyer en l'air. » Le shérif et le médecin hochèrent brièvement la tête de concert, l'air plein de sous-entendus, sachant pertinemment que, bien que marié, Chase était tout à fait capable d'amener une autre fille dans la tour de guet. « Retournons-y voir d'un peu plus près, proposa Ed en levant les pieds plus haut que nécessaire. Les garçons, vous bougez pas. Allez pas laisser plus d'empreintes. »

Désignant des traces de pas qui partaient de l'escalier et traversaient le bourbier pour s'arrêter à un peu plus de deux mètres de Chase, Ed leur demanda : « C'est vous qui avez laissé ces empreintes ce matin ?

– Oui, m'sieur, on s'est pas approchés plus près, répondit Benji. Dès qu'on a vu que c'était Chase, on a reculé. Jusque-là… vous voyez les marques.

– OK. » Ed se retourna. « Vern, il y a un truc qui cloche. Aucune trace de pas près du corps. S'il était avec ses copains ou qui que ce soit, une fois qu'il est tombé, ils se seraient précipités autour de lui, ils se seraient agenouillés à côté. Pour voir s'il était encore en vie. Tu as vu comme on laisse des empreintes profondes dans cette boue, eh bien, il y en a pas d'autres. Aucune en direction de l'escalier ni en sens inverse, et pas plus autour du corps.

– Alors, il était sans doute seul. Ce serait une explication.

– Eh bien je vais te dire ce qui justement s'explique pas. Où elles sont, ses empreintes à lui ? Comment Chase Andrews a pu prendre ce chemin, traverser cette boue jusqu'au pied de l'escalier pour grimper tout là-haut sans laisser la moindre trace de pas ? »

4
À l'école

1952

Quelques jours après son anniversaire, seule et pieds nus dans la boue, Kya se pencha pour observer un têtard auquel étaient en train de pousser ses pattes de grenouille adulte. Soudain, elle se releva. Un moteur peinait dans le sable au bout de leur chemin. Personne ne venait jamais en voiture par ici. Elle entendit ensuite des gens qui parlaient – un homme et une femme – et leurs voix traversaient les bois. Kya courut se mettre à l'abri des buissons, d'où elle pourrait voir qui s'approchait mais aussi trouverait le moyen de s'enfuir si nécessaire. Comme Jodie le lui avait appris.

Une femme de haute taille descendit de voiture, chancelant sur ses hauts talons comme Ma sur le chemin sablonneux. C'étaient sans doute les gens de l'orphelinat, venus pour l'emmener.

Je suis sûre que je cours plus vite qu'elle. Avec des chaussures pareilles, elle va se casser la figure. Kya resta embusquée et regarda l'inconnue gravir le perron jusqu'à la porte à moustiquaire de la véranda.

« Hou, hou, il y a quelqu'un ? Je suis chargée de faire respecter la loi, et je dois conduire Catherine Clark à l'école. »

Ça alors ! Kya demeura muette. Elle aurait dû entrer à l'école à six ans, sans aucun doute. Et c'était maintenant qu'ils débarquaient, avec un an de retard.

Elle se demandait bien comment parler avec d'autres enfants, et pire encore, à un instituteur, mais elle voulait apprendre à lire et ce qu'il y avait comme nombres après vingt-neuf.

« Catherine, ma petite, si tu m'entends, approche s'il te plaît. C'est la loi, mon chou. Il faut que tu ailles à l'école. Mais en plus, tu vas t'y plaire. Pour commencer, on te donnera un bon repas chaud gratuitement tous les midis. Je crois qu'aujourd'hui, ils servent de la tourte au poulet. »

Décidément, que de surprises ! Kya avait très faim. Pour le petit-déjeuner, elle avait fait bouillir du gruau de maïs avec des crackers à la soude mélangés dedans, parce qu'elle n'avait plus de sel. Une chose qu'elle avait apprise de la vie : on ne peut pas manger de gruau sans sel. Elle n'avait goûté de la tourte au poulet qu'une fois de toute son existence, mais elle revoyait encore cette pâte dorée, croustillante à l'extérieur et fondante dedans. Elle se rappelait la saveur de la sauce au jus de viande, bien épaisse et crémeuse. Ce fut son estomac qui la poussa sans réfléchir davantage à quitter l'abri des palmiers nains.

« Bonjour, ma petite. Je suis Mme Culpepper. Tu m'as l'air d'une grande fille tout à fait prête à aller à l'école, pas vrai ?

– Oui, madame, répondit Kya en baissant la tête.

– Pas de problème, tu peux y aller pieds nus, il y en a d'autres qui le font aussi, mais parce que tu es une fille, tu dois porter une jupe. Tu aurais une jupe ou une robe, mon chou ?

– Oui, madame.

– OK. Alors, allons t'habiller. »

Mme Culpepper passa la porte à la suite de Kya, forcée d'enjamber une rangée de nids d'oiseaux que la petite avait alignés sur les lattes. Dans la chambre, Kya enfila la seule robe à sa taille, une robe chasuble dont une des bretelles était retenue par une épingle de nourrice.

« Parfait, ma petite, tu es très bien comme ça. »

Mme Culpepper lui tendit la main. Kya la regarda fixement. Elle n'avait touché personne depuis des semaines, et jamais aucune inconnue de sa vie. Mais elle plaça sa petite main dans la paume de Mme Culpepper qui la conduisit jusqu'à la Ford Crestliner, au volant de laquelle était assis un homme peu loquace affublé d'un feutre gris. Kya ne sourit pas. Elle n'avait en rien l'impression d'être un poussin protégé par l'aile de sa mère.

Barkley Cove avait une unique école réservée aux Blancs. Du cours préparatoire à la terminale, les élèves fréquentaient une bâtisse en brique à un étage, à l'autre bout de Main Street en partant du bureau du shérif. Les enfants noirs avaient la leur, un cube en ciment de plain-pied en bordure de Colored Town.

Au bureau de l'administration, on trouva son nom mais aucune date de naissance dans les registres de l'état civil du comté, et on l'inscrivit donc en cours élémentaire, bien qu'elle n'ait jamais mis les pieds à l'école. De toute façon, lui expliqua-t-on, le cours préparatoire était trop plein, et quelle importance puisque les gens des marais venaient souvent pendant quelques mois et on ne les revoyait jamais ensuite. Tandis que le directeur lui faisait emprunter un long couloir où le bruit de leurs pas résonnait, Kya sentit la transpiration lui couler sur le front. Il ouvrit la porte d'une salle de classe et la poussa doucement à l'intérieur.

Chemises écossaises, jupes longues, chaussures, beaucoup de chaussures, quelques pieds nus – tous les élèves la fixèrent du regard. Elle n'avait jamais vu autant de gens à la fois. Ils étaient environ une douzaine. L'institutrice, cette même Mlle Arial que les garçons avaient aidée à porter ses courses, conduisit Kya à un pupitre près du fond. Elle pouvait ranger ses affaires dans le placard, mais Kya n'avait rien à ranger.

La maîtresse retourna se poster face au premier rang et dit : « Catherine, s'il te plaît, lève-toi et donne ton nom complet à tes camarades. »

Elle sentit son estomac se crisper.

« Allons, vas-y, ne sois pas timide. »

Kya se leva : « Mlle Catherine Danielle Clark », déclara-t-elle, parce que c'est comme ça que Ma avait dit qu'elle s'appelait.

« Peux-tu nous épeler le mot "sac" ? »

Les yeux rivés au sol, Kya resta muette. Jodie et Ma lui avaient appris quelques lettres. Mais elle n'avait jamais épelé un mot à haute voix pour personne.

Des crampes lui tenaillaient le ventre. Néanmoins, elle essaya : « C-A-S. »

Des éclats de rire parcoururent les rangs.

« Chut, chut, les enfants ! s'écria Mlle Arial. On ne se moque pas, vous m'entendez, on ne se moque jamais de ses camarades. Vous le savez tous très bien. »

Kya eut tôt fait de se rasseoir à son pupitre au fond de la salle, tentant de disparaître comme ces insectes marron qui s'enfoncent sous l'écorce rugueuse des chênes. Pourtant, malgré sa nervosité, tandis que l'institutrice poursuivait sa leçon, elle se pencha en avant et attendit d'apprendre quel nombre venait après vingt-neuf. Pour l'instant, Mlle Arial n'avait parlé que de ce qu'elle appelait le système des sons, et les élèves, en arrondissant la bouche, répétaient après elle des *â*, *ââ*, *o*, *ou*, en roucoulant comme des colombes.

Aux environs de 11 heures, une bonne odeur de petits pains chauds et de pâte feuilletée emplit les couloirs et s'infiltra dans la salle de classe. L'estomac de Kya commença à gronder, et quand les élèves se mirent en rang pour se diriger vers la cantine, elle salivait déjà abondamment. Imitant les autres, elle prit un plateau, une assiette en plastique vert et des couverts. Une grande fenêtre avec un comptoir donnait sur la cuisine, et elle découvrit un immense plat en émail empli de tourte au poulet avec sa pâte dorée et croustillante sillonnée de croisillons et regorgeant d'une sauce épaisse et bien chaude. Une grande femme noire, qui souriait et appelait certains enfants par leurs prénoms, lui en servit une généreuse portion, ainsi qu'une bonne cuillerée de haricots pinto au beurre et un petit pain chaud. Elle reçut ensuite une part de pudding à la banane et un berlingot individuel de lait rouge et blanc qu'elle posa sur son plateau.

Elle se dirigea ensuite vers la salle à manger, où la plupart des tables étaient déjà occupées par des gamins qui bavardaient en riant. Elle reconnut Chase Andrews et ses amis, qui avaient failli la renverser sur le trottoir avec leurs vélos, et elle détourna la tête avant d'aller s'installer seule à une autre table. À intervalles brefs et réguliers, ses yeux la trahissaient et elle se surprit en train de regarder ces trois-là, les seuls visages qu'elle connaissait. Mais comme tous les autres, ils firent comme si elle n'existait pas.

Kya fixa sa part de tourte, pleine de poulet, de carottes, de pommes de terre et de petits pois. La croûte dorée sur le dessus. Plusieurs filles, vêtues de jupes longues, s'approchèrent dans un froufrou de crinoline. L'une d'elles était grande, maigre et blonde, une autre plutôt ronde, avec de grosses joues. Kya se demanda comment elles pouvaient grimper à un arbre ou même monter dans un bateau avec des jupes aussi longues. En tout cas, elles ne pouvaient sûrement pas aller à la pêche aux grenouilles ; elles n'auraient même pas vu leurs pieds.

Alors qu'elles marchaient vers sa table, Kya plongea le nez dans son assiette. Qu'allait-elle dire si elles s'asseyaient à côté d'elle ? Mais les filles poursuivirent leur chemin en babillant comme des oiseaux, et rejoignirent leurs amies à une autre table. Malgré sa faim dévorante, elle se sentait la bouche sèche, et avait du mal à avaler. Après avoir mastiqué quelques morceaux, elle but son lait d'un trait, et fourra tout ce qui restait dans le berlingot, en prenant soin que personne ne la voie faire, et elle l'enveloppa avec le petit pain dans sa serviette en papier.

Elle ne desserra pas les dents du reste de la journée. Même quand la maîtresse lui posa une question, elle demeura muette. À son avis, c'était elle qui était censée apprendre en les écoutant, et pas l'inverse. *Pas question de risquer qu'ils se moquent de moi*, songea-t-elle.

Quand la dernière sonnerie retentit, on lui expliqua que le car la déposerait à cinq kilomètres de chez elle, parce que, au-delà, la route était trop sablonneuse, et qu'il lui faudrait marcher jusqu'à cet arrêt tous les matins. Sur le chemin du retour, tandis que le car s'enfonçait dans de profondes ornières et longeait des étendues de spartines, elle entendit un chant monter de l'avant du véhicule : « Mlle Catherine Danielle Clark ! » Grande-blonde-maigrichonne et Petite-boulotte-à-grosses-joues, les filles entrevues à la cantine, lui crièrent : « Où qu'elle était, la poule des marais ? Et où qu'est ton chapeau, rat des eaux ? »

Le car finit par s'arrêter au carrefour non signalisé de deux chemins qui se croisaient au fond des bois. Le chauffeur ouvrit la portière d'un tour de manivelle, et Kya bondit à terre avant de filer comme le vent sur près d'un kilomètre, et ralentit à peine le pas pour finir sa route. Elle ne s'arrêta pas à la maison mais poursuivit sa course entre les palmiers nains jusqu'à la lagune et continua sur le sentier qui, à travers un épais bois de chênes protecteurs, menait à l'océan. Elle parvint enfin sur la plage dénudée, la mer lui tendit les bras, et le vent dénoua sa tresse quand elle s'arrêta au bord de l'eau. Elle paraissait prête à fondre en larmes, comme elle l'avait été toute la journée.

Dominant le vacarme des vagues qui rugissaient, Kya appela les oiseaux. L'océan était la basse, mouettes et goélands, les sopranos. Piaillant et criaillant, ils voltigeaient au-dessus du marais et du sable, tandis qu'elle lançait des miettes de tourte et de son petit pain sur la plage. Les pattes dépliées, se tordant le cou pour mieux voir, ils se posèrent.

Quelques rares oiseaux picoraient gentiment entre ses orteils, et elle rit de leurs chatouilles jusqu'à ce que les larmes lui coulent sur les joues, et que, enfin, des salves de gros sanglots montent de sa gorge serrée. Quand le berlingot fut vide, elle pensa ne jamais pouvoir surmonter sa douleur, elle avait trop peur que les mouettes et les goélands l'abandonnent comme tous les autres. Mais les oiseaux se posèrent sur la plage non loin d'elle et entreprirent de lisser les plumes de leurs ailes grises déployées. Elle s'assit en regrettant de ne pas pouvoir les rassembler pour les emmener dormir dans la véranda. Elle se les imagina blottis dans son lit, une masse duveteuse de plumes tièdes, tout contre elle sous les couvertures.

Deux jours plus tard, elle entendit la Ford Crestliner patiner sur le chemin et elle fila vers le marais, sautant lourdement sur les bancs de sable, imprimant des empreintes facilement repérables, avant de s'enfoncer dans l'eau sur la pointe des pieds, n'en laissant aucune cette fois, retournant sur ses pas pour partir dans une autre direction. Quand elle atteignit la boue, elle décrivit de grands cercles, créant tout un désordre d'indices. Puis, lorsqu'elle rejoignit la terre ferme, elle bondit avec légèreté de touffes d'herbe en tas de brindilles pour ne laisser aucune trace.

Ils revinrent tous les deux ou trois jours pendant encore quelques semaines, l'homme au chapeau se chargeait de la rechercher et de la poursuivre, mais il n'y réussit jamais de près ou de loin. Puis un jour, plus personne ne revint. Il ne resta plus que le croassement des corbeaux. Les bras ballants, elle restait là à fixer le chemin vide.

Kya ne retourna plus jamais à l'école de toute sa vie. Elle se remit à observer les hérons et à ramasser des coquillages dont elle pensait qu'ils pouvaient lui apprendre quelque chose. *Je sais déjà roucouler comme une colombe*, se disait-elle. *Et beaucoup mieux que toutes ces filles. Même avec leurs jolies chaussures.*

Un matin, quelques semaines après la journée passée à l'école, alors que le soleil étincelait comme un disque chauffé à blanc, Kya grimpa dans le fort de ses frères, perché entre les branches près de la plage, et guetta les voiliers arborant des pavillons de pirates. Démontrant que l'imagination peut prospérer dans le sol le plus désertique, elle s'écria : « Ohé, les pirates ! Ohé ! »

Brandissant son sabre, elle bondit de l'arbre pour se lancer à l'abordage. Soudain, un éclair de douleur lui transperça le pied droit et remonta le long de sa jambe comme une flamme. Ses genoux ployèrent, elle tomba sur le flanc et se mit à mugir. Elle vit qu'un long clou rouillé s'était fiché dans la plante de son pied. « Pa ! » hurla-t-elle. Elle tenta de se rappeler s'il était rentré à la maison la veille. « Au secours, Pa ! » cria-t-elle encore, mais elle ne reçut aucune réponse. D'un mouvement rapide, elle tendit la main et arracha le clou, en beuglant pour couvrir la douleur.

En gémissant, elle battit des bras dans le sable en une suite de mouvements désordonnés. Elle finit par se redresser et examina la plante de son pied. Il n'y avait pratiquement pas de sang, rien que le trou minuscule d'une blessure profonde. À ce moment précis, elle songea au tétanos. Son estomac se crispa de nouveau et un frisson la parcourut. Jodie lui avait raconté l'histoire d'un garçon qui avait marché sur un clou rouillé et auquel on n'avait pas fait de piqûre antitétanique. Ses mâchoires s'étaient bloquées, si serrées qu'il ne pouvait plus ouvrir la bouche. Puis sa colonne vertébrale s'était tendue en arrière comme un arc, et personne n'avait rien pu faire que le regarder mourir dans de terribles contorsions.

Jodie avait été très clair sur ce point : il fallait se faire vacciner au plus tard deux jours après avoir marché sur un clou, ou on était fichu. Kya n'avait pas la moindre idée d'où réclamer l'indispensable piqûre.

Faut que je fasse quelque chose, je vais me bloquer si je reste comme ça à attendre Pa. Des billes de transpiration lui coulaient sur le visage, et elle traversa la plage en sautillant, pour finir par regagner la fraîcheur relative des chênes qui entouraient la cabane.

Ma avait coutume de plonger les plaies dans de l'eau salée et de les envelopper de boue mélangée à toutes sortes de potions. Il n'y avait pas de sel dans la cuisine, et Kya boitilla à travers bois jusqu'à un filet d'eau saumâtre si salé à marée basse que des cristaux blancs et brillants se formaient sur ses berges. Elle s'assit par terre, trempa le pied dans l'eau, sans cesser de remuer ses mâchoires : ouvertes, fermées, ouvertes, fermées, faux bâillements, mastication, tout pour qu'elles ne se bloquent pas. Au bout de presque une heure, la marée recula tellement que Kya put creuser de ses doigts un trou dans la boue noire, et elle enfonça le pied dans le sol détrempé et soyeux. L'air était plus frais à cet endroit, et le cri des aigles lui donnait du courage.

En fin d'après-midi, elle commença à avoir faim et rentra dans la cabane. La chambre de Pa était toujours vide, et il ne reparaîtrait sans doute pas avant plusieurs heures. Le poker et l'alcool occupaient un homme toute une partie de la nuit. Il n'y avait plus de gruau, mais en raclant une vieille conserve de margarine Crisco, elle en tira une petite quantité de graisse blanche qu'elle étala sur un biscuit à la soude. Elle commença par picorer, et finit par en manger cinq.

Elle s'étendit sur son lit dans la véranda et guetta le retour du bateau de Pa. La nuit tomba brusquement et elle sombra par instants dans le sommeil, mais elle dut s'endormir pour de bon au petit matin parce qu'elle fut réveillée par le soleil qui lui inondait le visage. Elle s'empressa d'ouvrir la bouche : ses mâchoires fonctionnaient encore. Elle passa son temps à aller et venir entre la cabane et la flaque d'eau saumâtre jusqu'à mesurer, en suivant la course du soleil, que deux jours complets s'étaient écoulés. Elle continuait à pouvoir ouvrir et fermer la bouche. Elle était peut-être tirée d'affaire.

Ce soir-là, blottie sous les draps de son matelas, le pied entouré de son pansement de boue, elle se demanda si elle ne serait pas morte au réveil. Non, elle se rappela que les choses ne seraient pas aussi simples. D'abord son dos s'arquerait, et ses membres se tordraient dans tous les sens.

Quelques minutes plus tard, elle ressentit un élancement dans les reins et elle se rassit. « Oh non… non ! Ma ! Ma ! » La sensation dans son dos se répéta et la fit taire. « C'est rien qu'un truc qui me gratte », marmonna-t-elle. Épuisée, elle finit par s'endormir et n'ouvrit les yeux qu'en entendant le murmure des colombes dans le chêne.

Pendant une semaine, elle alla plonger le pied dans la petite flaque deux fois par jour, et se sustenta en mangeant des crackers à la margarine. Le huitième jour, elle put prendre son pied entre ses mains sans ressentir de raideur, et la douleur n'était déjà plus que superficielle. Elle dansa une petite gigue en piaillant : « J'ai réussi, j'ai réussi ! »

Le lendemain matin, elle repartit vers la plage pour traquer de nouveaux pirates.

« La première chose que je vais faire, c'est donner à mon équipage l'ordre de ramasser tous ces clous ! »

Tous les matins, elle se levait avec l'aube, tendant l'oreille pour surprendre le remue-ménage de Ma dans la cuisine. Le petit-déjeuner que Ma préférait, c'étaient des œufs brouillés, pondus par ses propres poules, des rondelles de tomates bien mûres et des beignets de pain de maïs qu'elle préparait en jetant dans la graisse surchauffée qui bouillonnait un mélange de farine, d'eau et de sel, les bords frits formant une dentelle croustillante. Ma disait toujours que, pour qu'un beignet soit bien frit, il faut l'entendre crépiter d'une pièce à l'autre, et depuis sa naissance, Kya avait entendu la pâte éclater dans la graisse à son réveil et senti la fumée bleue du maïs brûlant. Mais aujourd'hui la cuisine était froide et silencieuse, et Kya se glissa hors de son lit pour filer vers la lagune.

Des mois passèrent, l'hiver s'installa lentement, comme toujours dans le Sud. Le soleil, aussi chaud qu'une couverture, enveloppait les épaules de Kya, et la poussait à s'aventurer toujours plus loin dans le marais. Parfois, la nuit, elle entendait des bruits qu'elle ne connaissait pas ou était réveillée par un éclair tout proche, mais chaque fois qu'elle trébuchait, la terre la remettait sur ses pieds. Jusqu'à ce qu'un jour, sans qu'elle en prenne vraiment conscience, la douleur qu'elle avait au cœur s'écoula comme de l'eau dans le sable. Elle était toujours là, mais cachée au plus profond. Kya posa la main sur la terre mouillée et vivante, et le marais devint sa mère.

5
Enquête

1969

Dans les airs, des cigales stridulaient sous un soleil ardent. Tous les autres êtres vivants se tapissaient dans les broussailles pour se protéger de la chaleur, n'émettant qu'un bourdonnement indistinct.

En s'épongeant le front, le shérif Jackson dit à Vern : « Il reste des choses à faire ici, mais je me sens pas à l'aise. La femme et la famille de Chase savent même pas encore qu'il est mort.

– Je vais aller leur dire, Ed, répondit le Dr Vern Murphy.

– C'est sympa de ta part. Prends mon pick-up. Envoie une ambulance chercher Chase et demande à Joe de revenir me prendre. Mais pas un mot à personne d'autre. J'ai pas envie que tout Barkley Cove rapplique, et c'est exactement ce qui risque de se passer si tu en parles. »

Avant de partir, Vern regarda longuement Chase, comme s'il avait oublié quelque chose. En tant que médecin, il aurait dû pouvoir remédier à cette situation. L'air lourd du marais s'amassait derrière eux, attendant patiemment son heure.

Ed se tourna vers les garçons. « Vous deux, vous restez là. Pas besoin que quiconque raconte ce qui s'est passé dans toute la ville. Et puis, vous touchez à rien et vous évitez de laisser de nouvelles traces dans la boue.

– Oui, m'sieur, dit Benji. Vous pensez que Chase s'est fait tuer, c'est ça ? Parce qu'il y a pas d'empreintes. Quelqu'un l'a peut-être poussé, hein ?

– J'ai rien dit de tel. C'est la procédure policière normale. Bon, les gamins, vous restez pas dans nos jambes et vous répétez rien de ce que vous avez entendu ici. »

L'adjoint au shérif Joe Purdue, un petit homme doté d'épais favoris, arriva dans le véhicule de patrouille moins d'un quart d'heure plus tard.

« J'arrive pas à y croire. Chase mort ! C'était le meilleur quarterback qu'on avait jamais eu dans cette ville. Y a vraiment quelque chose qui tourne pas rond !

– Là, tu as pas tort. Bon, maintenant, au travail !

– Qu'est-ce que tu as trouvé pour l'instant ? »

Ed s'éloigna des deux garçons. « Bien sûr, à première vue, ça ressemble à un accident : il s'est tué en tombant de la tour de guet. Mais en attendant, j'ai repéré aucune trace de ses pas en direction de l'escalier, pas plus que celles de qui que ce soit, d'ailleurs. Voyons voir si on trouve des signes que quelqu'un aurait essayé de les faire disparaître. »

Les deux policiers ratissèrent les lieux pendant dix bonnes minutes. « Tu as raison, y a rien que les empreintes des deux gosses, reconnut Joe.

– Et rien non plus qui montre qu'on les aurait effacées. J'y comprends vraiment rien. On continue maintenant. Je reprendrai les recherches plus tard », dit Ed.

Ils prirent des photos du corps, de sa position par rapport à l'escalier, des gros plans des blessures à la tête, de la jambe déformée. Joe nota les commentaires que lui dictait Ed. Tandis qu'ils mesuraient la distance séparant le corps du chemin, ils entendirent les flancs de l'ambulance frôler les épais buissons. Le conducteur, un vieux Noir qui se chargeait des blessés, des malades et des mourants depuis des dizaines d'années, inclina la tête en signe de respect et murmura quelques réflexions : « Ben c'est sûr que ses bras vont pas vraiment se plier, alors je vais pas pouvoir le monter sur le brancard. Va falloir le porter et sûr qu'il va être lourd. M'sieur le shérif, vous, vous lui tenez la tête. Au poil ! Mon Dieu, mon Dieu ! » Avant la fin de la matinée, ils avaient chargé le corps maculé de boue visqueuse à l'arrière de l'ambulance.

Comme le Dr Murphy avait informé les parents de Chase de sa mort, Ed dit aux garçons qu'ils pouvaient rentrer chez eux ; Joe et lui gravirent l'escalier qui montait jusqu'au sommet en se rétrécissant peu à peu. Au fur et à mesure, les contours arrondis du monde s'éloignaient, les forêts luxuriantes et l'eau des marais s'étendant jusqu'à ses confins.

Quand ils atteignirent la dernière marche, Jackson leva les mains et poussa sur une trappe en fer, avant de la remettre doucement en place parce qu'elle faisait partie du plancher. Des lattes de bois crevassées et décolorées par les ans en constituaient le centre, mais tout autour se trouvaient des grilles carrées qui pouvaient s'ouvrir et se refermer. Tant qu'elles étaient baissées, on pouvait poser le pied dessus en toute sécurité, mais si l'une d'elles restait ouverte, on risquait de tomber et de se retrouver vingt mètres plus bas.

« Regarde-moi ça ! dit Ed en désignant l'extrémité de la plate-forme, où précisément, une des trappes était restée ouverte.

– Bon Dieu de bois ! » s'exclama Joe pendant qu'ils s'en approchaient. Jetant un regard en contrebas, ils virent la silhouette du corps déformé de Chase qui s'était imprimée dans la boue. De la fange jaunâtre et des lentilles d'eau avaient jailli sur les côtés comme du crépi.

« Ça marche pas, dit Ed. Il y a des gens qui oublient de refermer la trappe qui donne sur l'escalier. Au moment de redescendre, tu comprends ? On l'a d'ailleurs trouvée ouverte plusieurs fois. Mais les autres grilles, personne oublie de les remettre en place.

– Pourquoi Chase aurait ouvert celle-là pour commencer ? Lui ou qui que ce soit d'ailleurs ?

– À moins qu'on n'ait décidé de pousser quelqu'un dans le trou pour lui régler son compte, répondit Ed.

– Mais pourquoi ils l'auraient pas refermée ?

– Parce que si Chase avait sauté tout seul, il aurait pas pu la remettre en place. Il fallait la laisser ouverte pour que ça ait l'air d'un accident.

– Regarde un peu cette poutre dans le trou. Elle est enfoncée et toute fendillée.

– Oui, je vois. Chase a dû se cogner la tête contre en tombant.

– Je vais descendre par là, voir s'il y aurait pas des traces de sang ou des cheveux. Je vais aussi ramasser quelques éclats de bois.

– Merci, Joe. Prends aussi quelques gros plans. Moi je vais chercher une corde pour t'attacher. On n'a pas vraiment besoin d'un cadavre de plus dans la boue aujourd'hui. Il faut aussi qu'on relève les empreintes sur cette grille, sur la trappe de l'escalier, la balustrade et la rampe. Sur tout ce qui a pu être touché. Et ramasser tous les cheveux et les fils qui pourraient traîner. »

Un peu plus de deux heures plus tard, ils étiraient leurs dos, douloureux d'avoir passé tant de temps penchés sur leur travail.

« Je suis pas encore sûr qu'il y ait eu un acte criminel. C'est beaucoup trop tôt pour le dire. Mais en plus, je vois vraiment pas qui aurait pu vouloir tuer un petit gars comme Chase, dit Ed.

– Ben moi au contraire, j'en vois toute une liste, rétorqua son adjoint.

– Comme qui ? De quoi tu parles ?

– Allons, Ed. Tu sais comment il était, Chase ? Toujours à courir les jupons, excité comme un taureau qu'on sort de son enclos. Avant sa noce et même après, toujours à tourner autour des filles célibataires et des femmes mariées. J'ai connu des chiens en rut qui se comportaient mieux que lui avec les femelles.

– Tu exagères, c'était pas un si mauvais bougre. Sûr qu'il avait une réputation de cavaleur. Mais je vois personne dans cette ville qui aurait pu le dézinguer pour ça !

– Je dis seulement qu'il y en avait qui l'aimaient pas beaucoup. Un mari jaloux, par exemple ; sans doute quelqu'un qu'il connaissait. Quelqu'un qu'on connaît tous. J'imagine pas Chase grimper là-haut avec un étranger, insista Joe.

– Sauf s'il était endetté jusqu'au cou et qu'il devait de l'argent à quelqu'un dans une autre ville. Et qu'on n'en ait rien su. En plus, il faut qu'il soit costaud pour pousser dans le trou un garçon comme Chase Andrews. Il a dû avoir du boulot.

– Moi, j'ai déjà deux trois noms en tête », répondit Joe.

6
Un bateau et un garçon

1952

Un matin, Pa, rasé de frais et vêtu d'une chemise froissée, entra dans la cuisine et annonça qu'il partait pour Asheville par le car Trailways pour discuter de certaines questions avec l'armée. Il pensait qu'il avait droit à une pension d'invalidité plus importante, et il allait voir ce qu'il pouvait y faire ; il ne serait pas de retour avant trois ou quatre jours. Il n'avait jamais cru bon de parler de ses affaires avec Kya, de lui dire où il allait, ni quand il comptait revenir, et donc, dans sa salopette trop courte, elle resta un moment à le fixer sans prononcer un mot.

« Je pensais bien que tu étais sourde et muette comme tous ces minables », lança-t-il en laissant claquer la porte de la véranda derrière lui.

Kya le suivit du regard tandis qu'il s'éloignait en boitant le long du sentier, sa jambe gauche décrivant un arc de cercle sur la gauche avant chaque pas. Les doigts de la fillette étaient crispés. Peut-être allaient-ils tous la quitter, s'en aller par ce chemin l'un après l'autre. Quand il atteignit la route et que, contre toute attente, il se retourna, elle leva haut la main et l'agita de toutes ses forces. Une façon d'essayer de le retenir. Pa leva le bras à son tour en un geste dédaigneux. Mais c'était déjà mieux que rien. Plus en tout cas que n'avait fait Ma.

De là, elle partit errer sans but dans la lagune où la lumière du lever du jour faisait chatoyer les ailes de centaines de libellules. Des chênes et des broussailles touffues encerclaient l'eau et l'assombrissaient un peu comme une grotte, et elle s'arrêta en apercevant le bateau de Pa qui se balançait au bout de son amarre. Si elle partait avec dans le marais et qu'il s'en aperçoive, elle goûterait à sa ceinture. Ou à la pagaie qu'il accrochait près de la porte de la véranda. « La bien reçue », l'avait surnommée Jodie.

Ce fut peut-être un désir d'escapade qui la poussa vers le bateau – une barque en métal à fond plat et au nez relevé que Pa utilisait pour aller pêcher. Elle y montait depuis qu'elle était toute petite, en général avec Jodie. Parfois, il la laissait tenir la barre. Elle savait même trouver son chemin dans le lacis des canaux et des estuaires qui dessinaient ce labyrinthe de terre et d'eau, d'eau et de terre, jusqu'à la mer. Car si l'océan se trouvait juste derrière les arbres qui entouraient la cabane, la seule façon de le rejoindre en bateau était de partir dans la direction opposée, vers les terres, et de serpenter à travers les kilomètres carrés de voies navigables enchevêtrées qui finissaient par conduire à la mer.

Toutefois, parce qu'elle était une fille et n'avait que sept ans, elle n'avait jamais pris le bateau toute seule. Il était amarré là, retenu par un unique filin de coton fixé à un rondin. Tas de saletés grises, fils à pêche effilochés, et canettes de bière à demi écrasées jonchaient le fond de l'embarcation. Elle monta à bord en se disant à haute voix : « Il faut que je vérifie l'essence, comme Jodie m'a appris, pour que Pa s'aperçoive de rien. » Elle plongea un roseau dans le réservoir rouillé. « Y en a assez pour faire un petit tour, on dirait. »

Comme une voleuse expérimentée, elle regarda alentour, puis détacha l'amarre du rondin et poussa sur l'unique pagaie. Le nuage silencieux des libellules s'écarta sur son passage.

Incapable de résister, elle tira sur le cordon du démarreur et fit un bond en arrière quand le moteur se déclencha la première fois, grondant et crachant une fumée blanche. S'emparant de la barre, elle donna trop de gaz, et la barque fit un écart dans un hurlement du moteur. Elle tourna la manette, laissa aller la barre, et l'embarcation se mit à filer doucement en ronronnant.

Quand tu as un problème, lâche tout. Reviens au ralenti.

Accélérant plus doucement cette fois, elle contourna le vieux cyprès qui émergeait, *teuf teuf teuf*, par-delà les branchages entassés du barrage des castors. Puis, retenant sa respiration, elle se dirigea vers l'embouchure de la lagune, à demi cachée sous les ronces. Elle baissa la tête pour passer sous les branches basses des arbres géants et progressa lentement à travers les épais buissons sur plus de cent mètres, tandis que des tortues d'eau se laissaient glisser de leurs rondins. Une flottille de lentilles d'eau rendait l'eau aussi verte que les feuillages des arbres, formant une espèce de tunnel d'émeraude. Finalement, les branches s'écartèrent et elle se laissa glisser vers une trouée de ciel et d'herbes hautes, sous le croassement des oiseaux. Un peu comme le spectacle que découvre un poussin, se dit-elle, quand il brise sa coquille.

Petit brin de fillette sur sa barque, Kya continua d'avancer paisiblement, en tirant des bords sans se presser tandis que d'interminables estuaires se divisaient et s'enchevêtraient devant elle. *Garde ta gauche chaque fois que tu tournes quand tu es en route vers le large*, avait conseillé Jodie. Elle touchait à peine la manette des gaz, se laissant porter par le courant et réduisant le bruit du moteur au minimum. Alors qu'elle dépassait un bouquet de roseaux, elle vit une biche à queue blanche avec son faon qui s'abreuvaient. Ils relevèrent brusquement la tête dans une pluie de gouttelettes. Kya ne s'arrêta pas pour ne pas les faire fuir, une leçon qu'elle avait apprise en observant les dindons sauvages : quand on se comporte comme un prédateur, les animaux agissent comme des proies. Il fallait les ignorer, poursuivre lentement son chemin. Elle les contourna, et les deux bêtes restèrent aussi immobiles qu'un pin jusqu'à ce que Kya ait disparu derrière les herbes salées.

Elle pénétra dans une étendue de lagunes sombres enserrées par des chênes, et elle se rappela qu'il y avait là un chenal de l'autre côté qui menait jusqu'à un très grand estuaire. Plusieurs fois, elle se retrouva dans des impasses, dut rebrousser chemin et virer de bord. Toujours en mémorisant chaque changement de cap pour retrouver la voie du retour. Elle finit par apercevoir l'estuaire, et son immense étendue d'eau qui reflétait le ciel entier avec tous ses nuages.

La marée descendait, Kya s'en rendit compte en observant le reflux des ruisseaux sur le rivage. Si l'eau reculait trop loin, ce qui était imminent, certains chenaux se videraient de leur eau et elle s'échouerait. Il fallait qu'elle rebrousse chemin avant.

Alors qu'elle faisait le tour d'un îlot de hautes herbes, elle se trouva soudain face à l'océan, gris et frémissant, qui la fixait avec sévérité. Les vagues bondissaient, noyées dans leur bave blanche, et déferlaient sur le rivage avec fracas – de l'énergie pure qui montait à l'assaut de la plage. Puis chacune d'elles se brisait en paisibles langues d'écume en attendant la suivante.

Le ressac semblait se moquer d'elle et la mettre au défi d'avancer entre les vagues pour rejoindre la mer, mais sans Jodie, le courage lui manqua. Il était temps de rentrer de toute façon. Les nuages noirs s'amoncelaient à l'ouest, formant d'énormes champignons gris dont les contours se bousculaient.

Elle n'avait croisé personne, pas même de bateaux dans le lointain, et donc elle fut surprise quand, en pénétrant à nouveau dans le grand estuaire, elle aperçut un garçon qui pêchait près des herbes du marais dans une vieille embarcation cabossée. Sa course allait l'amener à passer à moins de six mètres de lui. Elle avait conscience d'offrir le spectacle typique de l'enfant des marais : les cheveux en bataille, les joues sales maculées de traînées de larmes causées par le vent.

Ni le peu d'essence qu'il lui restait ni la menace de la tempête ne la rendaient aussi nerveuse que la vue de quelqu'un d'autre, et en particulier d'un garçon. Ma avait souvent expliqué à ses sœurs aînées qu'il fallait s'en méfier. Quand on a l'air un tant soit peu appétissante, les hommes deviennent des prédateurs. Serrant les lèvres, elle se demanda en son for intérieur : *Qu'est-ce que je vais faire ? Je suis obligée de passer juste à côté.*

Du coin de l'œil, elle vit qu'il était plutôt maigrichon, et que ses boucles dorées disparaissaient à moitié sous une casquette de baseball rouge. Beaucoup plus vieux qu'elle. Onze ans, peut-être douze. Elle avait le visage fermé en s'approchant, mais il lui sourit, l'air ouvert et chaleureux, et il toucha le bord de sa casquette comme un gentleman salue une dame vêtue d'une robe et coiffée d'un bonnet. Elle hocha légèrement la tête, augmenta les gaz et le dépassa.

Elle ne pensait plus désormais qu'à la façon de se retrouver en terrain familier, mais elle avait dû tourner là où il ne fallait pas, parce que, en atteignant le deuxième chapelet de lagunes, elle ne retrouva pas le chenal qui conduisait à la maison. Tournant inlassablement en rond entre les moignons de chênes et les buissons de myrtes, elle chercha son chemin, gagnée peu à peu par une panique insidieuse. Maintenant, les rives herbues, les bancs de sable et les différentes boucles lui paraissaient tous identiques. Elle coupa le moteur et se campa debout en plein centre de sa barque, les jambes écartées, pour tenter de voir de l'autre côté des roseaux, mais rien à faire. Elle se rassit. Perdue. Presque plus d'essence. La tempête se rapprochait.

Empruntant les mots de Pa, elle s'emporta contre son frère : « Salopard de Jodie ! Chie du feu et tombe dedans, c'est tout ce que je te souhaite, de chier du feu et de tomber dedans. »

Elle poussa un petit cri plaintif en sentant le bateau dériver lentement dans le courant. Les nuages qui gagnaient du terrain sur le soleil pesaient sans bruit au-dessus de sa tête, repoussant le ciel et étirant des ombres sur l'eau claire. Une bourrasque pouvait souffler d'une minute à l'autre. Pire encore cependant : si elle tardait trop, Pa saurait qu'elle avait pris la barque. Elle continua d'avancer, se demandant si elle ne pourrait pas retrouver ce garçon.

Quelques minutes plus tard au fil du bras d'eau, au détour d'un virage, elle aperçut le grand estuaire, et le garçon sur son bateau. Des aigrettes prirent leur envol, pareilles à un cordon de drapeaux blancs claquant sur fond de nuages gris amoncelés. Elle le fixa du regard. Peur de l'aborder, peur de ne pas oser le faire. Finalement, elle décida de traverser l'estuaire à sa rencontre.

Il leva les yeux à son approche.

« Salut, dit-il.

– Salut, répondit-elle en regardant vers les roseaux par-dessus l'épaule du garçon.

– Où est-ce que tu essaies d'aller, dis-moi ? Pas vers le large, j'espère. Y a une tempête qui se prépare.

– Non, répondit-elle les yeux rivés sur l'eau.

– Tout va bien ? »

Elle sentit sa gorge se serrer et refoula un sanglot. Incapable de parler, elle hocha le menton.

« Tu t'es perdue ? »

Elle fit de nouveau oui de la tête. Pas question de pleurnicher comme une fille.

« Ça m'étonne pas. Moi, je me perds tout le temps, dit-il en souriant. Je te connais, tu sais. Tu es la sœur à Jodie Clark.

– Avant oui. Maintenant, il est parti.

– Ben tu es quand même… » Mais il laissa tomber.

« Comment que tu me connais ? » Furtivement, elle croisa son regard.

« Oh je suis pas mal aller pêcher avec Jodie. Je t'ai vue deux ou trois fois. Tu étais toute petite. Tu t'appelles Kya, c'est ça ? »

Quelqu'un connaissait son nom. Elle en était toute décontenancée. L'impression d'être prisonnière de quelque chose. Mais libérée d'un poids.

« Oui. Tu sais où c'est chez moi, à partir d'ici ?

– Je crois que oui. À mon avis, il est temps de rentrer. » Il désigna les nuages de la pointe de son menton. « Suis-moi. » Il ramena sa ligne, rangea son matériel et fit démarrer le moteur hors-bord. En traversant l'estuaire, il lui fit un signe de la main, et elle le suivit. Progressant lentement, il se dirigea aussitôt vers le bon chenal, tourna la tête pour voir si elle avait tourné là où il fallait, et poursuivit son chemin. Il procéda de la même façon à chaque coude de la rivière jusqu'aux lagunes bordées de chênes. Quand il s'engagea sur la voie d'eau sombre qui menait à la maison, elle comprit où elle s'était trompée, et sut qu'elle ne referait jamais plus cette erreur.

Il continua de la guider – même après qu'elle lui eut fait signe qu'elle savait maintenant où elle était – pour traverser la lagune, jusqu'à l'endroit où l'on apercevait la cabane tapie entre les arbres. Elle s'avança jusqu'au vieux pin à demi noyé et amarra sa barque. Il passa devant elle à reculons, son bateau soulevé par leurs sillages contraires.

« C'est bon maintenant ?

– Oui.

– Bon, l'orage approche. Je ferais mieux d'y aller. »

Elle opina du chef, puis se rappelant les leçons de Ma, elle dit : « Merci.

– Pas de problème. Je m'appelle Tate si on se revoit un jour. »

Elle ne répondit pas et il ajouta : « Salut. »

Tandis qu'il s'éloignait, les premières gouttes de pluie s'abattirent lentement sur la plage de la lagune, et elle dit : « Il va pleuvoir des cordes. Ce garçon va être complètement trempé. »

Elle se pencha sur son réservoir et y plongea sa jauge en bambou, entourant l'ouverture de ses mains pour que la pluie n'y entre pas. Elle ne savait sans doute pas compter les pièces de monnaie, mais elle n'ignorait pas qu'il ne faut pas mélanger l'eau et l'essence.

Le niveau est très bas. Pa va s'en rendre compte. Va falloir que j'aille remplir un bidon à la station Sing Oil avant qu'il revienne.

Elle savait que le gérant, M. Johnny Lane, traitait sa famille de racaille des marais, mais devoir discuter avec lui, et même le risque de la tempête, de la marée montante, tout ça valait la peine, parce qu'elle ne pouvait déjà plus s'empêcher de repenser à cette étendue d'herbe, de ciel et d'eau. Perdue toute seule, oui, elle avait eu peur, mais déjà, elle avait ressenti le bourdonnement d'une sorte d'excitation. Il y avait autre chose aussi. Le calme de ce garçon. Elle n'avait jamais vu personne parler ou se comporter avec cette assurance. Si stable, si tranquille. Rien qu'être à ses côtés, pourtant pas si près que ça, avait apaisé ses tensions. Pour la première fois depuis le départ de Ma et de Jodie, elle respirait sans effort, elle ressentait autre chose que de la douleur. Il lui fallait ce bateau et ce garçon.

Ce même après-midi, tenant sa bicyclette par le guidon, Tate Walker se promenait en ville : il salua Mlle Pansy au bazar, passa devant la concession Western Auto et poursuivit jusqu'au bout du quai. Il scruta l'océan à la recherche du crevettier de son père, le *Cherry Pie*, et repéra sa coque vermeille au loin et les vastes filets qui oscillaient au gré des vagues. Comme le bateau se rapprochait, escorté par une nuée de mouettes, Tate lui fit un signe de la main, et son père, un grand bonhomme aux épaules massives, doté d'une épaisse tignasse de cheveux roux et d'une barbe, leva le bras en retour. Scupper, comme tous l'appelaient à Barkley Cove, jeta l'amarre à son fils qui l'attacha, avant de sauter à bord pour aider l'équipage à décharger la pêche du jour.

Scupper ébouriffa les cheveux de Tate. « Comment ça va, fiston ? Merci d'être venu donner un coup de main. »

Le garçon sourit : « Pas de problème. » Tous deux et l'équipage s'activèrent pour charger les crevettes dans des caisses qu'ils portèrent jusqu'au quai. Les matelots se proposaient d'aller écluser une bière ou deux au Dog-Gone et demandèrent à Tate comment ça allait à l'école. Dépassant ses hommes d'une tête, Scupper portait trois caisses métalliques à la fois, les déposait de l'autre côté de la passerelle, et revenait aussitôt en chercher d'autres. Ses poings avaient la taille des pattes d'un ours, et ses articulations étaient couvertes d'éraflures et de crevasses. En moins de quarante minutes, le pont était déjà lavé à grande eau, les filets attachés, et les lignes remisées.

Il dit aux matelots qu'il prendrait une bière avec eux un autre jour ; il fallait qu'il procède à quelques réglages avant de rentrer à la maison. Dans la cabine de pilotage, Scupper posa un 78 tours de Miliza Korjus sur l'électrophone fixé au comptoir et monta le volume. Tate et lui descendirent dans la salle des machines exiguë, où le fils tendit à son père les outils nécessaires tandis que ce dernier graissait les pièces et resserrait les boulons à la faible lumière d'une ampoule électrique. Durant tout ce temps, la douce voix de la soprano s'élevait de plus en plus haut dans le ciel.

L'arrière-arrière-grand-père de Scupper, venu d'Écosse, avait été le seul survivant d'un naufrage au large des côtes de Caroline du Nord dans les années 1760. Il avait gagné la rive à la nage, posé pied à terre dans les îles Outer Banks, et trouvé une femme qui lui avait donné treize enfants. Nombreux étaient les habitants qui se disaient les descendants de ce M. Walker, mais Scupper et Tate se tenaient à l'écart. N'assistaient que rarement au pique-nique du dimanche composé de salade de poulet et d'œufs à la diable qu'organisait leur famille, en tout cas beaucoup moins souvent qu'au temps où la mère et la sœur du garçon étaient encore de ce monde.

Finalement, dans le crépuscule qui tombait, Scupper donna à son fils une bourrade affectueuse sur les épaules :

« On a fini. Il est temps de rentrer dîner. »

Ils remontèrent le quai, empruntèrent Main Street, puis la route en lacet qui conduisait chez eux, une maison à un étage couverte de bardeaux en cèdre usés par le temps, qui datait des années 1800. Le cadre blanc des fenêtres avait été récemment repeint, et la pelouse qui s'étendait presque jusqu'à la mer était parfaitement entretenue. Toutefois, les buissons d'azalées et les rosiers qui bordaient la maison étaient étouffés par les mauvaises herbes.

En retirant ses bottes en caoutchouc jaunes dans le vestibule, Scupper demanda :

« Tu en as pas marre des hamburgers ?

– Jamais. »

Devant le comptoir de la cuisine, Tate aplatit de la viande hachée pour former des steaks qu'il déposa dans une assiette. Sa mère et sa sœur, Carianne, toutes deux affublées de casquettes de baseball, lui souriaient sur la photo accrochée au mur près de la fenêtre. Carianne adorait cette casquette des Atlanta Crackers, elle ne la quittait jamais.

Il détourna le regard, entreprit de trancher des tomates en rondelles, et réchauffa des haricots blancs. Sans lui, elles seraient encore là. Sa mère, arrosant un poulet. Carianne, découpant des biscuits.

Comme toujours, Scupper fit un peu trop griller les hamburgers, mais, épais comme de petits annuaires téléphoniques, ils demeuraient juteux à l'intérieur. Ils étaient tous deux affamés, et ils mangèrent en silence pendant un certain temps, puis Scupper demanda à Tate si tout allait bien à l'école.

« Les sciences nat', ça va. J'aime ça, mais en anglais, on fait de la poésie, et je peux pas dire que j'adore. On doit chacun notre tour lire un poème à haute voix. Je me rappelle qu'avant, tu m'en lisais, mais je m'en souviens pas.

– J'ai le poème qu'il te faut, fiston, dit Scupper. Mon préféré : "L'incinération de Sam McGee", de Robert Service. Je vous le lisais souvent. C'était aussi le préféré de ta maman. Elle riait chaque fois que je le récitais, elle s'en lassait jamais. »

Tate baissa la tête quand son père fit référence à sa mère et il repoussa ses haricots avec sa fourchette.

Scupper continua : « Pense surtout pas que la poésie, c'est rien qu'un truc de filles. Il y a des poèmes d'amour à l'eau de rose, c'est sûr, mais y en a aussi des drôles, beaucoup qui parlent de la nature, et même de la guerre. L'idée au fond c'est qu'ils te font toujours ressentir quelque chose. » Son père lui avait dit de nombreuses fois que la définition d'un homme, un vrai, c'était qu'il savait pleurer sans honte, qu'il pouvait lire de la poésie avec son cœur, que l'opéra touchait son âme, et qu'il savait faire ce qu'il fallait pour défendre une femme. Scupper se dirigea vers le salon et poursuivit de loin : « Autrefois, je le savais presque entier par cœur, mais plus maintenant. Mais, tiens, le voilà, je vais te le lire. » Il revint s'asseoir à table et entama sa lecture.

Quand il en arriva à ce passage :

Et Sam était assis là, l'air calme et paisible,
  au cœur de la fournaise rugissante ;
Il arborait un sourire qu'on pouvait voir à un kilomètre,
  et il dit : « S'il te plaît, ferme cette porte.
C'est parfait ici, mais je crains fort que tu ne laisses entrer
  le froid et la tempête…
Et depuis que j'ai quitté Plumtree, dans le Tennessee,
  c'est la première fois que je suis au chaud[1]. »

1. « The Cremation of Sam McGee », Johnny Cash (www. yricstranslate.com). *(N.d.T.)*

Scupper et Tate éclatèrent de rire.

« Ça faisait aussi marrer ta mère. »

Ils sourirent à ce souvenir. Gardèrent le silence pendant une minute. Puis Scupper annonça qu'il allait s'occuper de la vaisselle pendant que Tate ferait ses devoirs. Dans sa chambre, feuilletant le recueil de poèmes pour en trouver un à lire en classe, Tate s'arrêta sur une ballade de Thomas Moore :

… et elle est partie pour le lac du lugubre marais,
Où, tout au long des nuits, à la lueur de la mouche de feu,
Elle rame et gouverne son blanc canot.

Ah ! je verrai bientôt voltiger sa flamme vivante !
Bientôt j'entendrai sa pagaie ! Notre vie sera longue
  et toute d'amour ;
Et quand la mort sera proche, je cacherai
Ma fiancée dans le tronc d'un cyprès[2].

Ces vers lui faisaient penser à Kya, la petite sœur de Jodie. Elle lui avait semblé si fragile et si seule dans l'immense étendue du marais. Il s'imagina sa propre sœur perdue dans le même labyrinthe. Son père avait raison – les poèmes vous font toujours ressentir quelque chose.

2. Traduction de Louise Swanton, dans *Chefs-d'œuvre poétiques de Thomas Moore*, Google Books *(N.d.T.)*.

7
Saison de pêche

1952

Ce soir-là, après que le jeune pêcheur l'eut ramenée chez elle à travers le marais, Kya était assise en tailleur dans la véranda. De la brume causée par l'averse pénétrait par la moustiquaire rafistolée et lui effleurait le visage. Elle pensait au garçon. Gentil et pourtant fort. Les seules personnes à qui elle parlait désormais était Pa de temps à autre, et encore moins souvent, la caissière du Piggly Wiggly, Mme Singletary, qui s'était récemment mis en tête de lui apprendre à reconnaître la différence entre les pièces de vingt-cinq, cinq et dix cents – elle connaissait déjà celles d'un cent. Mais Mme Singletary avait tendance à se montrer curieuse.

« Petite, comment tu t'appelles en fait ? Et pourquoi ta maman ne vient plus faire les courses ? On ne l'a pas vue par ici depuis que les navets sont sortis de terre.

– Ma a beaucoup de travail, alors elle m'envoie à sa place.

– Je comprends, ma fille. Mais tu n'achètes jamais vraiment de quoi nourrir une famille.

– Pardon, madame, mais il faut que j'y aille. Ma a besoin de ce gruau de maïs tout de suite. »

Autant que possible, Kya évitait Mme Singletary, lui préférant l'autre caissière, qui ne s'intéressait pas à elle sauf pour faire remarquer que les enfants ne devraient pas aller en commissions pieds nus. Elle avait pensé à lui rétorquer qu'elle n'avait pas l'intention de toucher aux raisins avec ses orteils. Qui pouvait s'offrir des raisins de toute façon ?

Kya, le temps passant, ne parlait plus à quiconque à part aux mouettes et aux goélands. Elle se demanda si elle ne pourrait pas convaincre son père de la laisser utiliser son bateau. Dans le marais, elle pourrait ramasser des plumes et des coquillages, et parfois peut-être entrevoir le garçon. Elle n'avait jamais eu d'ami, mais elle ressentait le besoin d'en avoir un. Comme un élan. Ils pourraient se promener en barque dans les estuaires et explorer les marécages. Il la considérait peut-être comme une gamine, mais il connaissait parfaitement le marais et il pourrait lui apprendre à s'y repérer.

Pa n'avait pas de voiture. Il utilisait le bateau pour pêcher, pour aller en ville, pour traverser le marais et se rendre au Swamp Guinea, un bar décrépit où on jouait au poker, relié à la terre ferme par une passerelle branlante au-dessus des roseaux. Un ramassis de lattes de bois mal équarries sous un toit en tôle, il était fait d'ajouts successifs et anarchiques, et son plancher à plusieurs niveaux dépendait de la hauteur des pilotis sur lesquels il était perché au-dessus du marais. Quand Pa allait là ou ailleurs, il prenait la barque, il ne marchait jamais, alors pourquoi la lui aurait-il prêtée ?

Néanmoins, il laissait ses frères s'en servir quand il n'en avait pas besoin, probablement parce qu'ils revenaient avec du poisson pour dîner. Elle n'avait aucune envie de pêcher, mais songeant que c'était la seule façon de l'amener à accepter, elle pourrait peut-être lui proposer autre chose en échange. Cuisiner ou faire plus de tâches dans la maison en attendant le retour de Ma.

La pluie se calma. Une goutte par-ci par-là agitait une feuille comme l'oreille d'un chat qui tressaute. Kya se releva, nettoya le réfrigérateur-garde-manger et passa à la serpillière le plancher en contreplaqué maculé de taches dans la cuisine, avant de gratter la couche de gruau accumulée sur les brûleurs du fourneau depuis des mois. Le lendemain matin de bonne heure, elle lava les draps de Pa, qui empestaient la sueur et le whisky, et les mit à sécher sur les palmiers nains. Elle s'occupa ensuite de la chambre de ses frères, à peine plus grande qu'un cagibi, où elle épousseta et passa le balai. Des chaussettes sales étaient entassées au fond du placard, et des bandes dessinées jaunies jonchaient le plancher entre les deux matelas crasseux posés à même le sol. Elle essaya de se remémorer les pieds qui correspondaient à ces chaussettes, et le visage des garçons, mais les détails restaient flous. Même celui de Jodie s'estompait. Elle parvenait à revoir ses yeux un court instant, puis ils se refermaient et disparaissaient.

Le lendemain matin, un bidon de quatre litres à la main, elle prit le chemin du Piggly pour y acheter des allumettes, de l'échine de porc et du sel. Réussit à économiser vingt cents. *Peux pas prendre de lait, faut que j'achète de l'essence.*

Elle s'arrêta à la pompe Sing Oil à la sortie de Barkley Cove, une baraque au milieu d'un bosquet de pins, entourée de camions rouillés et de vieux tacots hissés sur des parpaings.

M. Lane vit Kya s'approcher. « Tu ferais mieux de déguerpir, on fait pas crédit à la racaille des marais !

– J'ai de l'argent, monsieur Lane. J'ai besoin d'essence et d'huile pour le moteur du bateau de Pa. » Elle lui montra deux pièces de dix, deux de cinq, et cinq d'un cent.

« Ben on peut pas dire que ça vaut la peine que je me fatigue pour aussi peu de fric, mais d'accord, envoie la monnaie. » Il se pencha pour prendre le bidon cubique tout cabossé.

Elle remercia M. Lane qui grommela dans sa barbe en retour. Les courses et l'essence pesaient de plus en plus lourd à chaque kilomètre, et elle mit longtemps à rentrer. Quand elle eut enfin gagné l'ombre de la lagune, elle vida le bidon dans le réservoir et décapa la coque du bateau avec des chiffons et du sable mouillé jusqu'à ce que ses flancs métalliques brillent malgré la crasse accumulée.

Le quatrième jour après le départ de Pa, elle commença à guetter son retour. En fin d'après-midi, elle sentit monter en elle une crainte sourde et elle eut de plus en plus de mal à respirer. Aussi méchant qu'il soit, elle avait besoin qu'il rentre. Finalement, en début de soirée, il réapparut entre les ornières du chemin. Elle se précipita dans la cuisine et servit un goulasch de feuilles de moutarde bouillies mélangées à de l'échine de porc et du gruau. Elle ne savait pas comment faire la sauce, et elle versa le bouillon de la viande – dans lequel flottait des morceaux de gras – dans un bocal à confiture vide. Les assiettes étaient ébréchées et disparates, mais elle s'était appliquée à bien mettre la fourchette à gauche et le couteau à droite, comme Ma le lui avait appris. Ensuite elle attendit, aplatie contre le réfrigérateur comme une cigogne écrasée dans un accident.

Il repoussa la porte d'entrée contre le mur d'un coup de poing et traversa le séjour pour gagner sa chambre en trois enjambées, sans même l'appeler ni la chercher dans la cuisine. Comme d'habitude. Il allait sûrement remarquer qu'elle avait lavé les draps et nettoyé le plancher. S'il ne voyait pas la différence, son nez la remarquerait.

Quelques minutes plus tard, il ressortit de sa chambre, se dirigea droit vers la cuisine, et ses yeux se posèrent sur la table et les plats fumants. Il la découvrit adossée au réfrigérateur, et ils se fixèrent du regard comme s'ils ne s'étaient jamais vus auparavant.

« Ma foi, petite, qu'est-ce que c'est que tout ça ? On dirait que t'as grandi tout d'un coup. Voilà que tu cuisines maintenant, et tout et tout. » Il ne souriait pas, mais son visage était calme. Il n'était pas rasé, et ses cheveux noirs et sales lui tombaient sur la tempe gauche. Mais il n'avait pas bu. Elle savait reconnaître les signes.

« Oui, Pa. J'ai fait aussi du pain de maïs, mais ça a pas marché.

– Merci quand même. Voilà une bien brave fille ! Je suis complètement à plat et je pourrais manger un cheval. » Il tira une chaise et elle l'imita. En silence, ils remplirent leurs assiettes et détachèrent des os les maigres morceaux de viande filandreuse. Il souleva une vertèbre et en aspira la moelle, des filets de graisse lui coulant sur les joues et les favoris. Rongea les os jusqu'à les rendre aussi lisses et luisants qu'un ruban de soie.

« C'est drôlement meilleur qu'un sandwich froid aux feuilles de chou, dit-il.

– Dommage que le pain de maïs ait pas réussi. J'aurais peut-être dû mettre plus de levure et moins d'œufs dedans. » Kya avait peine à croire qu'elle parlait tellement, mais elle ne pouvait s'en empêcher. « Celui de Ma était si bon, mais j'ai sans doute pas fait assez attention aux détails… » Elle se dit alors qu'elle ne devrait pas mentionner sa mère et elle se tut.

Pa poussa son assiette vers elle. « Il en reste assez pour se resservir une cuiller ?

– Oui, il y en a plein.

– Regarde, jette donc un peu de ce pain de maïs dans le ragoût. J'ai bien envie de saucer ce bouillon et je suis prêt à parier que ce pain-là est bien bon quand même et juste aussi mou qu'un gâteau de semoule. »

Elle sourit intérieurement en le servant. Qui aurait pensé qu'un pain de maïs deviendrait un jour leur terrain d'entente ?

Toutefois, à la réflexion, elle n'était pas sûre que, si elle demandait à prendre le bateau, il n'allait pas penser qu'elle avait cuisiné et fait le ménage en échange de cette faveur, ce qui lui en avait effectivement donné l'idée, mais maintenant, les choses étaient un peu différentes. Elle avait pris plaisir à s'asseoir à table avec lui et à partager un repas comme dans une vraie famille. Son besoin de parler à quelqu'un se faisait de plus en plus pressant.

Donc, elle ne parla pas de prendre la barque toute seule, et demanda à la place :

« Est-ce que je pourrais aller pêcher avec toi un de ces jours ? »

Il s'esclaffa, mais gentiment. La première fois qu'il riait depuis le départ de Ma et des autres. « Comme ça, tu voudrais aller à la pêche, hein ?

– Oui, Pa, je voudrais bien.

– Mais tu es une fille, objecta-t-il, les yeux dans son assiette en mordillant un os.

– Oui, Pa, je suis ta fille.

– Bah, pas impossible que je t'emmène un jour ou l'autre. »

Le lendemain matin, en dévalant le chemin, les bras écartés, Kya formait et laissait échapper de petites bulles de salive de ses lèvres. Elle allait s'envoler et planer au-dessus du marais à la recherche de nids, puis elle monterait plus haut encore pour tournoyer aile contre aile avec les aigles. Ses doigts se changèrent en longues plumes, déployées dans le ciel, qui barattaient le vent sous son corps. Mais soudain, elle fut brusquement ramenée sur terre par Pa qui l'appelait à grands cris depuis sa barque. Ses ailes se replièrent, son estomac se crispa. Il s'était sans doute rendu compte qu'elle l'avait utilisée. Elle sentait déjà la pagaie qui s'abattait sur ses fesses et ses cuisses. Elle savait où se cacher en attendant qu'il soit ivre, et jamais il ne la trouverait. Mais elle était déjà trop engagée sur le chemin, à découvert, et elle vit qu'il se tenait debout avec ses perches et ses cannes à pêche et lui faisait signe d'approcher. Effrayée, elle s'approcha en silence. Le matériel était éparpillé sur le fond plat, et il avait glissé une bouteille d'alcool de maïs sous son siège.

« Grimpe », dit-il pour toute invitation. Elle faillit donner libre cours à sa joie ou à la gratitude mais l'air inexpressif de son père l'incita à se taire quand elle monta à bord et prit place sur le banc métallique à l'avant. Il démarra à la manivelle et ils prirent la direction du chenal, baissant la tête sous les branches au fil de l'eau, et Kya s'appliqua à mémoriser les arbres abattus et les vieilles souches pour s'en faire des repères. Il baissa le régime pour s'engager dans un bras mort et lui fit signe de s'asseoir sur la banquette centrale.

« Attrape-moi donc quelques vers de terre dans le seau », dit-il, une cigarette roulée lui pendant au coin de la bouche. Il lui montra comment accrocher l'appât, lancer la ligne et la ramener avec le moulinet. On aurait dit qu'il se contorsionnait de façon étrange pour éviter de la toucher au passage. Ils ne parlaient que de pêche, ne s'aventurant jamais sur d'autres sujets ; ils ne souriaient pas souvent non plus, mais sur le terrain commun, la conversation se maintenait. Il but quelques rasades d'alcool, puis, affairé qu'il était, il ne toucha plus à la bouteille. En fin de journée, le soleil pâlit jusqu'à prendre la couleur du beurre, et sans qu'ils s'en rendent compte, leurs épaules se relâchèrent enfin et leurs cous se détendirent.

Secrètement, Kya souhaitait n'attraper aucun poisson, mais elle sentit une touche, ferra et remonta une grosse brème, aux écailles bleu et argent. Pa se pencha pour la prendre au filet, puis se rassit, se tapant sur le genou et poussant un cri de joie comme elle ne l'avait jamais vu faire. Elle sourit de toutes ses dents et ils se regardèrent dans les yeux, comme isolés du reste du monde.

Avant que Pa l'ait accrochée à un montant, la brème bondit dans tous les sens sur le fond et Kya dut détourner les yeux vers un chapelet de pélicans dans le lointain et scruter la forme des nuages – tout plutôt que regarder les yeux mourants du poisson qui fixaient ce monde sans eau, et cette bouche béante qui tétait un air inutile. Mais ce que cela lui coûtait et coûtait à l'animal valait la peine quand elle pensait à ce petit lambeau de famille retrouvée. Peut-être pas pour le poisson, mais bon…

Le lendemain, ils sortirent à nouveau la barque et, dans une lagune sombre, Kya repéra les plumes duveteuses d'un grand duc qui flottaient à la surface. Chacune d'elles était recourbée aux deux extrémités, si bien qu'elles voguaient autour de la barque comme autant de petits bateaux orange. Elle les repêcha et les glissa dans sa poche. Plus tard, elle trouva un nid de colibri abandonné et enchevêtré dans une branche basse, et elle le cacha soigneusement à l'avant.

Ce même soir, Pa fit une friture de poissons – plongés dans de la farine de maïs et assaisonnés de poivre noir – servie avec un gruau et des légumes verts. Pendant que Kya faisait ensuite la vaisselle, Pa entra dans la cuisine avec à la main le vieux sac à dos qu'il avait conservé depuis la Seconde Guerre mondiale. Depuis le seuil de la porte, il le lança sans précaution sur une chaise. Le sac glissa à terre avec un claquement sourd qui fit sursauter et se retourner Kya.

« Je me suis dit que tu pouvais peut-être te servir de ce machin pour tes plumes, tes nids d'oiseaux et toutes les saloperies que tu collectionnes.

– Oh, s'exclama Kya, oh merci ! » Mais il avait déjà passé la porte de la véranda. Elle ramassa le sac tout effiloché, découpé dans une toile assez solide pour durer une vie entière et couvert de petites poches et de compartiments secrets. Grosses fermetures Éclair. Elle jeta un coup d'œil par la fenêtre. C'était la première fois qu'il lui donnait quelque chose.

Chaque fois qu'il faisait assez chaud durant l'hiver, puis pendant tout le printemps, Pa et Kya prenaient le bateau, s'aventuraient loin sur la côte, et pêchaient à la ligne ou au moulinet. Chaque fois qu'ils traversaient un estuaire ou un cours d'eau, elle ne manquait jamais de chercher du regard la barque de Tate dans l'espoir de revoir le garçon. Elle pensait parfois à lui, voulait s'en faire un ami, mais n'avait pas la moindre idée de comment s'y prendre ni même d'où le trouver. Puis un jour, de façon imprévisible, au détour d'une boucle de la rivière, elle l'aperçut, occupé à pêcher à l'endroit même où elle l'avait croisé la première fois. Aussitôt, il lui décocha un large sourire et agita la main. Sans réfléchir, elle leva le bras pour l'imiter, prête à sourire elle aussi. Mais elle la laissa retomber aussi vite qu'elle put quand elle comprit que Pa la regardait avec surprise.

« Un copain de Jodie, avant qu'il parte, expliqua-t-elle.

– Faut que tu prennes garde aux gens par ici. La forêt est pleine de vauriens blancs. Sont presque tous de la racaille. »

Elle hocha la tête. Mourait d'envie de regarder à nouveau du côté du garçon mais n'osa pas. Puis s'inquiéta qu'il la juge antipathique.

Pa connaissait le marais comme un faucon sa prairie : il savait comment chasser, se cacher, faire fuir les intrus. Et les questions que lui posait Kya les yeux écarquillés le poussaient à expliquer les saisons des oies sauvages, les habitudes des poissons, les changements de temps qui se lisent dans les nuages et les contre-courants entre les vagues.

Parfois elle préparait un pique-nique dans le sac à dos et ils mangeaient du pain de maïs bien friable, dont elle dominait maintenant la recette, avec des rondelles d'oignons, quand le soleil se couchait sur le marais. De temps en temps, il oubliait son alcool de contrebande et ils buvaient du thé qu'elle apportait dans des bocaux à confiture.

« Ma famille avait pas toujours été pauvre, tu sais », lâcha Pa un jour alors qu'ils marquaient une pause à l'ombre des chênes, jetant leurs lignes dans une lagune d'eaux brunes qui bourdonnaient d'insectes voltigeant à la surface.

« Ils avaient de la terre, bien fertile en plus, et ils faisaient pousser du tabac, du coton et tout le reste. Là-bas près d'Asheville. Ta grand-mère de mon côté portait des bonnets aussi hauts que des roues de chariot et des jupes longues. On vivait dans une maison à un étage avec une galerie qui faisait tout le tour. Belle, bien belle, qu'elle était, cette maison ! »

Une grand-mère. Les lèvres de Kya s'entrouvrirent de surprise. Quelque part, elle avait ou avait eu une grand-mère. Où était-elle aujourd'hui ? Kya mourait d'envie de savoir ce qu'il était advenu de chacun. Mais elle avait peur de paraître trop curieuse.

Pa continuait sur sa lancée : « Ensuite tout s'est cassé la gueule. Moi, j'étais encore tout môme, alors je me rappelle pas grand-chose, mais il y a eu la Grande Dépression, les charançons du coton. Je sais pas ce qui s'est passé, mais tout est parti en poussière. Y restait plus que des dettes, des dettes énormes. »

À partir de ces détails sommaires, Kya essayait de se représenter le passé de son père. Il ne lui disait rien de l'histoire de Ma. Pa piquait des colères terribles si quelqu'un osait parler du temps d'avant la naissance de Kya. Elle savait que sa famille avait vécu très loin avant de s'installer dans le marais, près de chez ses autres grands-parents, une ville où Ma s'achetait dans des boutiques des robes avec de petits boutons nacrés, des rubans de satin et de la dentelle. Après qu'ils eurent emménagé dans cette cabane, Ma avait remisé ses robes dans des malles, et allait en récupérer une tous les deux ou trois ans pour s'en faire une blouse de travail parce qu'il n'y avait plus d'argent pour s'acheter quoi que ce soit. Maintenant, ces jolis vêtements et leur histoire étaient partis en fumée, brûlés dans le feu que Pa avait allumé après le départ de Jodie.

Kya et Pa jetèrent encore quelques lignes, le fil bruissant doucement au-dessus du pollen jaune qui couvrait l'eau stagnante, et elle crut qu'il en avait terminé, mais il ajouta : « Un de ces jours, je t'emmènerai à Asheville, je te montrerai les terres qu'on avait, et qui devraient encore être à toi au jour d'aujourd'hui. »

Quelques minutes plus tard, il ferra. « Regarde donc, poupée. Je nous en ai attrapé un beau. Au moins de la taille de l'Alabama ! »

De retour à la cabane, ils le firent frire avec des beignets « aussi gros que des œufs d'oie ». Ensuite, elle étala sa collection sur la table, fixant avec soin les insectes sur des bouts de carton et les plumes au mur de la chambre du fond en une sorte de collage mouvant et très doux. Plus tard, allongée sur son lit dans la véranda, elle écouta la musique des pins. Elle ferma les yeux puis les rouvrit grand. Il l'avait appelée « poupée ».

8

Données négatives

1969

Après avoir terminé leur travail d'enquête du matin à la tour de guet, le shérif Ed Jackson et son adjoint, Joe Purdue, accompagnèrent la veuve de Chase, Pearl, et ses parents, Patti Love et Sam, pour aller voir le corps couché sur une table en acier sous un drap dans un laboratoire glacial à la clinique qui servait de morgue. Pour lui dire adieu. Mais il faisait trop froid pour une mère ; c'était intolérable pour une épouse. Il fallut aider les deux femmes à sortir de la pièce.

De retour au bureau du shérif, Joe déclara : « Ben, on peut difficilement imaginer pire…

– Oui. Je me demande vraiment comment on peut se remettre d'un choc pareil.

– Sam a pas dit un mot. Il a jamais été très bavard, mais ça va l'achever. »

L'eau salée des marais peut avaler un parpaing à son petit-déjeuner, et même le bureau du shérif, une espèce de bunker construit en blocs de ciment, n'était pas assez solide pour lutter. Des marques humides, bordées de cristaux de sel, festonnaient les murs, et des traces de moisi montaient comme un réseau de veines sombres jusqu'au plafond. De minuscules champignons noirs se blottissaient dans les coins.

Le shérif tira une bouteille du dernier tiroir de son bureau et leur servit une double rasade dans de grandes chopes à café. Ils sirotèrent lentement jusqu'à ce que le soleil, aussi doré et sirupeux que le bourbon, disparaisse dans la mer.

Quatre jours plus tard, Joe entra dans le bureau du shérif en brandissant des documents. « J'ai reçu le premier rapport du laboratoire.

– Voyons ça. »

Ils s'assirent de part et d'autre de la table pour examiner les papiers. Joe, de temps à autre, tuait une mouche avec une tapette.

Ed lut à haute voix : « "Décès survenu entre minuit et 2 heures du matin, durant la nuit du 29 au 30 octobre." Exactement ce qu'on s'était dit. »

Après une minute de lecture, il reprit : « Tout ce qu'on a pour l'instant, c'est des données négatives.

– Exactement ce que tu avais pensé, shérif. On n'a pas le moindre indice.

– À part celles des deux gamins qui sont montés jusqu'au troisième palier, il y a aucune empreinte fraîche sur la rampe, pas plus que sur la trappe, rien. Ni de Chase ni de personne d'autre. » Une barbe de fin d'après-midi assombrissait les joues du shérif, qui sinon étaient plutôt rougeaudes.

« Donc, quelqu'un les a effacées. A tout effacé. Sinon, il devrait au moins y avoir les empreintes de Chase sur la rampe ou la trappe.

– Exactement. D'abord, on n'a pas trouvé de traces de pas, et maintenant, pas d'empreintes de doigts. Rien prouve qu'il ait traversé la boue jusqu'à l'escalier, monté les marches ou ouvert les deux trappes au sommet – celle qui donne accès à la plate-forme, et celle par laquelle il est tombé. Ou que quelqu'un d'autre ait suivi ce chemin. Mais les données négatives, c'est quand même des infos. Quelqu'un a dû nettoyer avec beaucoup de soin, ou le tuer ailleurs et hisser son corps en haut de la tour.

– Mais dans ce cas-là, y aurait des traces de pneus, non ?

– C'est juste. Il faut qu'on y retourne pour voir si on trouve des traces à part les nôtres et celles de l'ambulance. On a pu passer à côté de quelque chose. »

Après encore une minute de lecture, Ed déclara : « En tout cas, s'il y a une chose de sûre, c'est que c'était pas un accident.

– Je suis d'accord, dit Joe. En plus, tout le monde est pas capable de nettoyer des traces aussi bien.

– J'ai faim. Arrêtons-nous au restaurant avant de retourner sur les lieux.

– Alors prépare-toi à un vrai guet-apens. En ville, ils sont tous remontés comme des coucous. L'assassinat de Chase Andrews est le plus gros truc qu'ils ont connu depuis longtemps dans le coin. Depuis toujours, peut-être bien. Les ragots vont plus vite que des signaux de fumée.

– Eh bien, gardons les oreilles ouvertes. On pourrait bien choper une info au passage. La plupart des vauriens ont du mal à tenir leurs langues. »

Toute une rangée de fenêtres, encadrées par des volets pare-tempête, formait la devanture du Barkley Cove Diner qui dominait le port. Seule l'étroite rue séparait cette construction, qui remontait à 1889, des marches détrempées de la jetée. Des paniers à crevettes au rebut et des filets de pêche entassés bordaient le mur sous les fenêtres, et çà et là, des coquilles de mollusques jonchaient le trottoir. Partout, les cris des oiseaux de mer et leurs déjections. Heureusement, la bonne odeur des saucisses et des biscuits, des fanes de navets bouillies et du poulet frit couvrait les remugles des barriques à poisson qui s'alignaient sur le port.

Une légère agitation monta dans la salle quand le shérif ouvrit la porte. Tous les box – dotés de sièges à haut dossier rouge bien rembourrés – étaient occupés, ainsi que la plupart des tables. Joe lui montra deux tabourets libres près du comptoir des fontaines à soda, et ils s'en approchèrent.

En chemin, ils entendirent M. Lane de la pompe à essence Sing Oil raconter à son mécanicien, spécialiste des moteurs diesel :

« Moi je crois que c'est Lamar Sands. Tu te rappelles qu'il avait surpris Chase en train de flirtouiller avec sa femme sur le pont de son hors-bord dernier cri ? Il a un bon mobile, et en plus, il avait déjà eu maille à partir avec la police.

– De quoi tu parles ?

– Il faisait partie de cette bande qui avait tailladé les pneus de la voiture du shérif.

– Mais ils étaient tout mômes à l'époque.

– Y avait aussi un autre truc, mais j'ai oublié quoi. »

Derrière le comptoir, le propriétaire et chef cuisinier Jim Bo Sweeny passa rapidement de la plaque en fonte où il retournait des beignets de crabe au brûleur où il faisait chauffer une casserole de maïs à la crème, avant de jeter des cuisses de poulet dans la friteuse et de recommencer. Non sans poser des assiettes bien remplies devant ses clients dans l'intervalle. On disait de lui qu'il pouvait malaxer de la pâte à biscuit d'une main tout en levant les filets d'un poisson-chat de l'autre. Il ne proposait sa grande spécialité – flétan grillé farci de crevettes sur un lit de gruau au fromage et aux piments – que quelques jours par an. Nul besoin de l'annoncer : la rumeur circulait.

Tandis que le shérif et son adjoint se faufilaient entre les tables en direction du comptoir, ils entendirent Mlle Pansy Price du bazar déclarer à une amie : « Ça pourrait bien être cette fille qui vit dans le marais. Bonne à enfermer, si tu veux mon avis. Je serais prête à parier qu'elle en est capable.

– Qu'est-ce que tu racontes ? Et qu'est-ce qu'elle aurait à voir là-dedans ?

– Eh bien à un certain moment, elle avait eu une aventure avec… »

Alors qu'ils parvenaient au comptoir, Ed dit :

« Je te propose qu'on commande des sandwiches à emporter et qu'on se barre d'ici. On peut pas se laisser aller à entendre des trucs pareils. »

9
Jumping

1953

Assise à l'avant, Kya observait les doigts du brouillard qui plongeaient pour atteindre leur bateau. Au début, des fragments de nuages déchiquetés avaient défilé au-dessus de leurs têtes, puis la brume les avait enveloppés de sa grisaille, et on n'entendit plus que le cliquètement du moteur. Quelques minutes plus tard, de petites taches d'une couleur inattendue se formèrent tandis que la silhouette détrempée de la pompe à essence de la marina apparaissait lentement, comme si c'était elle, et non pas eux, qui se déplaçait. Pa fit avancer la barque, se cognant doucement contre le dock. Elle n'était venue là qu'une fois. Pour les aider, le propriétaire, un vieux Noir, bondit de sa chaise, comme un cheval saute un obstacle – la raison pour laquelle tout le monde le surnommait Jumping. Ses favoris blancs et ses cheveux poivre et sel encadraient un visage carré et généreux et des yeux de hibou. Grand et mince, il semblait ne jamais cesser de parler en souriant, ou de rejeter la tête en arrière, les lèvres serrées, pour lâcher son rire si particulier. Il ne portait pas de salopette, comme la plupart des ouvriers dans les parages, mais une chemise bleue soigneusement repassée, un pantalon trop court, et de gros godillots. Pas souvent, mais de temps à autre, les jours les plus chauds de l'été, on le voyait affublé d'un chapeau de paille loqueteux.

La cahute où il vendait carburant et appâts chancelait sur son ponton branlant. Un câble la reliait au chêne le plus proche sur le rivage, à environ une dizaine de mètres à travers ce bras d'eau, et la maintenait fermement en place. Le grand-père de Jumping avait construit le ponton et la cahute en planches de cyprès à une époque lointaine, bien avant la guerre de Sécession.

Trois générations avaient cloué des panneaux publicitaires en métal brillant – Nehi Grape Soda, Royal Crown Cola, Camel Filter, sans compter vingt ans de plaques minéralogiques de Caroline du Nord – sur tous les murs extérieurs de la cabane, et cette explosion de couleurs se repérait de loin en mer, même à travers le plus épais brouillard.

« Bonjour, monsieur Jake, comment ça va ?

– Bah, au moins, quand je me suis réveillé, j'étais encore vivant », répondit Pa.

Jumping éclata de rire comme s'il n'avait jamais rien entendu d'aussi drôle.

« Je vois que vous avez votre petite fille avec vous. C'est chouette ! »

Pa hocha la tête. Puis, comme une arrière-pensée, il ajouta : « Oui, c'est ma fille, Mlle Kya Clark.

– Eh bien je suis drôlement fier de vous rencontrer, mademoiselle Clark. »

Kya fixa ses orteils nus à la recherche d'une idée, mais ne trouva rien à répondre.

Jumping n'en prit pas ombrage et se mit à expliquer que la pêche était bonne ces temps-ci. Puis il demanda : « Je vous fais le plein, monsieur Jake ?

– Oui, oui, jusqu'à ras bord. »

Les deux hommes parlèrent du temps, de la pêche, puis à nouveau du temps jusqu'à ce que le réservoir soit plein.

« Bonne journée à vous, maintenant », dit-il avant de décrocher l'amarre et de la leur jeter.

Pa reprit lentement le chemin de l'océan qui étincelait – le soleil dévorant le brouillard en moins de temps qu'il n'en avait fallu à Jumping pour faire le plein. Ils contournèrent dans le teuf-teuf du moteur une presqu'île couverte de pins sur plusieurs kilomètres pour gagner Barkley Cove, où Pa amarra la barque aux piquets profondément entaillés du quai de la ville. Des pêcheurs s'affairaient alentour, empaquetant le poisson et nouant leurs lignes.

« Je me dis qu'on pourrait peut-être s'offrir quelque chose à manger au restau », proposa Pa en la conduisant le long de la jetée vers le Barkley Cove Diner. Kya n'avait jamais pris de repas dans un restaurant, elle n'était même jamais entrée dans aucun. Son cœur cognait dans sa poitrine quand elle épousseta la boue séchée sur sa salopette beaucoup trop courte et tenta d'aplatir sa tignasse. Quand Pa ouvrit la porte, tous les clients s'immobilisèrent, la fourchette en main. Quelques hommes lui adressèrent un discret salut de la tête, les femmes froncèrent les sourcils et se détournèrent. L'une d'elles grommela : « Eh bien, je suppose qu'ils sont même pas capables de lire l'écriteau qui dit : *Chemises et chaussures obligatoires.* »

Pa lui fit signe de s'asseoir à une petite table qui dominait le quai. Elle ne pouvait pas déchiffrer le menu, mais il lui en lut la plupart, et elle commanda du poulet frit, de la purée, de la sauce, des pois blancs et des biscuits aussi légers que du coton récemment cueilli.

Il choisit des crevettes sautées, du gruau au fromage, des tomates vertes et des gombos frits. La serveuse leur apporta une assiette entière de petites plaquettes de beurre posées sur des glaçons, une corbeille de pain de maïs et des biscuits, et autant de thé glacé qu'ils pouvaient en boire. Ensuite, ils dégustèrent une tourte aux mûres avec une boule de glace comme dessert. Kya avait l'estomac si plein qu'elle craignait de vomir, mais elle se dit que cela valait la peine.

Tandis que Pa réglait l'addition à la caisse, Kya l'attendit sur le trottoir, où l'odeur fétide des chalutiers envahissait la baie. Elle tenait en main une serviette en papier maculée de graisse dans laquelle elle avait enveloppé les restes de poulet et de biscuits. Les poches de sa salopette étaient pleines de crackers que la serveuse avait posés sur la table pour qu'ils les emportent.

« Salut. » Kya entendit une petite voix derrière elle et se retourna pour découvrir une fillette d'environ quatre ans avec des boucles blondes qui la regardait. Elle portait une robe bleu ciel et tendait la paume. Kya fixa la petite main potelée ; elle n'en avait jamais vu de si propre. Sans doute jamais frottée avec de la soude, elle n'avait en tout cas aucune trace de débris de coquilles de moules sous les ongles. Ensuite, elle plongea dans les yeux de la petite, et vit l'image de l'enfant qu'elle était elle aussi.

Kya passa la serviette dans sa main gauche et tendit la droite lentement vers la fillette.

« Eh, là-bas, va-t'en ! » Mme Teresa White, femme du pasteur méthodiste, avait jailli du magasin de chaussures Buster Brown.

Barkley Cove servait sa religion à toutes les sauces. Petit comme il l'était, le bourg comptait quatre églises, toutes réservées aux Blancs ; les Noirs en avaient trois autres.

Bien sûr, les pasteurs et prédicateurs divers, ainsi que leurs femmes, jouissaient de positions très respectables : ils s'habillaient et se comportaient en conséquence. Teresa White portait souvent des jupes de couleur pastel, des chemisiers blancs, des escarpins et un sac à main assortis.

Elle se précipita vers sa fille et la souleva dans ses bras. S'éloignant de Kya, elle reposa l'enfant sur le trottoir et s'accroupit à côté d'elle.

« Meryl Lynn, ma chérie, écoute-moi bien, ne t'approche pas de cette fille. Elle est sale. »

Kya regarda la mère lui passer les doigts dans les boucles ; et remarqua qu'elles restaient longtemps à se dévisager.

Une cliente sortit du Piggly Wiggly et les rejoignit rapidement. « Tout va bien, Teresa ? Qu'est-ce qui s'est passé ? Cette gamine embêtait Meryl Lynn ?

– Je l'ai arrêtée à temps. Merci, Jennie. J'aimerais vraiment que ces gens-là ne viennent jamais en ville. Regarde-la un peu. Toute crasseuse. Carrément nuisible. Il y a une épidémie de gastro dans les parages et je suis sûre que c'est eux qui l'ont amenée. L'année dernière c'était la rougeole, et ça a été très grave. » Teresa s'éloigna en tenant fermement sa fille par la main.

À ce moment-là, Pa, des canettes de bière dans un sac en papier à la main, l'appela : « Qu'est-ce que tu fabriques ? Allez, viens, faut qu'on mette les bouts. La marée descend. »

Kya se retourna, le suivit et, sur le bateau, alors qu'ils rentraient vers le marais, elle revoyait sans arrêt les bouclettes et les yeux de la mère et de sa fille.

Pa continuait à disparaître de temps à autre, il lui arrivait de ne pas rentrer pendant plusieurs jours, mais pas aussi fréquemment qu'avant. Et quand il revenait, il ne s'effondrait pas dans les vapeurs de l'alcool, mais partageait un repas et lui parlait un peu. Un soir, ils jouèrent au rami. Il s'esclaffa quand elle gagna, et elle rit en se cachant la bouche derrière les mains, comme n'importe quelle autre petite fille.

Chaque fois que Kya descendait de la véranda, elle regardait en direction du chemin, en pensant que même si la glycine pâlissait avec la fin du printemps et que sa mère était partie l'été dernier, elle allait peut-être l'apercevoir en train de le remonter. Avec, aux pieds, les mêmes chaussures à talons en faux alligator qui s'enfonçaient dans le sable. Maintenant que Pa et elle pêchaient ensemble et se parlaient, ils pourraient peut-être essayer de former à nouveau une famille. Pa les avait tous battus, surtout quand il était ivre. Tout se passait bien pendant quelques jours d'affilée – ils se régalaient d'une bonne fricassée de poulet ; ils avaient même fait voler un cerf-volant sur la plage un jour. Et puis à nouveau l'alcool, les cris, les coups. Les souvenirs de pareilles crises restaient vifs dans sa mémoire. Une fois, Pa avait poussé Ma contre le mur de la cuisine et l'avait frappée jusqu'à ce qu'elle s'effondre sur le sol. Kya, lui demandant en sanglotant de s'arrêter, lui avait touché le bras. Il l'avait alors saisie par les épaules, lui avait hurlé de baisser son jean et sa culotte et l'avait forcée à se pencher au-dessus de la table. D'un mouvement rapide et rendu fluide par l'entraînement, il avait retiré sa ceinture et l'avait fouettée. Bien sûr, elle se rappelait la douleur cuisante sur ses fesses nues, mais curieusement, elle revoyait plus précisément encore son pantalon tirebouchonné sur ses chevilles frêles. Et Ma, recroquevillée au coin du mur près de la cuisinière, qui criait. Kya ne savait plus ce qui avait provoqué cette bagarre.

Mais si Ma revenait aujourd'hui, alors que Pa se comportait normalement, peut-être pourraient-ils commencer une nouvelle vie. Kya n'aurait jamais pensé que c'était sa mère qui partirait et son père qui resterait. Mais elle savait que Ma ne l'avait pas abandonnée pour toujours ; si elle était quelque part dans ce monde, un jour elle reviendrait. Kya revoyait encore ses lèvres rouges et pulpeuses quand elle chantait pour accompagner la radio et elle entendait ses paroles : « Écoute bien M. Orson Welles ; c'est un vrai gentleman, il parle comme il faut. Ne dis jamais "Quequ'chose", ça n'est même pas un mot. »

Ma avait peint des gouaches des estuaires et des couchers de soleil, ainsi que des aquarelles si vivantes qu'elles semblaient se détacher du paysage lui-même. Elle avait apporté diverses fournitures avec elle, et pouvait s'en procurer quelques autres au bazar. Parfois, Ma laissait Kya peindre elle-même sur les sacs en papier du Piggly Wiggly.

Début septembre de cet été de pêche, un après-midi dont la chaleur faisait pâlir la lumière, Kya se dirigea vers la boîte à lettres au bout du chemin. Écartant les publicités, elle eut un choc en découvrant une enveloppe bleue portant l'écriture soignée de Ma. Quelques feuilles de sycomore viraient au même jaune que le jour où elle était partie. Tout ce temps sans le moindre signe, et aujourd'hui, cette lettre. Kya l'observa, la souleva dans la lumière, fit courir ses doigts sur la parfaite écriture penchée. Son cœur cogna dans sa poitrine.

Ma est en vie. Elle habite quelque part. Pourquoi elle est pas rentrée à la maison ? se demanda-t-elle. Elle songea à ouvrir la lettre, mais le seul mot qu'elle était sûre de savoir lire était son nom, et il n'apparaissait pas sur l'enveloppe.

Elle se précipita vers la cabane, mais Pa était parti quelque part en barque. Elle posa la lettre contre la salière, là où il ne pourrait pas manquer de la voir. Tout en faisant bouillir des haricots cornille avec des oignons, elle surveillait l'enveloppe du coin de l'œil pour s'assurer qu'elle n'avait pas disparu.

Toutes les quelques secondes, elle se penchait vers la fenêtre de la cuisine pour guetter le ronronnement du moteur. Soudain, elle entendit Pa qui montait les marches en claudiquant. Tout son courage l'abandonna, et elle se précipita pour sortir en criant qu'elle allait aux toilettes et que le dîner serait bientôt prêt. Assise à l'intérieur des latrines nauséabondes, elle sentait la chamade de son cœur qui lui résonnait dans le ventre. En équilibre sur les planches de bois, elle regarda par le croissant de lune de la fente ménagée dans la porte, sans trop savoir ce qu'elle s'attendait à voir.

Puis la moustiquaire de la véranda claqua et elle aperçut Pa qui marchait à grands pas vers la lagune. Il alla tout droit à son bateau, un sac en papier à la main, et il prit rapidement le large. Elle retourna en courant vers la maison, entra dans la cuisine, mais l'enveloppe n'était plus là. Elle ouvrit à la volée les tiroirs de la commode de son père et fouilla son placard à la recherche de la lettre. *Elle est à moi aussi ! À moi autant qu'à toi !* De retour dans la cuisine, elle regarda dans la poubelle et trouva les cendres de la lettre, encore auréolées de bleu. À l'aide d'une cuiller, elle les repêcha et les déposa sur la table : un petit tas de lambeaux noir et bleu. Elle fouilla encore dans la poubelle, soulevant un débris après l'autre, en se disant qu'un fragment avait glissé au fond. Mais elle ne trouva que des traces de cendres collées aux pelures d'oignon.

Elle s'assit à table, les haricots continuant à bouillonner dans la casserole, et elle fixa le petit monticule.

Ma a touché ce papier. Pa va peut-être me dire ce qu'elle avait écrit. Sois pas bête, y a autant de chances que ça arrive que de voir la neige tomber sur le marais !

Même le tampon de la poste avait disparu. Maintenant, elle ne saurait jamais où était Ma. Elle enferma les cendres dans un bocal qu'elle rangea dans sa boîte à cigares à côté de son lit.

Pa ne rentra à la maison ni le soir même ni le lendemain, et quand il se montra enfin, il était redevenu le vieil ivrogne qui passait la porte en titubant. Quand elle trouva le courage de lui parler de la lettre, il aboya : « C'est pas tes oignons ! » Puis : « Je vais te dire quequ'chose. Elle va pas rentrer, alors, tu ferais mieux de plus y penser. » Un sac en papier à la main, il se dirigea en chancelant vers son bateau.

« C'est pas vrai », lui hurla Kya tandis qu'il s'éloignait, les poings serrés sur ses hanches. Elle le regarda partir, puis cria en direction de la lagune déserte : « Quequ'chose, c'est même pas un mot ! »

Plus tard, elle devait se demander si elle n'aurait pas mieux fait d'ouvrir elle-même la lettre, et de ne même pas la lui montrer. Elle aurait pu alors mettre les mots de côté pour les déchiffrer un jour, et il aurait mieux valu pour lui de ne jamais les lire.

Pa ne l'emmena plus jamais pêcher. Ces beaux jours n'auraient été qu'une parenthèse.

Kya ne savait plus comment prier. Était-ce la façon dont on joignait les mains ou la force avec laquelle on fermait les paupières qui comptait ? *Peut-être que si je prie comme il faut, Ma et Jodie reviendront. Avec tous ces cris et ces bagarres, cette vie-là valait quand même mieux que ce gruau de maïs plein de grumeaux.*

Elle chantait des bribes de psaumes pleines d'erreurs – « et Il marche à mes côtés quand les roses sont encore pleines de rosée » –, tout ce dont elle se souvenait du temps où elle se rendait quelquefois à la petite église blanche avec Ma. La dernière fois, c'était le dimanche de Pâques avant que Ma s'en aille, mais Kya se rappelait seulement les cris et le sang, quelqu'un qui tombait, elle et sa mère qui s'enfuyaient en courant, et elle fit complètement disparaître ce souvenir.

Kya regarda à travers les arbres le maïs de Ma et son carré de navets, tout envahis de mauvaises herbes aujourd'hui. Manifestement, il n'y avait là aucune rose.

Oublions tout ça. Aucun Dieu viendra jamais dans ce jardin.

10

Rien que de l'herbe dans le vent

1969

Le sable conserve les secrets plus sûrement que la boue. Le shérif gara son pick-up au bout de l'allée de la tour de guet pour ne pas risquer de rouler sur les traces d'une voiture qui serait passée par là la nuit du crime supposé. Mais tandis qu'ils continuaient à pied, à la recherche de marques de pneus autres que les leurs, le sable se creusait de trous informes sous leurs pas.

Puis, dans les ornières et les flaques de boue près de la tour, ils découvrirent en détail des myriades de petites histoires : un raton laveur et ses quatre petits étaient passés par là, un escargot avait tissé une dentelle de bave, interrompu par l'arrivée d'un ours, et une tortue d'eau s'était vautrée dans la fange fraîche, son corps laissant la forme d'une petite assiette creuse.

« C'est clair comme de l'eau de roche, mais à part nos camions, aucune trace de passage.

– Pas si sûr, répondit Joe. Tu vois ce trait tout droit, avec un petit triangle au bord. Ça pourrait bien être une empreinte de pas.

– Non, je crois plutôt que c'est un dindon qui s'est promené dans le coin, et ensuite un cerf par-dessus, c'est pour ça qu'on voit cette espèce de figure géométrique. »

Au bout d'un quart d'heure, le shérif dit : « On devrait aller faire un tour du côté de cette petite baie. Voir si quelqu'un serait pas arrivé en bateau plutôt qu'en camion. » Repoussant des rameaux de myrte au parfum âcre de leurs visages, ils se dirigèrent vers la crique. Sur le sable mouillé, ils trouvèrent des traces de crabes, de hérons et de bécassines, mais aucune d'êtres humains.

« Regarde-moi ça quand même, dit Joe, en désignant un grand arc de cercle presque parfait formé par des grains de sable qui avaient été déplacés. Est-ce que ça pourrait pas être l'avant arrondi d'un bateau qu'on aurait tiré sur le rivage ?

– Non. C'est le vent qui a dû pousser une tige d'herbe haute d'avant en arrière sur le sable. Ça a dessiné cette espèce d'éventail. Rien que de l'herbe dans le vent. »

Ils continuèrent à inspecter les lieux. Le reste de la demi-lune que formait la plage était couvert d'une épaisse couche de coquilles brisées, un amas de carapaces de crustacés et de pinces de crabes écrasées. Les coquillages sont les plus fiables des gardiens de secrets.

11

Des sacs bien pleins

1956

Durant l'hiver 1956, alors que Kya avait dix ans, Pa se mit à revenir de moins en moins souvent à la maison. Des semaines se passaient sans bouteille de whisky sur le plancher, sans corps affalé sur le lit, et sans l'argent du lundi. Elle s'attendait toujours à le voir apparaître entre les arbres en traînant la jambe, son sac en papier à la main. Une pleine lune puis une autre étaient passées depuis qu'elle l'avait vu la dernière fois.

Les sycomores et les noyers blancs étiraient leurs branches dénudées sur le ciel terne et le vent balayait impitoyablement la moindre gaieté que le soleil d'hiver aurait pu répandre sur toute cette grisaille. Un vent inutile qui racornissait sur son passage une terre gorgée d'eau de mer qui ne parvenait pas à sécher.

Assise sur le perron, elle réfléchissait à son absence. Il s'était peut-être fait tabasser lors d'une bagarre après une partie de poker, puis jeter dans le marais par une nuit froide et pluvieuse. À moins qu'il ne se soit saoulé à mort et enfoncé dans les bois avant de tomber la tête la première dans la fange d'une tourbière oubliée.

Il reviendra sans doute jamais.

Elle se mordit les lèvres jusqu'à ce qu'elles deviennent blanches. Ce n'était pas la même douleur que quand Ma était partie – de fait, elle avait bien du mal à pleurer la disparition de Pa. Mais sa solitude résonnait comme un immense écho et elle était sûre que les pouvoirs publics allaient s'en apercevoir et venir la chercher. Il lui faudrait faire semblant, même devant Jumping, que Pa était encore dans les parages.

Et il n'y aurait pas l'argent du lundi. Elle avait fait durer les derniers dollars depuis des semaines, se contentant de gruau, de moules bouillies et, de temps à autre, de l'œuf que pondait une des poules squelettiques. Il ne lui restait plus que quelques allumettes, un petit bout de savon, et quelques grammes de farine de maïs. La poignée d'allumettes Blue Tips qu'il lui restait ne suffirait pas à passer l'hiver. Sans flamme, elle ne pouvait pas faire cuire le gruau qu'elle préparait pour elle-même, les oiseaux de mer et les poules.

Je peux pas me débrouiller dans la vie sans gruau.

Au moins, songeait-elle, où qu'il ait disparu cette fois, Pa était parti à pied. Kya avait encore la barque.

Bien sûr, il allait lui falloir trouver un autre moyen de dénicher à manger, mais pour l'instant, elle repoussa l'idée dans un coin éloigné de son cerveau. Après avoir dîné de moules bouillies, qu'elle avait appris à écraser pour en faire une pâte qu'elle étalait sur des crackers, elle feuilleta les livres préférés de Ma, s'imaginant le texte des contes de fées. À dix ans, elle ne savait toujours pas lire.

À ce moment, la lumière de la lampe à pétrole commença à vaciller, puis elle s'éteignit. Durant une minute, il resta autour d'elle une faible image du monde, puis ce fut le noir complet. Elle lâcha un petit « Oh ! ». Pa s'était toujours occupé d'acheter le pétrole et de remplir la lampe, elle n'avait jamais eu à y penser. Jusqu'à se retrouver plongée dans l'obscurité.

Elle resta assise quelques secondes en essayant d'obtenir de la lumière grâce aux dernières gouttes mais il ne restait pratiquement rien. Ensuite, la silhouette arrondie du réfrigérateur et le cadre de la fenêtre commencèrent à se dessiner dans la pénombre, et elle tâtonna sur le comptoir de la cuisine jusqu'à trouver un bout de chandelle. Mais il fallait une allumette et il n'y en avait plus que cinq. Or, c'était maintenant qu'il faisait noir.

Pschitt… Elle craqua l'allumette, enflamma la mèche, et les ténèbres reculèrent jusqu'aux coins de la pièce. Mais elle en avait assez vu pour savoir qu'elle ne pouvait rester sans lumière, et le pétrole coûtait de l'argent. Elle ouvrit la bouche pour réguler sa respiration. *Il faudrait peut-être que j'aille jusqu'en ville pour me rendre aux autorités. Au moins, on me donnerait à manger et on m'enverrait à l'école.*

Mais au bout d'une minute de réflexion, elle se dit : *Non, je peux quand même pas abandonner les mouettes, les goélands, le héron et la cabane. Le marais est ma seule famille.*

Aux dernières lueurs de la bougie, elle eut une idée.

Le lendemain matin, elle se leva plus tôt que d'habitude alors que la marée était encore basse, enfila sa salopette et passa la porte, chargée d'un seau et d'un coutelas à dents et de gros sacs vides. Accroupie dans la boue, elle ramassa des moules dans les tourbières, comme Ma lui avait appris à le faire, et au bout de quatre heures d'efforts, ses sacs étaient pleins.

Le soleil s'éleva lentement au-dessus de la mer tandis qu'elle poussait sa barque dans un épais brouillard vers la baraque de Jumping. Il se leva à son approche.

« Bonjour, mademoiselle Kya. Vous voulez de l'essence ? »

Elle baissa la tête. Elle n'avait adressé la parole à personne depuis sa dernière expédition au Piggly Wiggly, et elle avait du mal à s'exprimer.

« De l'essence, peut-être. Mais ça dépend. J'ai entendu dire que vous achetiez des moules, et j'en ai pas mal ici. Est-ce que vous pouvez me les payer en liquide et me donner un peu d'essence en prime ? demanda-t-elle en lui montrant les sacs.

– Oui, mamzelle. On fait ça. Elles sont fraîches ?

– Je les ai ramassées juste avant l'aube. Y a pas longtemps.

– Très bien. Alors je peux vous en donner cinquante cents pour un sac, et vous remplir le réservoir pour l'autre. »

Kya eut un petit sourire. Du vrai argent qu'elle avait gagné toute seule. « Merci », se contenta-t-elle de répondre.

Et tandis que Jumping faisait le plein, Kya entra dans sa minuscule boutique sur le ponton. Elle n'y avait jamais prêté beaucoup d'attention parce qu'elle faisait les courses au Piggly, mais elle s'apercevait maintenant que, en plus des appâts et du tabac, il vendait aussi des allumettes, du saindoux, du savon, des sardines, des saucisses de Francfort, du gruau, des crackers, du papier hygiénique et du pétrole. Presque tout ce dont elle avait besoin au monde se trouvait là. Alignés sur le comptoir, il y avait trois bocaux de quatre litres emplis de confiseries : bonbons à la cannelle, boules magiques et sucettes au caramel. On aurait dit qu'il y en avait plus que sur la terre entière.

Avec l'argent des moules, elle s'acheta des allumettes, une bougie, du gruau. Elle devrait attendre un autre sac pour le pétrole et le savon. Il lui fallut toute la force de sa volonté pour demander une bougie à la place d'une sucette au caramel.

« Vous m'achèteriez combien de sacs par semaine ? demanda-t-elle.

– Vous pensez à un vrai contrat, maintenant ? s'enquit-il en s'esclaffant de son rire si singulier – la bouche fermée et la tête rejetée en arrière. J'en achète, disons, vingt kilos tous les deux trois jours. Mais vous voyez, y en a d'autres qui m'en apportent. Si, quand vous arrivez, j'en ai déjà acheté, eh bien, je pourrai pas vous les prendre. Premiers arrivés, premiers servis. Pas moyen de faire autrement.

– OK. Merci, ça sera parfait. Au revoir, Jumping. » Puis elle ajouta : « Au fait, mon père vous envoie ses salutations.

– Ah vraiment ? Très bien. Alors passez-lui aussi le bonjour de ma part, s'il vous plaît. Au revoir, mademoiselle Kya. » Il lui décocha un grand sourire tandis que le bateau s'éloignait. Elle faillit lui rendre la pareille. Acheter son essence et faire ses propres courses faisait d'elle une adulte. Plus tard, de retour à la maison, quand elle déballa ses petites provisions, elle rougit de plaisir en découvrant une surprise au fond du sac. Pas trop adulte en tout cas pour la sucette au caramel que Jumping avait glissée dedans.

Pour prendre de vitesse les autres pêcheurs de moules, Kya filait vers le marais à la lueur de la bougie ou de la lune – son ombre dansant autour d'elle sur le sable mouillé, et elle ramassait les mollusques alors qu'il faisait encore nuit. Elle ajouta des huîtres à sa pêche, et il lui arrivait de dormir près des rigoles à la belle étoile pour arriver chez Jumping à la première lueur de l'aube. L'argent des moules rentrait plus régulièrement que celui du lundi et, le plus souvent, elle réussissait à arriver la première.

Elle cessa d'aller au Piggly, où Mme Singletary ne manquait jamais une occasion de lui demander pourquoi elle n'était pas à l'école. Tôt ou tard, ils finiraient par l'attraper et la forceraient à y aller. Elle se débrouillait avec ce qu'elle trouvait chez Jumping et elle pêchait plus de moules qu'elle aurait pu en manger. Elles n'étaient pas si mauvaises d'ailleurs quand on les mélangeait au gruau et qu'on les écrasait jusqu'à ne plus pouvoir les reconnaître. Au contraire des poissons, elles n'avaient pas d'yeux qui la regardaient fixement.

12
Quelques sous et du gruau

1956

Pendant des semaines après le départ de Pa, Kya levait régulièrement les yeux vers le ciel quand les corbeaux croassaient. Peut-être l'avaient-ils vu arpenter les bois de son pas chancelant. Au moindre son étrange porté par le vent, elle dressait la tête, l'oreille tendue pour entendre quelqu'un. N'importe qui. Même la course-poursuite d'une responsable des services sociaux serait la bienvenue.

Surtout, elle recherchait le jeune pêcheur. Plusieurs fois au fil du temps, elle l'avait aperçu de loin, mais ne lui avait pas parlé depuis ses sept ans, trois années plus tôt, quand il lui avait montré par où rentrer chez elle à travers le marais. Il était la seule âme qu'elle connaissait au monde à part Jumping et quelques vendeuses. Où qu'elle fasse glisser sa barque dans les voies navigables, elle essayait de l'entrevoir.

Un matin, alors qu'elle s'avançait dans un estuaire couvert de spartines, elle vit son bateau caché derrière les roseaux. Tate portait une casquette de baseball différente et il était plus grand, mais même à une cinquantaine de mètres, elle reconnut ses boucles blondes. Kya baissa les gaz et manœuvra pour s'avancer silencieusement dans les hautes herbes et l'observer. Remuant les lèvres, elle songea à s'approcher encore et peut-être à lui demander s'il avait fait bonne pêche. Apparemment, c'était ce que Pa et tous les autres habitants du marais disaient quand ils se croisaient. « Ça mord ? Une touche ? »

Mais elle se contenta de regarder sans bouger. Elle se sentait attirée par lui et en même temps repoussée, avec pour résultat qu'elle restait clouée sur place. Elle finit par reprendre le chemin de la maison, le cœur cognant contre ses côtes.

Chaque fois qu'elle le voyait, c'était la même chose : elle le regardait de loin comme elle observait les hérons.

Elle continuait à ramasser plumes et coquillages, mais les laissait désormais, couverts de sable et de sel, autour des marches de brique et de bois du perron. Elle flânait une partie de la journée, pendant que les assiettes s'empilaient dans l'évier, se demandant pourquoi laver une salopette qui serait aussitôt à nouveau maculée de boue. Depuis longtemps, elle avait pris l'habitude de porter les vieux vêtements laissés par ses aînés disparus. Ses T-shirts étaient tout troués. Elle ne possédait plus du tout de chaussures.

Un soir, Kya décrocha de son cintre en fil de fer la robe d'été à fleurs roses et vertes, celle que Ma portait pour aller à l'église. Depuis des années, elle palpait de temps à autre cette merveille – la seule robe que Pa n'ait pas brûlée – et en caressait les petites fleurs roses. Il y avait une tache sur le corsage, une souillure brune délavée sous les bretelles, du sang peut-être. Mais elle était à peine visible aujourd'hui, décapée comme d'autres mauvais souvenirs.

Kya enfila la robe et la fit descendre le long de son corps maigre. Elle lui arrivait presque jusqu'aux orteils : c'était trop long. Elle la retira, et la raccrocha pour plusieurs années. Cela aurait été dommage de la couper et de la porter pour aller pêcher des moules.

Quelques jours plus tard, Kya poussa sa barque jusqu'à Point Beach, un tablier de sable blanc à plusieurs kilomètres au-delà de chez Jumping. Le temps, les vagues et le vent avaient modelé cette pointe allongée, sur laquelle s'amassaient plus de coquillages que sur n'importe quelle autre plage, et elle en avait même trouvé là de très rares. Elle amarra son bateau à l'extrémité sud, puis marcha vers le nord pour entamer sa quête. Soudain, elle perçut des voix lointaines – aiguës et surexcitées – qui flottaient dans l'air.

Aussitôt, elle traversa la plage en direction des bois où un chêne avec un tronc de plus de vingt mètres de large s'enfonçait dans un buisson de fougères tropicales. Cachée derrière l'arbre, elle regarda une petite troupe d'enfants qui déambulaient sur le sable puis se précipitaient vers les vagues en soulevant des gerbes d'écume. Un garçon courait devant les autres, un autre lançait un ballon. Sur le sable blanc, leurs shorts à carreaux bigarrés les faisaient ressembler à des oiseaux de toutes les couleurs et marquaient le changement de saison. L'été s'avançait à la rencontre de Kya sur la plage.

Tandis qu'ils se rapprochaient, elle se plaqua contre le tronc du chêne et regarda alentour. Cinq filles et quatre garçons, un peu plus âgés qu'elle, de douze ans environ. Elle reconnut Chase Andrews qui passait la balle aux copains qui ne le quittaient jamais.

Les filles – Grande-blonde-maigrichonne, Queue-de-cheval-à-taches-de-rousseur, Cheveux-courts-tout-noirs et Petite-boulotte-à-grosses-joues – formaient une petite arrière-garde qui marchait plus lentement en bavardant et en gloussant à chaque pas. Leurs voix montaient vers

Kya comme un carillon de clochettes. Elle était trop jeune pour s'intéresser sérieusement aux garçons ; ses yeux restaient fixés sur les filles. Elles s'accroupirent toutes les quatre pour observer un crabe qui traversait le sable de biais. En riant, elles chahutèrent jusqu'à se laisser tomber à terre toutes ensemble.

Kya se mordillait les lèvres en les regardant. Elle se demandait quel effet cela lui ferait d'être parmi elles. Leur joie créait une sorte d'aura presque visible sous le ciel d'un bleu de plus en plus profond. Ma disait que les femmes avaient besoin les unes des autres, mais elle ne lui avait jamais montré comment rejoindre leurs rangs. Elle s'enfonça sans difficulté dans la forêt et les observa à l'abri des fougères géantes jusqu'à ce que la joyeuse bande reparte en sens inverse sur la plage et qu'ils ne soient plus que de petits points sur le sable.

L'aurore rougeoyait sous les nuages gris quand Kya aborda le quai de Jumping. Il sortit de sa petite échoppe en secouant la tête.

« Je suis aussi désolé que possible, mademoiselle Kya. Mais ils vous ont coiffée au poteau. J'ai ce qu'il me faut comme moules pour la semaine, je peux pas en acheter plus. »

Elle coupa le moteur et le bateau se cogna contre un pilotis. C'était la deuxième semaine qu'ils arrivaient avant elle. Elle n'avait plus d'argent et elle ne pouvait plus rien acheter. Elle n'avait plus que quelques sous et du gruau.

« Mademoiselle Kya, il faut trouver d'autres façons de gagner de l'argent. On peut pas mettre tous ses œufs dans le même panier. »

De retour chez elle, assise sur les marches, elle réfléchit et une nouvelle idée lui vint. Elle pêcha pendant huit heures d'affilée, puis fit mariner les vingt poissons qu'elle avait pris dans la saumure toute la nuit. Au lever du jour, elle les aligna sur les planches du vieux saloir de Pa – de la taille et de la forme de latrines –, fit du feu dans une fosse et planta des bâtons de bois vert dans les flammes comme elle l'avait vu le faire. De la fumée gris-bleu s'éleva en volutes et remonta par la cheminée et toutes les fissures des parois. La cahute entière gémissait et soupirait.

Le lendemain, elle se rendit chez Jumping et, debout sur son bateau, elle lui tendit son seau. À l'intérieur se trouvait un pitoyable amas de petites brèmes et de carpes à moitié déchiquetées.

« Vous achetez aussi du poisson fumé, Jumping ? J'en ai.

– Ah ça oui, mademoiselle Kya. Je vais vous dire une chose : je vous les prends en dépôt, comme qui dirait. Si je les vends, l'argent est pour vous. Sinon, vous les reprenez comme ils sont. Ça marche ?

– OK, merci, Jumping. »

Ce soir-là, Jumping rentrait à pied sur le chemin sablonneux qui conduit à Colored Town – un ramassis de cabanes et d'abris, et même quelques vraies maisons au bord de marais d'eaux stagnantes et de tourbières boueuses. Cette espèce de bidonville s'étendait au cœur de la forêt, loin de la mer, le vent n'y soufflait pas et il y avait là « plus de moustiques que dans la Géorgie entière ».

À environ cinq kilomètres, il perçut la fumée qui montait des feux de camp et traversait les bois, et entendit ses petits-enfants jacasser. Il n'y avait aucune route dans Colored Town, rien que des pistes entre les arbres qui allaient d'une habitation à l'autre. La sienne était une vraie maison que son père et lui avaient bâtie avec des planches de pin et une clôture en bois brut qui entourait un carré de terre compacte, que Mabel, sa femme au physique imposant, balayait avec la même énergie qu'elle aurait mise à astiquer un plancher. Aucun serpent n'aurait pu se glisser à trente mètres du perron sans être immédiatement repéré par son impitoyable binette.

Comme souvent, elle sortit sur le seuil pour l'accueillir avec un sourire, et il lui tendit le seau contenant les poissons fumés de Kya.

« Qu'est-ce que c'est ? demanda-t-elle. On dirait des déchets que même des chiens voudraient pas ramener chez eux.

– C'est encore cette fille, mademoiselle Kya, qui me les a apportés. Y a des fois où elle est pas la première à arriver avec ses moules, alors elle s'est lancée dans le poisson fumé. Elle veut que je les vende.

– Seigneur, il faut faire quelque chose pour cette petite. Personne va lui acheter des poissons pareils. Je vais les faire en ragoût. Et notre église peut essayer de lui trouver des vêtements, ou des trucs qui pourraient lui servir. On lui dira qu'il y a une famille qui échange des pull-overs contre des carpes. Quelle taille elle fait ?

– Qu'est-ce que j'en sais, moi ? Elle est maigrichonne. Un vrai coucou. Elle va sûrement revenir de bonne heure demain matin. Elle est complètement fauchée. »

Après avoir réchauffé un gruau aux moules comme petit-déjeuner, Kya se rendit en bateau chez Jumping pour voir s'il avait tiré quelque chose de ses poissons fumés. Durant toutes ces années, elle n'avait jamais vu là que lui ou des clients, mais en s'approchant lentement, elle aperçut une grosse femme noire qui balayait le quai comme le sol d'une cuisine. Assis sur sa chaise, adossé au mur de son échoppe, Jumping notait des chiffres dans son registre de comptes. En la voyant arriver, il bondit sur ses pieds et lui fit un signe de la main.

« Bonjour, lança-t-elle paisiblement, en manœuvrant avec adresse pour s'arrêter contre le ponton.

– Salut, mademoiselle Kya. Y a quelqu'un là que je voudrais vous faire rencontrer. C'est ma femme, Mabel. » Mabel s'approcha et se tint près de Jumping, si bien que, quand Kya monta sur le ponton, ils étaient tous les deux tout proches.

Mabel prit la main de Kya, la garda gentiment dans la sienne, et dit :

« C'est drôlement chouette de vous rencontrer, mademoiselle Kya. Jumping, il m'a dit que vous étiez une bien brave fille. Une des meilleures ramasseuses d'huîtres. »

Même si elle bêchait son jardin, cuisinait la moitié de la journée, faisait le ménage et de la couture pour des Blancs, Mabel avait la paume douce. Kya laissa les doigts dans ce gant de velours mais, ne sachant que dire, resta muette.

« Eh bien, mademoiselle Kya, on a trouvé une famille qui veut bien échanger des vêtements et d'autres trucs qui vous manquent contre votre poisson fumé. »

Kya hocha la tête. Sourit en regardant ses pieds puis demanda : « Et l'essence pour mon bateau ? »

Mabel interrogea Jumping du regard.

« Bon, dit-il, je vais vous en donner un peu aujourd'hui parce que je sais que vous êtes à sec. Mais vous continuez à m'apporter des moules et tout le reste quand vous pouvez.

– Seigneur, petite, dit Mabel de sa grosse voix, vous inquiétez pas de ces détails. Laissez-moi un peu vous regarder. Faut que je calcule votre taille pour leur dire. »

Elle la conduisit à l'intérieur de la minuscule échoppe. « Assoyez-vous là, et dites-moi un peu ce qu'il vous faut comme vêtements et tout le reste. »

Quand elles eurent discuté de la liste, Mabel dessina les pieds de Kya sur un sac en papier marron, et ajouta : « Bon, revenez demain et je vous aurai préparé un paquet.

– Merci beaucoup, Mabel. » Puis, baissant la voix, elle reprit : « Il y a autre chose. J'ai trouvé des vieux paquets de graines chez moi, mais j'y connais rien en jardinage.

– Voyons voir. » Mabel se pencha en arrière et un grand rire monta de sa poitrine généreuse. « Moi j'en connais un rayon. » Elle examina chaque étagère avec attention puis fouilla dans quelques boîtes et en tira des graines de courgettes, de tomates et de citrouilles. Elle en plaça quelques-unes de chaque sorte dans un bout de papier et dessina le légume correspondant dessus. Kya ne savait pas si Mabel faisait cela parce qu'elle ne savait pas écrire ou si elle avait compris qu'elle ne savait pas lire, mais c'était le mieux possible pour elles deux.

Elle les remercia en montant dans sa barque.

« Je suis bien contente de vous aider, mademoiselle Kya. Oubliez pas de revenir demain pour prendre vos affaires », dit Mabel.

Ce même après-midi, Kya entreprit de creuser là où se trouvait autrefois le jardin de Ma. La binette produisait de petits bruits métalliques en avançant dans les rangées, libérant de bonnes odeurs de terre et délogeant des vers rosâtres. Soudain, un clic différent la surprit, et Kya se pencha pour déterrer une vieille barrette en métal et en plastique de Ma. Elle la frotta doucement contre sa salopette jusqu'à ce que toute la saleté ait disparu. Comme s'ils se reflétaient dans cet objet ordinaire, les lèvres rouges et les yeux noirs de Ma lui revinrent en mémoire plus clairement que jamais au cours de ces dernières années. Kya regarda alentour ; elle était sûre que Ma était en train de remonter le chemin en ce moment même, venue l'aider à retourner la parcelle. Enfin rentrée à la maison. Pareil silence était rare ; même les corneilles se taisaient et elle entendait sa propre respiration.

Rassemblant plusieurs mèches de ses cheveux, elle fixa la barrette au-dessus de son oreille gauche. Peut-être Ma ne reviendrait-elle jamais. Peut-être certains rêves finissaient-ils par s'évanouir tout simplement. Elle souleva la binette et l'abattit sur une motte de terre dure qui se désagrégea.

Quand Kya s'approcha du ponton de Jumping le lendemain matin, il était seul. Elle avait sans doute rêvé le corps généreux et la bienveillance de sa femme. Toutefois, sur le dock se trouvaient deux caisses que Jumping lui montrait du doigt, le visage éclairé par un grand sourire.

« Bonjour, mademoiselle Kya. C'est pour vous tout ça. »

Kya bondit à terre et regarda fixement les caisses remplies à ras bord.

« Allez, allez, insista Jumping. Je vous dis que c'est pour vous. »

Avec précaution, elle en tira des salopettes, des jeans, de vrais chemisiers, pas des T-shirts. Une paire de tennis bleu marine et des chaussures Buster Brown marron et blanc, cirées tant de fois qu'elles brillaient. Kya sortit un chemisier blanc avec un col de dentelle orné d'un ruban de satin bleu. Elle en était bouche bée.

Dans l'autre caisse, il y avait des allumettes, de la farine de maïs, un pot de margarine, des haricots secs et une demi-livre de saindoux. Sur le dessus, enveloppés dans du papier journal, des radis, de la salade, des rutabagas et des gombos.

« Jumping, murmura-t-elle doucement, c'est beaucoup plus que ce que valaient mes poissons. Il y en a même pour un mois de pêche.

– Ben, qu'est-ce que vous voulez que les gens fassent avec les vieux vêtements qui traînent chez eux ? Ils ont toutes ces affaires en trop, vous en avez besoin, vous vous avez du poisson, et il leur en faut : c'est comme ça que ça marche. Seulement maintenant, va falloir les emporter, parce que j'ai pas de place pour toutes ces saletés. »

Kya savait qu'il disait la vérité. Jumping n'avait guère de place, et elle lui rendrait service en en débarrassant son ponton.

« Alors, je les prends. Mais vous les remerciez pour moi, d'accord ? Et moi je vais faire fumer plus de poissons et je vous les apporte dès que je peux.

– Entendu alors, mademoiselle Kya. Ça roule. Apportez le poisson quand vous en aurez. » Kya reprit le large. Une fois de l'autre côté de la presqu'île, là où Jumping ne pouvait plus la voir, elle mit le moteur au ralenti, fouilla dans la caisse, et en sortit le chemisier au col de dentelle. Elle l'enfila par-dessus sa salopette râpée, aux genoux ravaudés, et noua le petit ruban de satin autour de son cou. Puis, une main sur la barre, l'autre sur la dentelle, elle se laissa glisser vers la maison, à travers l'océan et les estuaires.

13
Plumes

1960

Par un bel après-midi, mince mais vigoureuse pour ses quatorze ans, Kya jetait des croûtes de pain aux mouettes et aux goélands. Toujours incapable de les compter ; toujours incapable de lire. Elle ne rêvait plus désormais de s'envoler avec les aigles ; quand on doit barboter dans la boue pour trouver de quoi manger, l'imagination se tarit à mesure qu'on devient adulte. La robe d'été de Ma, ajustée sur sa poitrine, lui tombait maintenant au-dessous des genoux. Elle avait atteint la taille de sa mère et l'avait sans doute un peu dépassée. Elle se dirigea vers la cabane, prit une canne et une ligne et alla pêcher à l'abri des fourrés, de l'autre côté de la lagune. Au moment où elle lançait sa ligne, elle entendit un rameau se briser juste derrière elle. Elle se retourna vivement en percevant un bruit de pas dans les broussailles. Pas un ours, dont les grosses pattes auraient écrasé toute la végétation, mais un martèlement dans les ronces. Puis les corneilles se mirent à croasser. Les corneilles ne gardent pas les secrets mieux que la boue ; à peine ont-elles aperçu quelque chose de bizarre dans la forêt qu'il leur faut en parler à tout le monde. Ceux qui les écoutent trouvent leur récompense. Ils sont soit alertés de la présence des prédateurs, soit prévenus de celle de leurs proies. Kya devina que quelque chose se préparait.

Elle ramena sa ligne, l'enroula autour de la canne, tout en se frayant un chemin sans un bruit dans les broussailles. S'arrêta de nouveau, l'oreille aux aguets. Une sombre clairière – un de ses endroits favoris – s'ouvrait telle une caverne sous cinq chênes au feuillage si dense que seuls des rayons de soleil hésitants parvenaient à filtrer au travers, éclairant des carrés de violettes et de trilles blancs. Elle balaya l'espace du regard mais ne vit personne.

Puis, une silhouette passa furtivement dans un fourré et Kya tourna les yeux dans cette direction. Le mouvement s'arrêta. Son cœur se mit à cogner plus fort. Elle s'accroupit et rampa en silence dans la végétation qui bordait la clairière. Elle se retourna pour scruter entre les branches et aperçut un garçon plus âgé qui filait à travers bois, en regardant de droite et de gauche. En la voyant, il s'immobilisa de nouveau.

Kya plongea derrière un buisson puis s'enfonça dans un tunnel qui serpentait entre des ronces aussi épaisses que les murs d'un fortin. Toujours courbée, elle força l'allure en s'égratignant les bras aux épines acérées. Marqua une nouvelle pause, l'oreille tendue. Resta cachée dans la fournaise, la gorge brûlée par la soif. Au bout de dix minutes, elle ne voyait toujours personne et rampa jusqu'à une source entourée de mousse où elle s'abreuva comme une biche. Elle se demandait qui était ce garçon et ce qu'il faisait là. C'était bien le problème d'aller chez Jumping : les gens la voyaient. Comme le ventre d'un porc-épic, elle était exposée aux regards. Finalement, entre le crépuscule et la tombée de la nuit, à cette heure où les ombres deviennent incertaines, elle reprit le chemin de sa cabane en traversant la clairière.

À cause de ce fouineur, j'ai pu pêcher aucun poisson à fumer.

Au milieu de la clairière se trouvait une souche pourrie, si couverte de mousse qu'on aurait dit un vieil homme se cachant sous une cape. Kya s'approcha, et se figea sur place. Fichée dans le bois, se dressait une fine plume noire d'une quinzaine de centimètres de long. Beaucoup l'aurait jugée ordinaire, sans doute la plume d'une aile de corneille. Mais elle savait qu'ils se seraient trompés : c'était en fait le « sourcil » d'un grand héron bleu. Cette plume qui forme un arc gracieux au-dessus de l'œil, et pointe vers l'arrière, au-delà de sa tête si élégante. L'un des trésors les plus précieux des marais côtiers, là sous ses yeux. Elle n'en avait jamais trouvé aucune mais comprit aussitôt ce que c'était, car elle avait observé les hérons de près toute sa vie. Cet oiseau a la couleur d'une brume grise qui se reflète dans l'eau bleue. Comme la brume, il peut s'évanouir dans le décor et disparaître complètement, à l'exception des cercles concentriques de ses yeux fixes et perçants. C'est un chasseur patient, qui attend seul le temps qu'il faut pour se jeter sur sa proie ou, en la guettant, il s'en approche lentement, un pas après l'autre comme une demoiselle d'honneur prédatrice. Et pourtant, en de rares occasions, il chasse en vol, fond subitement, le bec en avant, telle une épée.

« Comment elle s'est retrouvée plantée dans cette souche ? murmura Kya en regardant alentour. C'est ce garçon qui a dû la mettre là. Il pourrait bien être en train de m'observer à l'heure qu'il est. » Pétrifiée. Son cœur battait la chamade. À reculons, elle s'éloigna de la plume, se précipita vers sa cabane, et verrouilla la porte à moustiquaire, ce qu'elle ne faisait jamais parce qu'elle n'aurait pu la protéger de rien de toute façon. Pourtant, dès que l'aube se glissa entre les arbres, elle ressentit le désir violent d'aller chercher la plume, au moins de la regarder à nouveau. Au lever du soleil, elle fila vers la clairière, surveillant soigneusement les parages, puis s'avança vers la souche et s'empara de la plume. Elle était lustrée. On aurait dit du velours. Rentrée chez elle, elle lui trouva une place au centre de sa collection – des minuscules plumes de colibris aux énormes queues d'aigles – qui couvrait tout un mur. Elle se demanda pourquoi un garçon lui offrirait une plume.

Le lendemain matin, Kya eut envie de se précipiter de nouveau vers la souche pour voir si une autre n'y avait pas été laissée, mais elle se força à attendre. Elle ne devait pas risquer de croiser ce garçon. Au bout du compte, en fin de matinée, elle se dirigea vers la clairière dont elle s'approcha lentement, l'oreille tendue. Elle n'entendit rien, ne vit personne, donc elle s'avança, et un sourire furtif et rare lui illumina le visage quand elle découvrit une fine plume blanche fichée dans la souche. Elle allait du bout de ses doigts à son coude, et s'incurvait avec grâce jusqu'à son extrémité pointue. Elle la souleva et se mit à rire. Une magnifique plume de queue d'un phaéton. Elle n'avait jamais vu aucun de ces oiseaux de mer qui ne vivaient pas dans la région mais, en de rares occasions, étaient portés vers la terre sur les ailes d'un ouragan.

Kya fut très surprise à l'idée que quelqu'un possède une telle collection de plumes rares et qu'il puisse se défaire de celle-ci.

Parce qu'elle ne pouvait pas lire le vieux guide de Ma, elle ne savait pas le nom de la plupart des oiseaux ou des insectes, et donc elle les inventait. Et même si elle ne savait pas écrire, Kya avait trouvé un moyen d'identifier ces spécimens. Son talent avait mûri et elle était désormais capable de dessiner, peindre, ou esquisser n'importe quoi. À l'aide de craies ou de pastels achetés au bazar, elle représentait les oiseaux, les insectes ou les coquillages sur des sacs en papier et les accrochait aux pièces de sa collection. Cette nuit-là, elle décida de dépenser sans compter, alluma deux bougies au centre de soucoupes sur la table de la cuisine afin de distinguer toutes les nuances de blanc et de pouvoir peindre la plume du phaéton.

Pendant plus d'une semaine, Kya ne trouva aucune nouvelle plume sur la souche. Elle s'en approchait plusieurs fois par jour, guettant prudemment à travers les fougères, mais elle ne vit rien. Elle passait tout le milieu de la journée dans la cabane, ce qu'elle ne faisait que très rarement.

« J'aurais dû mettre des haricots secs à tremper pour le dîner. Maintenant c'est trop tard. » Elle arpentait la cuisine, fouillait le placard, tambourinait sur la table. Songeait à peindre, mais ne se décidait pas. Reprit le chemin de la souche.

Même de loin, elle aperçut la longue plume rayée d'un dindon sauvage. Elle en fut tout excitée. Les dindons avaient toujours été parmi ses oiseaux favoris. Elle avait déjà vu douze poussins se blottir sous les ailes de leur mère alors même qu'elle se déplaçait, certains tombant de leur abri avant de lutter pour la rattraper. Mais un an plus tôt environ, alors que Kya traversait un bosquet de pins, elle avait entendu un cri aigu. Un troupeau de quinze dindons sauvages – pour la plupart des femelles, quelques mâles adultes et d'autres plus jeunes – étaient affairés à picorer ce qui ressemblait à un chiffon tout gras et froissé dans la terre. Leurs pattes soulevaient la poussière qui enveloppait les bois, montait jusqu'aux branches et en restait prisonnière. Kya s'était approchée et avait vu que c'était une dinde couchée sur le sol et que ses propres comparses donnaient du bec et lui griffaient le cou et la tête. Elle s'était malencontreusement débrouillée pour emprisonner ses ailes dans des ronces, ses plumes déployées dans des positions étranges et elle n'avait pas pu reprendre son envol. Jodie lui avait expliqué que si un oiseau devient différent des autres – estropié ou blessé – il est plus probable qu'il attire les prédateurs, et donc le reste du troupeau le tue, ce qui vaut toujours mieux que d'attirer un aigle qui risquerait d'emporter une victime de plus. Une grosse femelle s'attaquait à la dinde aux plumes ébouriffées à grands coups de ses griffes crochues, puis l'immobilisa au sol tandis qu'une autre fondait sur son cou nu et sa tête. La dinde piailla, et lança des regards fous sur son propre troupeau qui l'assaillait.

Kya se précipita dans la clairière en battant des bras. « Eh mais qu'est-ce que vous faites ? Dégagez. Arrêtez tout de suite ! » Le tourbillon des ailes souleva davantage de poussière encore tandis que les dindons s'égaillaient dans les broussailles, deux d'entre eux s'envolant pesamment jusqu'à un chêne. Mais Kya était arrivée trop tard. La dinde, les yeux grands ouverts, gisait sans vie. Du sang coulait de son cou ridé, qui retombait tordu dans la terre.

« Allez, filez ! » Kya pourchassa le dernier des oiseaux jusqu'à ce qu'ils se soient tous dispersés, leur tâche accomplie. Elle s'agenouilla près de la dinde morte et lui couvrit l'œil avec une feuille de sycomore. Le soir suivant, elle mangea un reste de pain de maïs et de haricots, puis s'allongea sur son lit dans la véranda, observant la lune qui effleurait la lagune. Elle entendit dans les bois des voix qui s'approchaient de la cabane. Elles paraissaient nerveuses, aiguës. Des garçons, pas des hommes. Elle se dressa sur son séant. Il n'y avait pas de porte à l'arrière de la maison. Elle avait le choix entre s'enfuir maintenant ou les laisser la trouver au lit. Vive comme une souris, elle se glissa jusqu'à la moustiquaire, mais à ce moment précis, elle aperçut des flammes de bougies qui dansaient, leur lumière formant des halos tremblants. Trop tard pour s'échapper.

Les voix enflèrent. « Nous voilà, la Fille des marais.

– Eh, tu entends, mademoiselle Neandertal !

– Fais-nous voir tes dents ! Fais-nous voir ton herbe des marais ! »

Éclats de rire. Elle baissa la tête derrière la paroi à mi-hauteur de la véranda tandis que les pas se rapprochaient encore. Les flammes s'agitèrent plus follement encore avant de s'éteindre complètement au moment où cinq garçons de treize ou quatorze ans traversaient le terrain au pas de charge. Plus personne ne parlait, tandis qu'au grand galop ils gagnaient le porche et cognaient bruyamment sur la porte du plat de leurs paumes. Chaque claquement pareil aux coups de griffe qui déchiquetaient l'oiseau mort.

Plaquée contre le mur, Kya avait envie de gémir mais elle retint son souffle. Ils pouvaient facilement enfoncer la porte. Un grand coup d'épaule et ils réussiraient à entrer. Mais ils redescendirent les marches. Repartirent vers les arbres en criant avec soulagement qu'ils avaient survécu à leur rencontre avec la Fille des marais, l'enfant louve, la miséreuse qui ne savait pas épeler « sac ». À travers la forêt, leurs mots et leurs rires continuaient à lui parvenir alors qu'ils disparaissaient dans la nuit, loin du prétendu danger. Elle regarda les bougies rallumées qui tressautaient entre les arbres. Puis elle resta là à fixer la nuit, dans un silence de pierre. Envahie par la honte.

Kya repensait à ce jour et à cette nuit chaque fois qu'elle voyait des dindons sauvages, mais elle fut néanmoins transportée en découvrant cette plume de queue fichée dans la souche. Rien qu'à l'idée que le jeu continuait…

14

Fibres rouges

1969

Une chaleur moite transformait la matinée en un brouillard flou sans mer ni ciel. Joe quitta le bureau du shérif et croisa Ed qui sortait du véhicule de patrouille.

« Viens donc un peu par là, shérif. J'ai reçu de nouveaux résultats du labo sur l'affaire Chase Andrews. Il fait aussi chaud que dans la gueule d'un sanglier là-dedans ! » Il montra le chemin vers un grand chêne dont les racines anciennes soulevaient la terre nue comme des poings. Le shérif le suivit, écrasant des glands sur son passage, et ils s'installèrent à l'ombre, face à la brise marine.

Il lut à haute voix. « "Ecchymoses sur le corps, blessures internes, explicables par la chute constatée." Il s'est effectivement cogné l'arrière du crâne contre la poutre – les échantillons de sang et de cheveux correspondaient aux siens – et ça a causé de sérieux dégâts et contusions au lobe postérieur mais sans entraîner la mort.

« Là tu vois : il est mort là où on l'a trouvé, il n'avait pas été déplacé. Le sang et les cheveux retrouvés sur la traverse le prouvent. "Cause du décès : impact soudain sur les lobes occipital et pariétal du cortex cervical postérieur, colonne vertébrale sectionnée", suite à la chute de la tour.

– Donc quelqu'un a bel et bien fait disparaître les empreintes de pieds et de doigts. Autre chose ?

– Écoute-moi ça. Ils ont trouvé pas mal de fibres étrangères sur son blouson. Des fibres de laine rouge qui provenaient d'aucun de ses vêtements. Échantillon fourni. »

Le shérif agita un petit sachet transparent.

Les deux hommes observèrent les fils rouges duveteux aplatis contre le plastique comme une toile d'araignée.

« De la laine, qu'ils disent. Ça pourrait venir d'un pull, d'une écharpe, d'un bonnet, dit Joe.

– Maillot, jupe, chaussettes, cape. Bon Dieu, ça pourrait être n'importe quoi. Mais il va falloir qu'on trouve… »

15
Le jeu

1960

Le lendemain midi, les mains sur les joues, Kya s'approcha lentement de la souche, presque comme si elle était en prières. Mais aucune plume sur la souche. Ses lèvres se pincèrent.

« Bien sûr… moi aussi j'aurais dû laisser quelque chose pour lui. »

Elle prit dans sa poche une plume de queue d'un jeune aigle d'Amérique qu'elle avait trouvée le matin même. Seule une personne qui connaissait bien les oiseaux se rendrait compte que cette plume tachetée et défraîchie provenait d'un aigle. Un rapace de trois ans, la tête pas encore couronnée de blanc. Pas aussi inestimable que la plume de queue du phaéton, mais tout de même précieuse. Elle la déposa précautionneusement sur la souche avec une petite pierre dessus, pour que le vent ne risque pas de l'emporter.

Cette nuit-là, les bras croisés sous la nuque, elle était étendue sur son lit dans la véranda, un petit sourire aux lèvres. Sa famille l'avait abandonnée pour échapper à un marais, mais maintenant voilà qu'apparaissait quelqu'un qui était venu tout seul, et qui lui laissait des cadeaux dans la forêt. L'incertitude demeurait, mais plus elle y pensait, moins il semblait probable que ce garçon lui veuille du mal. Quelqu'un qui aimait les oiseaux ne pouvait tout simplement pas être mauvais.

Le lendemain matin, elle bondit du lit et entreprit ce que Ma appelait « un grand ménage ». Devant la commode de sa mère, Kya avait seulement l'intention de vider les fonds de tiroirs, mais quand elle prit ses ciseaux en laiton et en acier avec des fleurs de lis ciselées, elle tira soudain en arrière ses cheveux qui n'avaient pas été coupés depuis le départ de Ma plus de sept ans plus tôt, et les raccourcit d'une vingtaine de centimètres. Maintenant ils lui arrivaient juste au-dessous des épaules. Elle se regarda dans le miroir, secoua un peu la tête et sourit. Elle se récura les ongles et se brossa les cheveux jusqu'à ce qu'ils brillent.

Après avoir remis en place brosse et ciseaux, elle jeta un coup d'œil aux vieux cosmétiques de Ma. Le fond de teint et le rouge à joues liquides avaient séché et s'étaient fendillés, mais la durée de vie d'un rouge à lèvres sur une étagère devait dépasser dix ans, parce que, quand elle ouvrit le tube, il paraissait tout frais. Pour la première fois, parce qu'elle n'avait jamais joué à se faire belle quand elle était petite, elle s'en mit sur les lèvres. Elle fit claquer sa bouche puis sourit à nouveau au miroir. Se dit qu'elle était plutôt jolie. Pas autant que Ma, mais pas vilaine non plus. Elle lâcha un petit rire puis s'essuya les lèvres. Juste avant de refermer le tiroir, elle découvrit un flacon de vernis à ongles Revlon desséché – « Rose nacré ».

Kya souleva le flacon, se rappelant le jour où Ma était rentrée de faire les courses en ville avec cette improbable petite bouteille de vernis. Ma avait dit qu'il irait bien avec leur teint mat. Elle avait mis en rang Kya et ses deux sœurs aînées sur le canapé défraîchi, leur avait fait tendre les pieds, et leur avait verni les ongles des doigts et des orteils. Puis elle était passée aux siens, et elles avaient ri en caracolant dans le jardin, exhibant leurs ongles roses. Pa était sorti quelque part, mais le bateau était à l'ancre dans la lagune. Ma avait eu l'idée d'aller faire un tour toutes les quatre, ce qu'elles n'avaient jamais fait.

Elles étaient montées à bord de la vieille barque, faisant les folles comme si elles avaient un peu trop bu. Il fallut tirer plusieurs fois sur le cordon du démarreur pour lancer le moteur, mais il finit par pétarader, et les voilà parties, Ma leur faisant traverser la lagune et s'engager dans l'étroit chenal qui menait au marais. Elles allaient avec aisance au fil de l'eau, mais Ma n'y connaissait pas grand-chose et quand elles se retrouvèrent dans une lagune trop peu profonde, elles s'enlisèrent dans la boue visqueuse et noire, aussi épaisse que du goudron. Elles eurent beau tenter de faire avancer la barque d'un côté et de l'autre à l'aide de leurs perches, elle ne bougea pas. Il n'y avait plus qu'à passer par-dessus bord, avec leurs jupes et le reste, et à s'enfoncer dans la boue jusqu'aux genoux.

Ma criait : « Ne la faites pas chavirer, les filles, ne la faites pas chavirer ! » et elles tirèrent l'embarcation jusqu'à la dégager, non sans pousser des cris perçants aux visages maculés de fange les unes des autres. Il leur fallut un certain temps pour se hisser de nouveau à bord en se laissant tomber sur le flanc comme autant de poissons morts. Puis, au lieu de reprendre place sur les bancs, toutes quatre s'étaient serrées en rang d'oignons au fond de la coque en lançant leurs pieds vers le ciel, agitant leurs orteils dont les ongles roses luisaient sous la couche de boue.

Allongée à leurs côtés, Ma avait déclaré : « Écoutez bien, il y a une belle leçon à tirer de tout ça. D'accord, on s'est enlisées, mais nous, les filles, qu'est-ce qu'on a fait ? On l'a pris à la légère et on a bien ri. C'est comme ça que font les sœurs et les filles. Elles s'entraident, même quand elles pataugent, surtout quand elles pataugent. »

Ma n'avait pas acheté de dissolvant, et quand le vernis commença à s'écailler, il s'était déjà décoloré : des ongles de mains et de pieds mouchetés, qui leur rappelaient le bon temps qu'elles avaient pris ensemble, et cette leçon de vie.

En regardant le vieux flacon, Kya essaya de se remémorer le visage de ses sœurs et s'exclama : « T'es où, Ma, maintenant ? Pourquoi tu es pas restée ? »

Dès qu'elle eut atteint la clairière aux chênes le lendemain après-midi, Kya découvrit des couleurs vives et extraordinaires entre les verts et les marrons sombres des feuillages. Sur la souche étaient posés un carton de lait rouge et blanc et, juste à côté, une nouvelle plume. Apparemment, le garçon avait placé la barre plus haut. Elle s'approcha et saisit d'abord la plume.

Douce et argentée, elle provenait de la crête d'un héron de nuit, un des plus beaux échassiers des marais. Ensuite, elle plongea les yeux dans le carton. Roulés serrés, il y avait là de petits paquets de graines : radis, carottes, haricots verts, et tout au fond, emballée dans du papier marron, une bougie pour le moteur de son bateau. Elle sourit et dansa en rond autour de la souche. Elle avait appris à vivre avec un minimum de choses, mais de temps à autre, il lui fallait effectivement une bougie d'allumage. Jumping lui avait montré le b.a.-ba des réparations, mais chaque fois qu'il lui manquait une pièce, elle devait aller en ville et trouver de l'argent.

Et voilà qu'on lui offrait une bougie de rechange, à conserver pour le moment où elle en aurait besoin. Son cœur bondit de joie. Le même sentiment qu'on éprouve devant un réservoir d'essence bien rempli ou un ciel de toutes les couleurs. Elle s'immobilisa, tentant de comprendre ce qui arrivait, de trouver un sens à tout cela. Elle avait déjà vu des oiseaux mâles offrir des cadeaux aux femelles pour les séduire. Mais elle était bien jeune pour faire son nid.

Tout au fond, se trouvait un bout de papier. Elle le déplia, fixa les mots, soigneusement tracés d'une écriture simple qu'un enfant pourrait déchiffrer. Kya connaissait les horaires des marées par cœur, savait retrouver son chemin en se guidant aux étoiles, mais même à quatorze ans, elle était incapable de lire ces mots.

Elle avait oublié d'apporter quelque chose à laisser. Dans ses poches, il n'y avait que des plumes ordinaires, des coquillages et des cosses de graines, et elle se précipita jusque chez elle et se planta devant sa collection comme on regarde une vitrine. Les plumes les plus gracieuses étaient celles d'un cygne siffleur. Elle en décrocha une du mur pour la déposer sur la souche la prochaine fois qu'elle passerait devant.

À la tombée du jour, elle prit ses couvertures et alla dormir dans le marais, près d'une rigole pleine de moules éclairée par la lune, et à l'aube, elle en avait empli deux sacs. De l'argent pour l'essence. Ils étaient trop lourds à soulever, et elle tira le premier en direction de la lagune. Même si ce n'était pas le chemin le plus court, elle passa par la clairière aux chênes pour y déposer la plume de cygne. Elle marchait tête baissée entre les arbres et, quand elle arriva en vue de la souche, le garçon aux plumes y était adossé. Elle reconnut Tate, celui qui lui avait montré son chemin à travers le marais quand elle était petite. Tate, qu'elle avait observé durant des années sans jamais trouver le courage de s'approcher. Bien sûr, il avait grandi, il devait avoir dix-huit ans. Ses boucles dorées s'échappaient en désordre de sa casquette, et son visage tanné lui parut avenant. Il semblait calme, arborait un sourire rayonnant. Mais c'étaient surtout ses yeux qui l'attirèrent : d'un brun mordoré, avec de petites taches vertes, ils fixaient les siens comme ceux d'un héron qui guette un petit poisson.

Elle se pétrifia sur place, troublée par cette soudaine effraction aux lois non écrites. C'était là tout le plaisir de la chose, un jeu au cours duquel ils n'avaient pas à parler, ni même à se montrer. Le rouge lui monta au visage.

« Eh, Kya, s'il te plaît… ne t'enfuis pas. C'est rien que moi, Tate », prononça-t-il paisiblement, lentement, comme si elle était demeurée, ou quelque chose du genre. C'était probablement ce que les gens de la ville disaient d'elle, qu'elle connaissait à peine le langage des humains.

Tate ne pouvait détacher son regard de Kya. Il se dit qu'elle devait avoir treize ou quatorze ans. Mais même à cet âge, elle avait le visage le plus étonnant qu'il ait jamais vu. Ses grands yeux presque noirs, son nez fin au-dessus de lèvres bien dessinées lui donnaient un air exotique. Elle était grande et très mince, l'allure presque sauvage, un corps souple et fragile qui semblait façonné par le vent. Ses jeunes muscles vigoureux témoignaient cependant d'une force sereine.

Comme toujours, elle fut d'abord prise par l'envie de décamper. Mais elle éprouvait aussi autre chose. Une plénitude qu'elle n'avait pas ressentie depuis des années.

Comme si une douce chaleur avait pénétré son cœur. Elle songea aux plumes, à la bougie d'allumage et aux graines. Ce serait sans doute la fin de tout cela si elle s'enfuyait. Sans prononcer un mot, elle leva la main pour lui tendre l'élégante plume de cygne. Lentement, comme si elle risquait de détaler tel un jeune faon effrayé, il s'approcha et examina l'objet entre ses doigts. Elle observa en silence, les yeux rivés sur la plume, sans regarder son visage et surtout pas ses yeux.

« Un cygne siffleur, hein ? Incroyable, Kya. Merci ! » Il était beaucoup plus grand qu'elle et dut se pencher pour prendre le cadeau. Bien sûr, c'était le moment de le remercier pour les siens, mais elle demeura muette, souhaitant qu'il s'en aille, rêvant de poursuivre leur jeu de cache-cache.

Tentant de meubler le silence, il poursuivit : « C'est mon père qui m'a appris les oiseaux. »

Elle finit par lever les yeux et dit : « J'ai pas pu lire ton petit mot.

– J'aurais dû m'en douter, puisque tu ne vas pas à l'école. J'avais oublié. Je disais seulement que je t'avais vue deux ou trois fois en allant pêcher, et que ça m'avait donné l'idée que ces graines et la bougie pourraient t'être utiles. J'en avais plus que nécessaire et je me suis dit que ça t'éviterait d'être obligée d'aller jusqu'en ville. Et puis, j'ai pensé que tu aimerais les plumes. »

Kya baissa la tête : « Je te remercie. C'était vraiment très gentil de ta part. »

Tate remarqua que, si son visage et son corps commençaient déjà à être ceux d'une femme, ses manières et sa façon de s'exprimer restaient un peu enfantines, au contraire des filles de Barkley Cove dont le comportement – elles se maquillaient trop, juraient et fumaient – excédait leurs rondeurs.

« Je t'en prie. Bon, il va falloir que j'y aille. Il se fait tard. Je passerai par ici de temps à autre si ça te va. »

Kya ne répondit rien à cette proposition. Le jeu était sans doute terminé. Quand il devina qu'elle ne reprendrait plus la parole, il inclina la tête, toucha sa casquette, et tourna les talons. Mais alors qu'il se penchait pour passer sous les branches, il se retourna pour la regarder.

« Si tu veux, je pourrais t'apprendre à lire. »

16

Lecture

1960

Pendant des jours, Tate ne revint pas pour lui apprendre à lire. Avant le jeu des plumes, la solitude était devenue une partie d'elle-même, un peu comme un bras supplémentaire. Maintenant, ses racines poussaient à l'intérieur et se pressaient contre sa poitrine.

Une fin d'après-midi, elle se décida à prendre son bateau. *Je peux quand même pas rester comme ça sans rien faire.*

Au lieu d'amarrer au ponton de Jumping, où on aurait pu la voir, elle cacha son embarcation dans une petite baie un peu plus au sud et, charriant un gros sac, elle se dirigea à l'ombre du chemin vers Colored Town. Une petite pluie tombait depuis le début de la journée, et alors que le soleil se rapprochait de l'horizon, la forêt exhalait son propre brouillard qui flottait de clairière en clairière. Elle n'avait jamais mis les pieds à Colored Town, mais elle savait où c'était, et se disait qu'elle trouverait bien la maison de Jumping et de sa femme une fois sur place.

Elle était vêtue d'un jean et d'un chemisier rose offerts par Mabel. Dans son sac, elle portait deux gros bocaux de confiture de mûres bien liquide qu'elle avait faite elle-même pour les remercier de leur gentillesse. Le besoin de compagnie, la possibilité de parler à une amie la poussaient vers eux. Si Jumping n'était pas encore rentré, elle pourrait peut-être profiter d'un moment tranquille avec Mabel.

Puis, alors qu'elle abordait un virage sur la route, elle entendit des voix se rapprocher. Elle s'arrêta pour tendre l'oreille. Elle s'écarta rapidement du chemin et se cacha dans la forêt derrière un buisson de myrtes. Une minute plus tard, deux garçons blancs, vêtus de salopettes en piteux état, passaient le virage. Ils portaient du matériel de pêche et une ligne de poissons-chats aussi longs que son bras. Elle se tapit à l'abri du buisson et attendit.

Un des deux garçons pointa du doigt une silhouette sur le sentier. « Regarde-moi ça !

– On peut dire qu'on a de la chance. Voilà-t-y pas un nègre qui marche vers son trou à nègres ! » Kya suivit du regard la direction indiquée, et aperçut Jumping qui rentrait chez lui pour la soirée. Suffisamment près des deux garçons, il les avait sans doute entendus, mais il se contenta de baisser la tête, s'enfonça dans les bois pour se tenir à distance et poursuivit sa route.

Mais qu'est-ce qui lui prend, pourquoi il fait rien ? se demanda Kya, rageuse. Elle savait que « nègre » était un très vilain mot – vu la façon dont Pa l'utilisait comme un juron. Jumping aurait pu facilement leur fracasser la tête l'une contre l'autre, pour leur donner une leçon. Mais il filait droit devant lui.

« Rien qu'un vieux nègre qui rentre chez lui. Fais gaffe à pas te casser la gueule, bamboula », reprirent-ils pour provoquer Jumping qui gardait la tête baissée. Un des deux garçons se pencha, ramassa une pierre et la jeta en direction de Jumping. Elle l'atteignit dans le dos, juste sous l'omoplate, avec un bruit sourd. Il tituba un peu mais ne ralentit pas. Les garçons éclatèrent de rire quand il disparut dans le virage, avant de ramasser d'autres pierres et de le suivre.

Kya s'avança à travers les broussailles jusqu'à les avoir dépassés, les yeux fixés sur leurs casquettes qui dansaient au-dessus des branchages. Elle s'accroupit à un endroit où d'épais buissons bordaient le sentier, sachant que quelques secondes plus tard ils passeraient à trente centimètres d'elle. Jumping s'était éloigné, elle ne le voyait plus. Elle étrangla le col du sac en toile de jute contenant la confiture pour qu'il enserre bien les bocaux. Quand les garçons parvinrent à hauteur de sa cachette, elle souleva la lourde masse et l'abattit sur la nuque de celui qui passait le plus près. Il bascula en avant, et tomba la tête la première. Poussant des cris sauvages, elle poursuivit l'autre, prête à l'assommer lui aussi, mais il réussit à s'enfuir. Elle s'enfonça d'environ cinquante mètres entre les arbres et observa le premier vaurien qui se relevait, se tenant la tête et proférant des jurons.

Toujours chargée de son sac, elle retourna vers son bateau et rentra chez elle. Songeant que, sans doute, elle n'était pas près de rendre une autre visite de courtoisie.

Le lendemain, en entendant le moteur de Tate qui crachotait dans le chenal, Kya se précipita vers la lagune et se tint dans les buissons pour le voir descendre de son bateau, chargé d'un sac à dos. Balayant les lieux du regard, il l'appela, et elle s'approcha lentement, vêtue d'un jean à sa taille et d'un chemisier blanc fermé par des boutons dépareillés.

« Salut, Kya. Désolé de pas avoir pu venir plus tôt. Il a fallu que j'aide mon père, mais maintenant, je vais t'apprendre à lire en deux temps trois mouvements.

– Salut, Tate.

– On n'a qu'à s'asseoir là », dit-il en désignant une souche de chêne à l'ombre épaisse de la lagune. Du sac à dos, il tira un mince abécédaire fatigué et un bloc. Lentement, avec application, il traça sur les lignes les caractères a, A, b, B, avant de lui demander de les recopier, se montrant patient en voyant que l'effort de concentration lui faisait tirer la langue. Tandis qu'elle écrivait, il énonçait les lettres à haute voix. Doucement, lentement.

Jodie et Ma lui avaient appris quelques lettres dont elle se souvenait, mais elle n'avait aucune idée de comment les agencer en mots.

Au bout de quelques minutes, il lui dit : « Tu vois, tu sais déjà écrire un mot.

– Qu'est-ce que tu veux dire ?

– B-A-C. Tu sais écrire le mot “bac”.

– C'est quoi un bac ? » demanda-t-elle. Il eut le bon sens de ne pas rire.

« Ça n'est pas grave si tu ne le connais pas. On continue. Bientôt, tu pourras écrire des mots que tu connais. »

Un peu plus tard, il ajouta : « Il va falloir que tu travailles encore beaucoup sur l'alphabet. Tu vas avoir besoin d'un certain temps, mais tu peux déjà lire un petit peu. Je vais te montrer. » Il n'avait pas de vrai manuel de lecture, et donc son premier livre fut un exemplaire de l'*Almanach d'un comté des sables* d'Aldo Leopold, appartenant au père de Tate. Il désigna la première phrase et lui demanda de la lui lire. Le premier mot était « Certains » et elle dut retourner à l'alphabet pour s'entraîner à prononcer le son de chaque lettre, mais là encore, il se montra patient pour lui expliquer le son spécial du « ain », et quand elle l'énonça finalement, elle leva les bras d'un geste triomphant en riant tandis qu'il rayonnait de joie en la regardant.

Lentement, elle déchiffra chaque mot de la phrase : « “Certains peuvent vivre loin de la nature, d’autres ne peuvent pas.” Oh, s’exclama-t-elle. Oh !

– Tu sais lire, Kya. Et tu sais pour toujours.

– C’est pas seulement ça, expliqua-t-elle en murmurant presque. Je savais pas que des mots pouvaient vouloir dire des choses si graves. Je savais pas qu’une phrase pouvait être aussi importante. »

Il sourit. « C’est une très belle phrase. Tous les mots ne sont pas toujours aussi importants. »

Les jours suivants, assis à l’ombre sur la souche de chêne ou au soleil sur la plage, Tate lui apprit à lire les mots qui chantaient les oies sauvages et les grues, bien réelles tout autour d’eux. « Comment ferait-on sans la musique des oies sauvages ? »

Plusieurs fois par semaine, quand il n’aidait pas son père ou ne jouait pas au baseball avec ses copains, il venait chez Kya, et désormais, même quand elle était occupée à désherber, à donner à manger aux poules, à ramasser des coquillages, elle guettait le ronronnement du moteur de son bateau qui remontait le chenal.

Un jour, sur la plage, alors qu’elle lisait un article sur ce dont les mésanges à tête noire se nourrissent, elle s’interrompit pour lui demander :

« Tu habites avec ta famille à Barkley Cove ?

– Je vis seul avec mon père. Oui, à Barkley. »

Kya ne l’interrogea pas pour savoir s’il y avait d’autres membres de sa famille, aujourd’hui disparus. Sa mère avait dû le quitter, lui aussi. Quelque chose en elle avait envie de lui toucher la main, un étrange désir, mais ses doigts s’y refusaient. À la place, elle gravait dans sa mémoire les veines bleues de son poignet, un réseau aussi enchevêtré que celui qu'on voit sur les ailes des guêpes.

La nuit venue, assise à la table de la cuisine, elle révisait ses leçons sous la lampe à pétrole, sa douce lumière s'échappant par les fenêtres de la cabane et caressant les branches basses des chênes – la seule qui trouait des kilomètres et des kilomètres de ténèbres à l'exception de la faible lueur des lucioles.

Avec soin, elle écrivait et répétait inlassablement chaque mot. Tate disait que les mots longs n'étaient jamais que des mots courts attachés ensemble, si bien qu'elle ne les craignait pas et passait directement de « toc » à « pléistocène ». Elle n'avait jamais rien fait d'aussi amusant qu'apprendre à lire. Elle ne parvenait cependant pas à comprendre pourquoi Tate s'était mis en tête d'instruire une misérable petite Blanche comme elle, pourquoi il était venu le premier jour pour lui offrir des plumes magnifiques. Mais elle ne lui posait pas la question, de peur qu'il se mette à y réfléchir et décide de ne plus se montrer.

Désormais, Kya pouvait enfin étiqueter tous ses précieux spécimens. Elle prenait en main chaque plume, insecte, coquillage ou fleur, regardait comment écrire son nom dans les livres de Ma, et le recopiait consciencieusement à côté de son dessin sur du papier marron.

« Après vingt-neuf, c'est quoi ? » demanda-t-elle à Tate un jour.

Il la dévisagea longuement. Elle en savait plus que tout le monde sur les marées, les oies des neiges, les aigles et les étoiles, et elle ne savait pas compter jusqu'à trente. Pour ne pas lui faire honte il dissimula sa surprise. Elle était très douée pour lire vos pensées dans vos yeux.

« Trente, répondit-il simplement. Écoute, je vais t'apprendre les nombres et on va faire un peu de calcul. C'est facile. Je vais t'apporter des livres là-dessus. »

Elle passait son temps à tout déchiffrer – les recettes sur les paquets de farine de maïs, les mots que lui laissait Tate, et les contes de fées qu'elle avait fait semblant de lire durant des années. Puis, un soir, s'étonnant elle-même, elle prit la vieille bible sur l'étagère. Assise à sa table, elle tourna avec précaution les fines pages jusqu'à trouver celle où sont inscrits les noms de la famille. Elle trouva le sien tout à la fin. Sa date de naissance : *Mlle Catherine Danielle Clark, 10 octobre 1945*. Puis en remontant, elle lut les vrais noms de ses frères et sœurs.

M. Jeremy Andrew Clark, 2 janvier 1939. « Jeremy », prononça-t-elle à haute voix. « Jodie, j'aurais jamais eu l'idée de t'appeler Jeremy. »

Mlle Amanda Margaret Clark, 17 mai 1937. Kya effleura le nom du bout des doigts. Le répéta plusieurs fois.

Elle poursuivit sa lecture. *M. Napier Murphy Clark, 4 avril 1936*. « Murph, en fait, tu t'appelles Napier », murmura-t-elle avec douceur.

Tout en haut de la liste, l'aînée, *Mlle Mary Helen Clark, 19 septembre 1934*. Elle passa de nouveau les doigts sur chacun des noms, ramenant ainsi le souvenir des visages. Ils restaient flous, mais elle revoyait tous ses frères et sœurs assis à table autour d'un ragoût, se passant le pain de maïs, et même riant quelquefois. Elle avait honte d'avoir oublié leurs noms, mais maintenant qu'elle les avait trouvés, elle ne les laisserait plus s'échapper de sa mémoire.

Au-dessus de la liste des enfants, elle lut : *M. Jackson Henry Clark, marié à Mlle Julienne Maria Jacques, le 12 juin 1933*. Avant ce moment, elle n'avait jamais su les véritables noms de ses parents.

Elle resta encore quelques minutes devant la bible ouverte sur la table, sa famille sous les yeux.

Le temps fait que les enfants ne connaissent jamais leurs parents jeunes. Kya ne verrait jamais, au début des années 1930, le beau Jake entrer en roulant des mécaniques dans une buvette à Asheville où il repéra Maria Jacques, une belle brune bouclée aux lèvres écarlates qui était venue en visite depuis La Nouvelle-Orléans. Devant un milkshake, il lui avait dit que sa famille possédait une plantation et qu'après le lycée il comptait faire des études de droit et vivre dans un manoir à colonnades.

Mais quand la Grande Dépression s'aggrava, la banque força les Clark à vendre leurs terres, et le père de Jake lui fit quitter l'école. Ils durent s'installer dans une petite cabane en pin au bout de la route qui, il n'y a pas si longtemps, abritait des esclaves. Jake travaillait dans les champs de tabac, récoltant les feuilles aux côtés des Noirs, des hommes mais aussi des femmes qui portaient leurs bébés sur le dos dans des châles de couleurs vives.

Deux ans plus tard, et sans dire au revoir, Jake s'enfuit avant l'aube, en emportant autant de beaux vêtements et de trésors de famille qu'il pouvait, entre autres, la montre de gousset en or de son arrière-grand-père et le diamant de sa grand-mère. Il fit du stop jusqu'à La Nouvelle-Orléans et retrouva Maria qui vivait avec sa famille dans une élégante maison près du front de mer. Ils étaient les héritiers d'un négociant français qui possédait une usine de chaussures.

Jake confia ses trésors au mont-de-piété et l'invita dans de beaux restaurants aux rideaux de velours rouge, lui racontant qu'il allait lui acheter le manoir à colonnades de ses rêves. Il lui fit sa demande, à genoux sous un magnolia, elle lui donna sa main, et ils se marièrent en 1933 dans une petite église, la famille de la mariée muette de réprobation.

L'argent s'était déjà envolé à ce moment-là, et il accepta de travailler dans l'usine de chaussures de son beau-père. Jake avait supposé qu'il serait engagé comme directeur, mais M. Jacques, un homme méfiant de nature, insista pour qu'il apprenne le métier depuis la base comme tout autre employé. Et Jake se retrouva à découper des semelles.

Maria et lui habitaient dans un petit appartement au-dessus d'un garage, décoré avec un mélange de quelques meubles somptueux provenant de sa dot et de tables et de chaises chinées dans des brocantes. Il s'inscrivit à des cours du soir pour finir ses études secondaires, mais le plus souvent il séchait les cours pour aller jouer au poker, et, empestant le whisky, il rentrait tard auprès de la jeune mariée. Au bout d'à peine trois semaines, le professeur le renvoya.

Maria le suppliait de cesser de boire, et de montrer un peu d'enthousiasme pour son travail afin que son père lui donne une promotion. Mais les bébés commencèrent à arriver et il n'arrêta jamais l'alcool. Entre 1934 et 1939, ils eurent quatre enfants et Jake ne gravit qu'un échelon.

La guerre avec l'Allemagne nivela les inégalités. Réduit à la même couleur d'uniforme que les autres, il pouvait dissimuler sa honte, et de nouveau faire le coq. Mais une nuit, dans un trou boueux en France, un compagnon d'armes cria que leur sergent venait de se faire abattre et qu'il gisait blessé à une vingtaine de mètres. Ce n'étaient que des enfants, et ils auraient dû être en train de jouer au baseball, attendant nerveusement une balle rapide à frapper. Néanmoins, ils bondirent sur leurs pieds comme un seul homme pour sauver le mutilé – tous, sauf un.

Jake se blottit dans un coin, trop effrayé pour bouger, mais un mortier explosa dans un éclair blanc et jaune au bord de son abri, et lui fracassa les os de la jambe gauche. Quand les soldats revinrent dans le plus grand désordre en tirant le sergent blessé, ils supposèrent que Jake avait été touché par l'obus alors qu'il aidait les autres à sauver leur camarade. Ils firent de lui un héros. Personne ne saurait jamais la vérité. Sauf Jake.

Il fut libéré des obligations militaires pour raison médicale et rentra au pays avec une médaille. Décidé à ne plus travailler dans l'usine de chaussures, Jake ne resta que quelques jours à La Nouvelle-Orléans. Sous les yeux de Maria réduite au silence, il vendit tous les meubles de prix et l'argenterie, puis entassa sa famille dans un train en partance pour la Caroline du Nord. Un vieil ami lui apprit que ses deux parents étaient morts, ce qui facilita ses plans. Il convainquit Maria qu'aller vivre dans une cabane que son père avait bâtie pour pêcher sur la côte atlantique serait l'occasion de prendre un nouveau départ. Ils n'auraient pas de loyer à payer et il pourrait terminer ses études secondaires. Il acheta un petit bateau de pêche à Barkley Cove et parcourut des kilomètres de chenaux à travers les marais avec sa famille et tout ce qu'ils possédaient à bord – quelques élégants cartons à chapeaux perchés sur la pile de caisses. Quand ils parvinrent enfin dans la lagune, où la miteuse baraque avec ses moustiquaires rouillées se tapissait sous les chênes, Maria étreignit le plus petit de ses enfants, Jodie, et refoula ses larmes.

Pa se montra confiant : « T'en fais donc pas. Je t'aurai réparé ça en un rien de temps. »

Mais Jake n'améliora jamais la cabane et ne finit jamais le lycée. Peu de temps après leur arrivée, il se mit à boire et à jouer au poker au Swamp Guinea, tentant de noyer toute cette boue dans un verre de whisky.

Maria s'évertua à en faire une vraie maison. Elle acheta des draps dans des brocantes pour les matelas posés à même le plancher et une baignoire en zinc ; elle faisait la lessive sous le robinet du jardin et apprit toute seule à planter des légumes et à s'occuper des poules.

Peu après leur arrivée, elle mit les enfants sur leur trente et un et les conduisit à Barkley Cove pour les inscrire à l'école. Jake, cependant, se moquait de l'idée même d'une éducation et, plus souvent qu'à leur tour, ordonnait à Murph et à Jodie de faire l'école buissonnière et d'aller chasser des écureuils ou pêcher du poisson pour le dîner.

Jake n'emmena qu'une fois Maria pour une promenade en barque au clair de lune, avec comme conséquence immédiate la venue de leur dernier enfant, une fille qu'ils appelèrent Catherine Danielle ; plus tard surnommée Kya parce que, quand on lui demandait de se présenter, c'était ce qu'elle disait.

De temps à autre, quand il n'avait pas bu, Jake rêvait à nouveau de finir ses études, de leur donner à tous une vie meilleure, mais l'ombre de la guerre revenait le hanter. Autrefois sûr de lui et arrogant, beau et svelte, il ne pouvait plus supporter l'homme qu'il était devenu et il se mit à taquiner sérieusement la bouteille. Jake n'avait jamais rien trouvé plus facile que de se mêler à la canaille du marais qui passait sa vie à se battre, à boire et à lancer des imprécations.

17
Franchir le pas

1960

Durant l'été d'apprentissage de la lecture, un jour où elle se rendait chez Jumping, il lui dit : « Écoutez, mademoiselle Kya, faut que je vous dise quelque chose. Y a des types qui sont passés par là et qui ont posé des questions sur vous. »

Au lieu de détourner les yeux, elle le regarda bien en face : « Qui c'était ? Qu'est-ce qu'ils voulaient ?

– Les services scolaires, je crois. Ils ont posé plein de questions : est-ce que votre père est toujours dans les parages, où qu'est votre mère, est-ce que vous allez à l'école ce trimestre ? Quand vous passez par ici… ils voulaient surtout savoir à quelle heure ils pouvaient vous trouver.

– Et vous leur avez dit quoi, Jumping ?

– Eh ben, j'ai fait de mon mieux pour qu'ils vous laissent tranquille. J'ai dit que votre père était toujours dans le coin, qu'il était à la pêche, c'est tout. » Il rit en renversant la tête en arrière. « J'ai raconté que je savais jamais quand vous passiez par ici. Vous en faites pas, mademoiselle Kya. Jumping, il aura vite fait de les lancer sur une fausse piste, s'ils reviennent.

– Merci. » Après avoir rempli son réservoir, Kya rentra directement chez elle. Elle allait devoir se tenir sur ses gardes maintenant, peut-être trouver un endroit dans le marais où elle pourrait se cacher jusqu'à ce qu'ils abandonnent leurs recherches.

Plus tard ce même après-midi, alors que Tate accostait sur la plage, la coque crissant doucement sur le sable, elle lui demanda : « Tu voudrais pas qu'on se voye ailleurs qu'ici ?

– Salut, Kya, content de te voir, la salua-t-il, encore à la barre.

– Qu'est-ce que tu en penses ?

– On dit "voie", pas "voye", et quand on est poli, on dit bonjour avant de demander un service.

– Toi aussi, tu dis "voye" des fois, répondit-elle, presque prête à sourire.

– Oui, on a tous nos petits défauts de prononciation, quand on vient de Caroline du Nord, mais il faut quand même essayer.

– Bonjour à vous, monsieur Tate », se reprit-elle en ajoutant une petite révérence. Il nota au passage qu'elle ne manquait ni de cran ni d'insolence. « Maintenant, dis-moi, est-ce qu'on peut se voir ailleurs qu'ici, s'il te plaît ?

– Bien sûr, mais pourquoi ?

– Jumping m'a dit que les services sociaux me recherchent. J'ai peur qu'ils m'attrapent dans leurs filets comme une truite, et qu'ils me placent chez des gens ou un truc du genre.

– Alors on ferait mieux de te cacher là où on entend le chant des écrevisses. J'ai franchement pitié de la famille qui se retrouverait à t'adopter. » Tate souriait de toutes ses dents.

« Qu'est-ce que c'est que cette histoire d'écrevisses qui chantent ? Ma aussi, elle disait ça. » Kya se rappela que sa mère l'encourageait toujours à explorer le marais : « Va aussi loin que tu peux. Tout là-bas, où on entend le chant des écrevisses. »

« Ça veut dire aussi loin que tu peux dans la nature, là où les animaux sont encore sauvages, où ils se comportent comme de vrais animaux. Tu as une idée d'où on pourrait se retrouver ?

– Oui, y a un endroit que j'ai découvert il y a longtemps, une vieille hutte à moitié écroulée. Faudra que tu trouves comment y arriver en bateau ; moi, je pourrai venir à pied.

– OK, monte. Cette fois, tu me montres le chemin, et la prochaine, on s'y retrouvera directement.

– Si j'y suis, je laisserai un petit tas de pierres près du poteau d'amarrage. » Kya désigna un endroit sur la plage de la lagune. « Sinon, ça veut dire que je suis encore dans le coin et que je viendrai te rejoindre quand j'entendrai ton moteur. »

Ils traversèrent lentement le marais puis se dirigèrent plein sud vers le large en s'éloignant de la ville. Elle bondissait sur le banc avant ; le vent lui faisait couler des larmes sur les joues et lui causait un frisson mouillé dans les oreilles. Quand ils atteignirent une petite crique, elle le guida le long d'un étroit cours d'eau vive envahi par les ronciers. Plusieurs fois il sembla s'assécher, mais Kya fit signe à Tate qu'il pouvait continuer et ils s'enfoncèrent plus avant dans les broussailles.

Finalement, ils débouchèrent sur une vaste prairie où le ruisseau longeait une vieille hutte en bois, à moitié effondrée. Les rondins s'étaient gauchis, et certains étaient éparpillés à la verticale dans tout le terrain comme des piliers. Le toit, qui surplombait encore la moitié du mur, descendait en pente douce d'une extrémité à l'autre comme un chapeau de guingois. Tate hissa le bateau dans la boue et, en silence, ils marchèrent jusqu'à la porte ouverte.

À l'intérieur tout était sombre et empestait l'urine de rat.

« Eh bien, j'espère que tu n'as pas l'intention de vivre ici – cette bicoque pourrait bien s'effondrer sur ta tête. » Tate éprouva du plat de la main la solidité du mur.

« C'est rien qu'une cachette. Je peux entasser des provisions au cas où je serais obligée de m'enfuir à nouveau. »

Leurs yeux s'habituaient aux ténèbres et Tate se retourna pour la regarder.

« Kya, est-ce que tu as déjà pensé à retourner à l'école ? Ça ne te tuerait pas, et ils te laisseraient tranquille si tu acceptais.

– Ils ont dû s'apercevoir que j'étais toute seule, et si j'y vais, ils vont m'attraper et me placer quelque part. De toute façon, je suis trop grande pour aller à l'école. Dans quelle classe ils me mettraient ? En cours préparatoire ? » Ses yeux s'écarquillèrent à l'idée d'être assise sur une chaise minuscule, entourée par des gamins qui ne savaient même pas prononcer les mots, ni compter jusqu'à cinquante.

« Alors comme ça, tu as l'intention de vivre dans le marais pour toujours ?

– Ça vaut mieux qu'être placée chez des inconnus. Pa disait toujours qu'il le ferait si on n'était pas sages. Il nous disait que les familles d'adoption, elles sont parfois très méchantes.

– Faux. Pas toujours. Le plus souvent, c'est des gens sympathiques qui aiment les enfants, rétorqua Tate.

– Tu veux dire que toi tu préférerais être placé plutôt que vivre dans le marais ? » demanda-t-elle, en avançant le menton, la main posée sur la hanche.

Il garda le silence un instant. « D'accord, apporte quelques couvertures, et des allumettes au cas où il se mettrait à faire froid. Peut-être des boîtes de sardines. Ça se conserve bien. Mais n'apporte pas de produits frais ; ça pourrait attirer les ours.

– J'ai pas peur des ours.

– Je n'ai pas peur des ours, tu veux dire. »

Durant le reste de l'été, Kya et Tate continuèrent les leçons de lecture dans la hutte abandonnée. Mi-août, ils avaient terminé l'*Almanach d'un comté des sables*, et même si elle n'était toujours pas capable de lire chaque mot, elle en comprenait la plus grande partie. Aldo Leopold lui apprit que les plaines inondables étaient des extensions vivantes des rivières, et qu'elles pouvaient les reprendre quand elles le voulaient. Toute personne qui vit sur une plaine dépend en fait des caprices d'une rivière. Elle apprit où vont les oies sauvages en hiver, et le sens de leur musique. Les jolis mots que l'auteur employait, presque de la poésie, lui enseignèrent que le limon est plein de vie et constitue l'une des plus grandes richesses de la terre ; que les marais s'assèchent parfois sur des kilomètres, qu'ils tuent les plantes et les animaux quand l'eau se retire. Certaines graines restent dormantes sous le sol desséché pendant des dizaines d'années, elles attendent, et quand l'eau les irrigue enfin, elles jaillissent et dévoilent leur face. Autant de merveilles et de leçons bien réelles sur la nature qu'elle n'aurait jamais apprises à l'école. Des vérités que tout le monde devrait connaître, et pourtant, même si elles sont là sous nos yeux, à l'instar des graines, elles semblent enfouies, comme au secret.

Ils se retrouvaient devant la hutte plusieurs fois par semaine, mais elle dormait la plupart du temps chez elle ou sur la plage, en compagnie des oiseaux de mer. Il lui fallait ramasser de quoi se chauffer avant l'hiver, et elle s'y employa, chargeant du bois qu'elle trouvait plus ou moins loin et qu'elle empilait soigneusement entre deux pins. Dans son jardin, les fanes de radis dépassaient à peine les verges d'or ; néanmoins, elle récoltait plus de légumes qu'elle et les cerfs auraient pu en manger. Elle fit la dernière récolte de fin d'été et entassa courgettes et betteraves à l'ombre du perron.

Cependant, durant tout ce temps, elle guettait les bruits de voiture, craignant qu'on ne vienne la chercher. Parfois, tendre ainsi l'oreille était épuisant et lui faisait peur, alors elle se rendait à la hutte en rondins et passait la nuit à même le sol, enveloppée dans une couverture. Elle prévoyait soigneusement sa collecte de moules et le fumage du poisson pour que Tate puisse les emporter chez Jumping et revenir avec ses courses. Elle faisait tout pour être le moins vulnérable possible.

« Tu te rappelles quand tu as lu ta première phrase, tu as dit que certains mots pouvaient vouloir dire des choses importantes ? demanda-t-il un jour, assis sur la berge du ruisseau.

– Oui, je me rappelle, pourquoi ?

– Eh bien, c'est encore plus vrai des poèmes. Dans un poème, les mots font plus que dire des choses. Ils éveillent des émotions. Des fois même, ils te font rire.

– Ma récitait souvent des poèmes avant, mais je ne m'en rappelle aucun.

– Écoute un peu. Il est d'Edward Lear. » Il sortit de sa poche une enveloppe pliée et se mit à lire :

Puis Papa-Longues-Jambes
Et Monsieur Ailes-Tombantes
Coururent vers la mer
À grands cris gais et clairs ;
Ils trouvèrent un bateau
Voiles roses et tout beau ;
Et voguèrent loin loin
Vers le ciel de demain.

Tout sourire, elle commenta : « On dirait le rythme des vagues quand elles viennent se briser sur la plage. »

De ce jour, elle se mit à composer des poèmes, les inventant alors qu'elle sillonnait le marais dans sa barque ou ramassait des coquillages – des vers simples qui chantaient tout seuls et lui traversaient la tête. « Il était une maman geai, qui réussit à s'envoler, moi aussi je m'envolerais, si seulement je le pouvais. » Elle en riait aux éclats, et ils remplissaient pendant quelques minutes solitaires le grand vide de sa longue journée.

Par une fin d'après-midi, alors qu'elle lisait à la table de la cuisine, elle songea au recueil de poésies de Ma, et fouilla partout jusqu'à le retrouver. Le volume était usé, la couverture avait disparu depuis longtemps, les pages tenaient ensemble grâce à deux élastiques effilochés. Kya les retira avec précaution et feuilleta le recueil, lisant au passage les notes de Ma dans les marges. À la fin, elle découvrit une liste des poèmes favoris de sa mère.

Kya en repéra un, composé par James Wright.

Soudain seul et perdu
Le jardin était nu
Ah prendre dans mes bras
Caresser mon enfant !
Et l'écouter parler

Souriant d'un air sage,
Ou rire tel un sauvage.
Partis, arbres, soleil,
Nous n'étions que nous deux
Sa mère cuisinait
Nous l'entendions chanter.
Elle nous aimait c'est sûr
Dans ce bas monde obscur.

Et puis, un autre, de Galway Kinnell.

Pour moi, cela comptait…
J'avouai chaque pensée
Choisis des mots gentils,
Mais j'admets aujourd'hui
Que je suis soulagé
De voir tout terminé
N'avais plus que pitié
Pour cet élan de vie
Adieu, adieu, ma mie.

Kya effleurait les mots comme s'ils contenaient un message, comme si Ma les avait intentionnellement soulignés pour que sa fille les lise un jour à la lueur de cette lampe à pétrole, et qu'elle comprenne. Ce n'était pas grand-chose, bien loin des mots tracés de sa main qu'elle aurait pu glisser au fond de son tiroir à chaussettes, mais c'était tout de même quelque chose. Elle sentait que ces lignes recelaient un sens profond, mais elle ne parvenait pas à le faire jaillir. Si un jour elle devenait poétesse, elle saurait rendre ses messages plus clairs.

Quand Tate commença sa dernière année de lycée en septembre, il vint moins souvent chez Kya, mais un jour où il réussit à se libérer, il lui apporta de vieux manuels usagés de son école. Il ne lui expliqua pas que les livres de sciences naturelles étaient trop avancés pour elle, et elle dut faire des efforts considérables pour comprendre des chapitres qu'elle n'aurait pas étudiés en classe avant quatre ans.

« Ne t'en fais pas, avait-il dit, tu comprendras de mieux en mieux au fur et à mesure que tu les reliras. » Et c'était vrai.

Alors que les jours se faisaient plus courts, ils recommencèrent à se rencontrer près de chez elle parce qu'il n'y avait plus assez de lumière pour atteindre leur hutte. Ils avaient toujours étudié à l'extérieur, mais quand un vent violent se mit à souffler un matin, Kya alluma le feu dans le poêle à bois. Personne n'avait plus passé le seuil de la maison depuis la disparition de Pa plus de quatre ans auparavant, et y faire entrer quelqu'un lui paraissait inconcevable. À l'exception de Tate, bien sûr.

« Tu veux venir t'asseoir dans la cuisine près du poêle ? demanda-t-elle alors qu'il tirait son bateau sur la plage de la lagune.

– Pourquoi pas ? » dit-il, sentant qu'il devait cacher la joie que lui procurait cette invitation.

Une fois franchie la véranda, il passa près de vingt minutes à explorer les lieux et admira sans réserve sa collection de plumes, de coquillages, d'os et de nids d'oiseaux. Quand ils s'installèrent enfin devant la table, elle approcha sa chaise de la sienne, leurs bras et leurs coudes se touchant presque. Rien que pour le sentir tout proche.

Tate devait souvent aider son père, et les jours s'étiraient lentement de l'aube à la tombée de la nuit. Un soir, elle prit son premier roman, *Rebecca*, de Daphné du Maurier, sur l'étagère de Ma et lut sa première histoire d'amour. Au bout d'un moment, elle referma le livre et se dirigea vers le placard. Elle enfila la robe d'été de Ma et défila dans la chambre, en faisant tournoyer la jupe, virevoltant devant le miroir. Sa crinière et ses hanches ondoyaient, et elle s'imagina que Tate l'invitait à danser. Il avait les mains posées sur sa taille. Comme si elle était Mme de Winter.

Brusquement, elle se reprit, et se plia en deux en éclatant de rire. Puis elle resta longtemps songeuse et immobile.

« Venez voir un peu par ici, ma jolie, lança Mabel de sa voix chantante un après-midi. J'ai des choses pour vous. » D'ordinaire, c'était Jumping qui chargeait ses cartons de provisions, mais quand Mabel était là il y avait en général une raison spéciale.

« Allez donc chercher vos affaires. Moi je vais vous remplir le réservoir », dit Jumping, et Kya se hissa sur le ponton.

« Regardez un peu, mademoiselle Kya », dit Mabel, en lui montrant une robe couleur pêche avec un volant de tissus sur la jupe à fleurs, le plus beau vêtement que Kya ait jamais vu, plus élégant encore que la robe d'été de Ma.

« Voilà une tenue digne d'une princesse comme vous ! » Elle la déploya devant Kya, qui la toucha en souriant. Puis, se détournant de Jumping, Mabel se pencha en avant non sans effort et sortit un soutien-gorge blanc de la caisse.

Kya sentit le rouge lui monter au front.

« Eh bien, mademoiselle Kya, il faut pas être timide, ma chérie. Il est temps que vous portiez des choses comme ça maintenant. Et puis, petite, s'il y a des choses que vous voulez discuter avec moi, n'importe quoi qui vous trotte dans la tête, eh bien il faut le dire à la vieille Mabel. Vous m'entendez ?

– Oui. Merci, Mabel. » Kya enfouit le soutien-gorge au fond de la caisse sous des jeans et des T-shirts, un sac de haricots cornille et un bocal de pêches au sirop.

Quelques semaines plus tard, alors qu'elle regardait des pélicans nager et plonger pour se nourrir, son bateau soulevé par les vagues, Kya sentit soudain son ventre se contracter. Elle n'avait jamais eu le mal de mer, et cette sensation était différente de toutes les douleurs qu'elle avait connues. Elle amarra sa barque à Point Beach et s'assit dans le sable, les jambes repliées sur le côté comme une aile. La douleur s'accentua, elle grimaça et poussa un petit gémissement. Elle allait sans doute avoir la courante.

Soudain, elle entendit le ronronnement d'un moteur et elle vit le bateau de Tate fendre la crête blanche des vagues. Il fit route vers elle dès qu'il l'aperçut et gagna la plage. Elle lâcha un des jurons favoris de Pa. Elle avait toujours plaisir à voir Tate, mais certainement pas au moment où elle allait devoir se mettre à l'abri des chênes, prise d'une diarrhée. Après avoir tiré son bateau au sec, il se laissa tomber sur le sable à côté d'elle.

« Salut, Kya. Qu'est-ce que tu fais là ? J'étais en train d'aller chez toi.

– Salut, Tate. Je suis contente de te voir. » Elle faisait comme si tout était normal mais elle continuait d'avoir des crampes dans le ventre.

« Quelque chose ne va pas ? demanda-t-il.

– Pourquoi cette question ?

– Tu as mauvaise mine. Un problème ?

– Je crois que je suis malade, j'ai des crampes très fortes dans le ventre.

– Oh ! » Tate se détourna pour regarder la mer. Enfonça ses orteils nus dans le sable.

« Ça serait sans doute mieux que tu t'en ailles, dit-elle, tête baissée.

– Mais peut-être que je ferais mieux de rester jusqu'à ce que tu te sentes mieux. Imagine un peu, si tu n'arrivais pas à rentrer chez toi.

– Je vais peut-être être obligée de courir jusqu'aux bois. Je suis peut-être malade.

– Peut-être bien. Mais je ne pense pas que ça va te servir à grand-chose, répondit-il paisiblement.

– Qu'est-ce que tu veux dire ? Tu sais même pas ce que j'ai qui va pas.

– Est-ce que cette douleur est différente des autres maux de ventre que tu as déjà eus ?

– Oui.

– Tu vas avoir quinze ans, pas vrai ?

– Oui. Mais quel est le rapport ? » Il garda le silence pendant une minute. Remuant les pieds, enfonçant ses orteils plus loin dans le sable. Il fixa le rivage, et répondit : « C'est peut-être, tu sais, ce qui arrive aux filles de ton âge. Tu te rappelles, il y a quelques mois, je t'ai apporté un dépliant là-dessus. Je l'avais mis avec les livres de sciences naturelles. » Tate lui jeta un coup d'œil furtif, le visage empourpré, et il détourna à nouveau le regard.

Kya baissa les yeux et elle sentit tout son corps rougir. Bien sûr, elle n'avait pas eu de mère pour lui expliquer la vie, mais de fait, un petit dépliant de l'école que Tate lui avait apporté donnait certaines informations. Aujourd'hui, l'heure était venue, et voilà qu'elle était assise sur une plage avec un garçon au moment même où elle devenait une femme. La honte et la panique s'emparèrent d'elle. Qu'était-elle censée faire ? Qu'allait-il exactement se passer ? Combien de sang perdrait-elle ? Elle se l'imagina couler dans le sable comme une mare autour d'elle. Elle garda le silence tandis qu'une douleur violente lui déchirait les entrailles.

« Est-ce que tu crois que tu vas pouvoir rentrer toute seule ? demanda-t-il, toujours sans la regarder.

– Je crois.

– Ça va bien se passer, Kya. Toutes les filles apprennent à se débrouiller avec ça. Rentre chez toi. Je vais te suivre à distance pour m'assurer que tu arrives à bon port.

– Tu es pas obligé.

– Ne t'en fais pas pour moi. Vas-y maintenant. » Il se releva et se dirigea vers son bateau, toujours sans un regard. Il s'éloigna et attendit au large jusqu'à ce qu'elle ait remonté la côte en direction du chenal qui conduisait chez elle. De loin, il n'était plus qu'une petite tache sur l'eau, et il la suivit jusqu'à sa lagune. Depuis le rivage, elle lui adressa un signe bref de la main, tête baissée, sans croiser son regard.

Comme elle l'avait fait pour tout le reste ou presque, Kya se débrouilla pour devenir une femme sans l'aide de personne. Mais le lendemain matin à l'aube, elle prit son bateau pour se rendre chez Jumping. Un pâle soleil semblait suspendu dans un brouillard épais quand elle s'approcha du ponton et chercha Mabel des yeux, sachant parfaitement qu'il y avait peu de chances qu'elle soit là. Et de fait, seul Jumping s'approcha pour l'accueillir.

« Salut, mademoiselle Kya. Vous avez déjà plus d'essence ? »

Toujours assise dans son bateau, Kya chuchota : « J'ai besoin de parler à Mabel.

– Je suis vraiment désolé, ma petite, mais elle est pas ici aujourd'hui. Je peux vous aider ? »

Tête baissée, elle répondit : « Il faut vraiment que je la voie. Et vite.

– Bon… alors. » Jumping regarda de l'autre côté de la petite baie en direction de la mer et vit qu'aucun bateau n'approchait. Si quelqu'un avait besoin d'essence à n'importe quelle heure du jour toute l'année durant, même à Noël, il savait qu'il pouvait compter sur la présence de Jumping – il ne s'était pas absenté un seul jour en cinquante ans, sauf celui où leur petite, cet ange, était morte. Il ne pouvait pas laisser son poste.

« Attendez ici, mademoiselle Kya. Je vais remonter un peu le chemin, et trouver des enfants qui iront chercher Mabel. S'il y a un bateau qui arrive, vous leur dites que je reviens tout de suite.

– D'accord. Merci beaucoup. » Jumping remonta précipitamment le ponton et disparut tandis que Kya attendait, jetant un coup d'œil vers la mer toutes les trois ou quatre secondes, craignant qu'un bateau ne se montre. Mais en un rien de temps, le vieil homme fut de retour, et lui dit que des enfants étaient partis chercher sa femme. Kya n'aurait qu'« un rien de temps à attendre ».

Jumping était occupé à ouvrir des paquets de tabac à chiquer qu'il rangeait ensuite sur les étagères et s'affairait dans tous les sens. Kya resta sur son bateau. Finalement, Mabel traversa le ponton, dont les planches tremblèrent sous son pas comme si on avait fait rouler un petit piano dessus. Elle portait un sac en papier, ne lança par son tonitruant salut habituel, mais se campa sur le ponton au-dessus du Kya, et demanda doucement :

« Bonjour, mademoiselle Kya, qu'est-ce qui vous arrive, ma petite ? Quelque chose qui va pas ? »

Kya baissa davantage encore la tête en murmurant quelque chose que Mabel n'entendit pas.

« Vous voulez bien sortir de ce bateau, ou il faut que je vienne vous rejoindre ? » Kya ne répondit pas, et Mabel, malgré ses presque cent kilos, passa un pied puis l'autre dans la petite barque, qui manifesta sa réprobation en se cognant contre les pilotis. Elle prit place sur le banc central, en face de Kya à l'avant.

« Maintenant, petite, dites-moi un peu ce qui se passe. » Elles penchèrent la tête l'une vers l'autre, Kya chuchotant presque, et Mabel attira la jeune fille contre sa poitrine généreuse, l'étreignant et la berçant entre ses bras. Peu habituée à ce genre de démonstration, Kya se montra d'abord un peu raide, mais Mabel ne se découragea pas, et Kya finit par se détendre et se laisser aller contre ces confortables coussins. Au bout d'un moment, Mabel recula et ouvrit le sac en papier marron.

« Eh bien, j'avais deviné ce qui se passait, alors je vous ai apporté quelques petites choses. » Et là, assise dans le bateau devant le ponton de Jumping, Mabel fournit toutes les explications nécessaires à Kya.

« Maintenant, mademoiselle Kya, il y a vraiment pas de quoi avoir honte. C'est pas une malédiction, contrairement à ce que les gens disent ; ce qui vous arrive, c'est le début de la vie, et il y a que les femmes qui peuvent la donner. Vous êtes une femme, petite. »

Quand Kya entendit le bateau de Tate le lendemain après-midi, elle se cacha parmi d'épaisses broussailles et l'observa de loin. Que quelqu'un puisse la connaître lui paraissait déjà suffisamment étrange, mais désormais il était au courant de la chose la plus personnelle et la plus intime de sa vie. Ses joues étaient en feu rien que d'y penser. Elle resterait cachée jusqu'à ce qu'il s'en aille.

Quand il accosta sur la plage de la lagune et descendit de bateau, il portait un carton blanc entouré d'une ficelle.

« Ouh ouh ! Kya, où es-tu ? Je t'ai apporté des petits fours de chez Parker. » Kya n'avait rien mangé qui ressemblait à un gâteau depuis des années. Pendant que

Tate sortait quelques livres de la coque, Kya émergea lentement des broussailles derrière lui.

« Ah te voilà ! Regarde un peu ! » Il ouvrit la boîte, et là, soigneusement alignés, se trouvaient de petits gâteaux, de huit centimètres carrés environ, couverts d'un glacis à la vanille avec une minuscule fleur de couleur rose piquée dessus.

« Vas-y, sers-toi. » Kya en prit un, toujours sans regarder Tate, et elle mordit dedans. Puis elle enfourna le reste dans sa bouche. Et se lécha les doigts.

« Tiens ! » Tate posa la boîte près de leur chêne. « Mange tout ce que tu veux. Allez, on commence. J'ai apporté un nouveau livre. » Et ce fut tout. Ils se mirent à étudier, sans jamais reparler de l'autre sujet.

L'automne approchait ; les pins ne l'avaient sans doute pas remarqué, mais les sycomores, oui. Des milliers de feuilles dorées illuminaient des ciels gris ardoise. Tard un après-midi, après le cours, Tate s'attardait alors qu'il aurait déjà dû être parti ; Kya et lui étaient assis sur un tronc d'arbre dans les bois. Elle se décida finalement à lui poser la question qui lui brûlait les lèvres depuis des mois.

« Tate, c'est vraiment très gentil à toi de m'apprendre à lire et de m'avoir fait tous ces cadeaux. Mais pourquoi est-ce que tu l'as fait ? Tu as pas une petite amie, ou quelque chose comme ça ?

– Non… bon, en fait, des fois, oui. J'en avais une, mais plus maintenant ; ce qui me plaît c'est être ici au calme et j'aime la façon dont tu te passionnes pour le marais, Kya. La plupart des gens ne s'y intéressent que pour pêcher. Ils pensent que c'est une terre inutile qui devrait être asséchée et cultivée. Ils ne comprennent pas que la plupart des créatures marines – y compris celles qu'ils mangent – ont besoin du marais. »

Il n'ajouta pas qu'il s'attristait de la voir si seule, qu'il savait comment les gamins l'avaient traitée pendant toutes ces années ; comment les gens du bourg l'appelaient « la Fille des marais » et colportaient des histoires à son sujet. Venir furtivement jusqu'à sa cabane, courir dans le noir et la barbouiller de graffitis était désormais une tradition, un rite d'initiation pour les garçons qui devenaient des hommes. Ça en disait long sur les hommes… Certains d'entre eux prenaient déjà des paris pour savoir qui lui volerait sa virginité. Autant de choses qui le rendaient furieux et l'inquiétaient.

Mais ce n'était pas la raison principale pour laquelle il avait laissé des plumes à l'intention de Kya dans la forêt, ni celle pour laquelle il venait la voir. Ce que Tate n'avoua pas, c'étaient des sentiments qui semblaient unir l'amour très tendre qu'il éprouvait pour sa sœur disparue et une passion enflammée pour une fille. Il ne parvenait pas à démêler les choses lui-même, mais il n'avait jamais été frappé de plein fouet par une vague aussi puissante. Une force d'émotion aussi douloureuse qu'agréable.

Enfonçant une tige d'herbe dans une fourmilière, elle finit par demander : « Où elle est, ta mère ? »

Une brise se faufila entre les arbres, agitant doucement les branches. Tate ne répondit pas. « Tu es pas obligé de répondre, dit-elle.

– Tu n'es pas obligé.

– Tu n'es pas obligé de répondre.

– Ma mère et ma petite sœur sont mortes dans un accident de voiture à Asheville. Ma sœur s'appelait Carianne.

– Oh ! Je suis vraiment désolée, Tate. Je suis sûre que ta mère était vraiment gentille et jolie.

– Oui, elles l'étaient toutes les deux. » Il parlait tête baissée, regardant entre ses genoux. « Je n'en avais jamais parlé. À personne. »

Moi non plus, songea Kya. À haute voix, elle ajouta : « Ma mère à moi, elle est partie un beau jour et elle est jamais revenue. Les biches, elles reviennent toujours.

– Toi, au moins, tu peux espérer qu'elle le fera. La mienne, c'est sûr qu'elle ne reviendra jamais. » Ils gardèrent le silence un instant, puis Tate reprit : « Je crois… » Mais il s'interrompit, et détourna le regard.

Kya l'observa, mais il continuait à fixer le sol. Sans un mot.

« Quoi ? Tu crois quoi ? À moi tu peux tout dire. »

Il continuait à se taire. Avec la patience que lui avait apprise l'expérience, elle attendit.

Finalement, murmurant presque, il dit : « Je crois qu'elles étaient allées à Asheville pour m'acheter un cadeau d'anniversaire. Je voulais un vélo particulier. Il me fallait absolument celui-là. Chez Western Auto, ils n'en vendaient pas, alors je pense qu'elles sont allées à Asheville pour m'offrir ce vélo.

– C'est quand même pas de ta faute, protesta-t-elle.

– Je sais, mais moi j'ai l'impression que si. Aujourd'hui, je ne me rappelle même plus quel vélo c'était exactement. »

Kya se rapprocha de lui, pas assez pour le toucher cependant. Mais elle éprouva une sensation inconnue – un peu comme si l'espace entre leurs épaules s'était réduit. Elle se demanda si Tate la ressentait lui aussi. Elle aurait voulu se pencher davantage, juste assez pour que leurs bras s'effleurent. Se caressent. Et elle se demanda si Tate le remarquerait.

À ce moment précis, le vent se leva, et des milliers et des milliers de feuilles jaunes de sycomores furent arrachées à leurs branches pour traverser le ciel. Les feuilles d'automne ne tombent pas, elles volent. Elles prennent leur temps, errent un moment, car c'est leur seule chance de jamais s'élever dans les airs. Reflétant la lumière du soleil, elles tourbillonnèrent, voguèrent et voletèrent dans les courants.

Tate se releva brusquement et lui lança : « Voyons un peu combien de feuilles tu peux attraper avant qu'elles touchent le sol ! » Kya bondit à son tour, et tous les deux se mirent à sautiller et à cabrioler parmi les nuages de feuilles qui tournoyaient, tendant les bras, et les saisissant avant qu'elles ne tombent à terre. En riant, Tate plongea vers une feuille à quelques centimètres du sol, s'en empara, et se laissa rouler par terre, en brandissant son trophée. Kya leva les mains, relâchant toutes les feuilles qu'elle avait sauvées pour qu'elles s'envolent dans le vent. Pendant qu'elle caracolait dans ce tourbillon, les feuilles semèrent de l'or dans ses cheveux.

Puis, alors qu'elle tournicotait sur elle-même, elle se cogna contre Tate qui s'était relevé, et ils s'immobilisèrent, les yeux dans les yeux. Ils cessèrent de rire. Il la prit par les épaules, hésita un instant puis l'embrassa sur la bouche, tandis que les feuilles continuaient de pleuvoir et de danser autour d'eux, aussi silencieuses que des flocons de neige.

Elle n'avait jamais embrassé personne et elle garda la tête droite et les lèvres pincées. Ils reculèrent d'un pas et se regardèrent, en se demandant comment tout cela était arrivé et ce qu'ils devaient faire ensuite. Il retira gentiment une feuille de ses cheveux et la laissa retomber sur le sol. Kya sentit son cœur battre la chamade. De tous les sentiments qu'elle avait éprouvés à l'égard de sa famille perdue, aucun n'avait jamais ressemblé à cet amour.

« Je suis ta petite amie maintenant ? » s'enquit-elle.

Il sourit. « C'est ce que tu veux ?

– Oui

– Tu es peut-être un peu trop jeune.

– Mais je m'y connais en plumes. Je suis sûre que les autres filles y connaissent rien.

– Alors d'accord. » Et il l'embrassa de nouveau. Cette fois, elle pencha la tête sur le côté et ses lèvres se firent plus douces. Jamais auparavant son cœur ne lui avait paru aussi plein.

18
Un canot blanc

1960

Désormais, chaque mot nouveau commençait par un petit cri de joie, chaque phrase devenait une course folle. Tate ceinturait Kya, tous deux roulaient à terre, un peu comme des enfants, mais pas vraiment, dans les touffes de petite oseille que l'automne rendait rousses.

« Sois sérieuse une seconde, lui dit-il. La seule façon de faire une multiplication, c'est d'apprendre les tables par cœur. » Il écrivit « 12 × 12 = 144 » dans le sable, mais elle fila sans s'arrêter, plongea dans la vague déferlante vers une zone plus calme, et continua de nager jusqu'à ce qu'il la suive là où la lumière gris-bleu tombait en rayons obliques dans l'air si paisible et qu'elle illumine leurs silhouettes. Luisant comme des marsouins. Plus tard, couverts de sable et de sel, ils déambulèrent sur la plage, enlacés comme s'ils ne faisaient qu'un.

Le lendemain après-midi, il arriva en bateau dans sa lagune mais il resta à bord après avoir accosté. Un grand panier couvert d'un torchon à carreaux rouges était posé à ses pieds.

« Qu'est-ce que c'est ? Qu'est-ce que tu as apporté ? demanda-t-elle.

– Une surprise. Allez viens, monte. »

Ils sillonnèrent l'eau tranquille des chenaux jusqu'à la mer, puis virèrent en direction du sud jusqu'à une minuscule crique en forme de demi-lune. Après avoir déployé une couverture sur le sable, il y plaça le panier, et quand ils furent assis, il souleva le torchon.

« Bon anniversaire, Kya, tu as quinze ans aujourd'hui. »

Un gâteau de deux niveaux, aussi haut qu'un carton à chapeau et décoré avec des coquillages de glacis rose, émergea de l'osier. Le prénom de Kya était écrit dessus. Des cadeaux, enveloppés de papier de couleur et attachés par des rubans, entouraient le gâteau. Abasourdie, le regard fixe, elle en resta bouche bée. Personne ne lui avait jamais fêté son anniversaire depuis le départ de Ma. Personne ne lui avait jamais offert de gâteau acheté dans une pâtisserie, avec son nom dessus. Elle n'avait jamais reçu de cadeau enveloppé de papier avec des rubans.

« Comment tu sais que c'est mon anniversaire ? » Ne possédant pas de calendrier, elle n'avait pas la moindre idée que c'était ce jour-là.

« Je l'ai lu dans ta bible. » Alors qu'elle le suppliait de ne pas découper son nom, il fit d'énormes parts et les posa sur des assiettes en carton. Sans se quitter des yeux, ils mordirent dedans pour détacher des morceaux qu'ils engloutirent. Mastiquant à grand bruit. Se léchant les doigts. Riant aux éclats à travers des sourires maculés de glacis rose. Mangeant ce gâteau comme il se doit, comme tout le monde a envie de le faire.

« Tu ne veux pas ouvrir tes cadeaux ? » Il sourit.

Le premier : une petite loupe, « pour que tu observes les petits détails sur les ailes des insectes ». Le deuxième : une barrette en plastique, de couleur argent et ornée d'une mouette en strass, « pour tes cheveux ». Un peu gauchement, il écarta quelques boucles, les lui accrocha derrière l'oreille et mit la barrette en place. Elle la caressa. Plus belle que celle de Ma.

Le dernier cadeau était une boîte plus grande, et Kya y trouva dix petits bocaux de gouache, des pastilles de peinture à l'eau, et des pinceaux de différentes tailles : « Pour tes tableaux. »

Kya prit dans sa main chaque couleur, chaque pinceau. « Je t'en apporterai d'autres quand tu en auras besoin. Et même des toiles, on en vend à Sea Oaks. »

Elle baissa la tête. « Merci, Tate. »

« Prends ton temps. Tout doucement », cria Scupper alors que Tate, entouré de filets de pêche, de chiffons couverts de graisse, et de pélicans qui se lissaient les plumes, mettait le treuil en marche. L'avant du *Cherry Pie* se souleva sur la nacelle, puis glissa sur les rails sous-marins du chantier naval de Pete, un vieux ponton chancelant flanqué d'un hangar rouillé, le seul lieu de halage à Barkley Cove.

« OK, parfait, ça roule. Hisse-le maintenant. » Tate augmenta les gaz, et le bateau monta jusqu'à la cale sèche. Ils l'arrimèrent solidement avec des câbles et entreprirent de décaper la coque des bernacles qui s'y étaient accrochées tandis que les arias cristallines de Miliza Korjus montaient du tourne-disque. Ils allaient devoir appliquer un apprêt, puis, comme chaque année, une couche de peinture rouge. La mère de Tate avait choisi cette couleur, et Scupper ne voulait pas en changer. De temps à autre, il cessait de gratter et agitait ses grands bras sur les accents sinueux de la musique.

Maintenant, en ce début d'hiver, Scupper rémunérait Tate comme il aurait payé un employé pour qu'il lui donne un coup de main après l'école et le week-end, mais Tate ne pouvait plus rejoindre Kya aussi souvent. Il n'en dit rien à son père, il ne lui avait même jamais parlé de Kya.

Ils continuèrent à frotter jusqu'à la tombée du jour, jusqu'à ce que même Scupper ait les muscles en feu. « Je suis trop fatigué pour faire la cuisine, et je suppose que toi aussi. On n'a qu'à manger un morceau au restaurant sur le chemin du retour. »

Ils saluèrent tout le monde – il n'y avait là personne qu'ils ne connaissaient pas – et ils prirent place à une table dans un coin de la salle. Ils commandèrent tous les deux le menu du jour : escalope de poulet frite, purée avec de la sauce, radis et salade de chou. Biscuits de maïs. Tarte aux noix de pécan et boule de glace. À la table voisine, quatre membres d'une même famille avaient joint les paumes et baissaient la tête tandis que le père récitait le bénédicité. En entendant « Amen », ils s'embrassèrent à distance, se prirent les mains, puis se passèrent le pain de maïs.

Soudain, Scupper se lança : « Écoute, fiston, je me rends compte que ce travail t'empêche de faire pas mal de choses. C'est comme ça, mais tu as pas pu aller à la fête de fin de trimestre ni à aucune soirée à l'automne dernier, et je veux pas que tu rates tout, surtout parce que c'est ta dernière année de lycée. Il va y avoir un grand bal au pavillon. Tu as invité une fille ?

– Non, j'irai peut-être, je ne suis pas sûr. Mais il n'y a personne que j'ai envie d'inviter.

– Pas une seule fille de ton école avec qui tu voudrais sortir ?

– Non.

– Comme tu veux. » Scupper recula sur sa chaise quand la serveuse lui apporta son assiette. « Merci, Betty. On peut dire que tu m'as bien servi. » Betty passa de l'autre côté et posa sur la table l'assiette de Tate, une portion plus généreuse encore.

« Et maintenant, mangez-moi tout ça, dit-elle. D'ailleurs il en reste. Notre menu spécial, c'est tous les plats à volonté. » Elle sourit à l'adresse de Tate avant de s'éloigner en balançant plus que jamais les hanches tandis qu'elle reprenait le chemin de la cuisine.

« Les filles au lycée sont nunuches, dit Tate. Elles parlent seulement de leur coiffure et de leurs talons hauts.

– Qu'est-ce que tu veux, toutes les filles sont comme ça ! Des fois, il faut prendre les choses comme elles sont.

– Peut-être.

– Écoute, fiston, je suis pas du genre à colporter des ragots, j'ai jamais aimé ça. Mais on raconte un peu partout que tu as une amourette avec cette fille des marais. » Tate leva les mains en signe de protestation. « Attends un peu, poursuivit Scupper. Je crois pas à tout ce qu'on raconte sur elle, c'est sans doute quelqu'un de bien. Mais fais attention, mon fils. Tu es trop jeune pour devenir père de famille. Tu comprends ce que je veux dire, pas vrai ? »

Baissant la voix, Tate siffla entre ses dents : « Tu commences par dire que tu ne crois pas ce qu'on raconte sur elle, mais ensuite tu ajoutes qu'il est trop tôt pour devenir père de famille, ce qui montre bien que tu crois qu'elle serait ce genre de fille. Eh bien, laisse-moi te dire quelque chose, c'est complètement faux. Elle est plus pure et plus innocente qu'aucune de ces filles que tu voudrais que j'emmène danser. Mon Dieu, certaines filles de cette ville, eh bien, on dirait qu'elles chassent en meute, pas de quartier. Et oui, c'est vrai, je vais assez souvent voir Kya. Et tu sais pourquoi ? Je lui apprends à lire parce que les gens de cette ville sont si mauvais avec elle qu'elle n'a même pas pu aller à l'école.

– Pas de problème, Tate, c'est chouette de ta part. Mais, s'il te plaît, tu dois comprendre que c'est mon rôle de te dire des choses comme ça. C'est sans doute pas très agréable à entendre, mais les parents doivent bien prévenir leurs enfants des dangers qui les guettent. C'est mon rôle, alors pas la peine de te vexer.

– Je le sais », grommela Tate en beurrant un biscuit. Toujours très en colère.

« Allez, ça va maintenant. On va demander qu'on nous resserve, et ensuite ils nous apporteront notre tarte aux noix de pécan. »

Quand le dessert fut sur la table, Scupper reprit : « Eh bien puisqu'on en est à parler de sujets qu'on n'a pas l'habitude d'aborder, je peux aussi bien te dire autre chose qui me trotte dans la tête. »

Tate fixa obstinément sa part de tarte.

Scupper poursuivit : « Je veux que tu saches, fiston, comme je suis fier de toi. Sans l'aide de personne, tu as étudié la vie du marais, tu as bien travaillé à l'école, et tu t'es inscrit à l'université pour obtenir un diplôme en biologie. Et tu as été accepté. Je suis pas du genre à parler beaucoup de ces choses. Mais je suis vraiment fier de toi, mon fils. Tu m'entends ?

– Oui, je t'entends. »

Plus tard dans sa chambre, Tate récita son poème favori :

Ah quand verrai-je enfin le lac aux eaux obscures,
Le canot blanc de celle dont l'amour est si pur ?

Quand il ne travaillait pas, Tate faisait de son mieux pour aller voir Kya, mais il ne pouvait jamais rester très longtemps. Parfois, il faisait quarante minutes de bateau pour une promenade sur la plage d'un quart d'heure, main dans la main. Ils s'embrassaient sans arrêt. Ne perdaient pas une minute. Et puis, vite, le chemin du retour. Il avait envie de lui toucher les seins, il aurait pu tuer rien que pour les voir. La nuit, ne trouvant pas le sommeil, il s'imaginait ses cuisses, si douces, et pourtant si fermes, il en était sûr. Quand il pensait à ces trésors cachés, il bouillait sous ses draps. Mais elle était si jeune et si timide. Le moindre faux pas aurait pu la blesser, et alors il serait pire encore que ces garçons qui ne parlaient que de coucher avec elle. Son désir de la protéger était aussi fort que l'autre. Le plus souvent.

Chaque fois qu'il se rendait chez Kya, Tate apportait des manuels scolaires ou des livres empruntés à la bibliothèque, en particulier ceux qui traitaient des animaux des marais et de sciences naturelles. Elle faisait des progrès stupéfiants. Désormais elle pouvait tout lire, disait-il, et quand on peut tout lire, on peut tout apprendre. Tout dépendait d'elle. « Personne n'a jamais réussi à remplir son cerveau, expliquait-il. On est tous comme des girafes qui n'utilisent pas leur cou pour atteindre les feuilles plus hautes. » Seule pendant des heures, à la lumière de sa lanterne, Kya apprenait comment les plantes et les animaux changent au fil du temps pour s'adapter à la terre d'une métamorphose à l'autre ; comment certaines cellules se divisent et sont affectées spécifiquement aux poumons ou au cœur, tandis que d'autres demeurent disponibles, comme les cellules souches, au cas où on aurait besoin d'elles plus tard. Les oiseaux gazouillent surtout à l'aube parce que l'air frais et humide du matin porte leur chant et leur message beaucoup plus loin. Toute sa vie, elle avait vu ces merveilles de près, et donc elle comprenait facilement la nature. Dans tous les traités de biologie, elle cherchait une explication au départ de sa mère : comment était-il possible d'abandonner sa progéniture ?

Un jour où il faisait froid, longtemps après la chute des dernières feuilles des sycomores, Tate sortit de son bateau avec un cadeau emballé dans du papier rouge et vert.

« Je n'ai rien pour toi, dit-elle alors qu'il le lui tendait. Je ne savais pas que c'était Noël.

– Ce n'est pas Noël. » Il sourit. « On en est encore loin, mentit-il. Ne t'en fais pas, ce n'est pas grand-chose. »

Soigneusement, elle retira le papier et découvrit un dictionnaire Webster d'occasion. « Oh Tate, merci !

– Regarde à l'intérieur », dit-il. Glissée dans la section des P, il y avait une plume de pélican, des fleurs de myosotis entre deux pages des M, un champignon séché à la lettre C. Tant de trésors se trouvaient entre les pages que le livre ne pouvait pas se fermer complètement.

« Je vais essayer de revenir le lendemain de Noël. Je pourrai peut-être apporter de la dinde pour le repas. » Il l'embrassa pour prendre congé. Après son départ, elle lâcha un juron. C'était sa première occasion depuis le départ de Ma de faire un cadeau à quelqu'un qu'elle aimait, et elle l'avait manquée.

Quelques jours plus tard, frissonnant dans sa robe à manches courtes de couleur pêche, elle attendit Tate sur la plage de la lagune. Marchant de long en large, elle tenait entre ses mains le cadeau qu'elle avait préparé pour lui – une huppe de cardinal mâle – enveloppé dans le papier qu'il avait utilisé. Dès qu'il mit pied à terre, elle le lui donna, insistant pour qu'il l'ouvre sur place, et il s'exécuta. « Merci, Kya. Je n'en avais pas. »

Opération Noël parfaitement réussie.

« Maintenant il faut que tu rentres. Tu dois geler avec cette robe. » Dans la cuisine il faisait bon grâce au poêle à bois, mais il suggéra tout de même qu'elle se change et qu'elle enfile un pull-over et un jean.

Côte à côte, ils réchauffèrent les plats qu'il avait apportés : de la dinde, une sauce à la mie de pain de maïs, une autre aux airelles, un ragoût de patates douces, et de la tarte à la citrouille : des restes du dîner de Noël qu'il avait partagé avec son père au restaurant. Kya avait fait cuire des biscuits, et ils dînèrent sur la table de la cuisine, qu'elle avait décorée avec du houx et des coquillages.

« Je fais la vaisselle, dit-elle, en versant dans la cuvette de l'eau qu'elle avait fait chauffer sur le poêle.

– Je vais t'aider. » Il s'approcha d'elle et lui enlaça la taille. Elle renversa la tête en arrière contre sa poitrine, les yeux fermés. Lentement, les mains de Tate se glissèrent sous son pull-over, passèrent sur son ventre lisse en direction de ses seins. Comme à son habitude, elle ne portait pas de soutien-gorge, et ses doigts emprisonnèrent ses tétons. Il s'y attarda un peu, mais un frisson traversa le corps de Kya comme si les mains de Tate s'étaient insinuées entre ses jambes. Une impression de vide à remplir de toute urgence palpitait en elle. Mais elle ne savait pas que faire, que dire, et elle le repoussa.

« Pas de problème », dit-il, et il la garda simplement dans ses bras, tous deux le souffle court.

Le soleil, encore soumis à l'automne, faisait de timides apparitions parmi les jours de vent mauvais et de pluie violente. Puis un après-midi, sans crier gare, le printemps se fraya un chemin pour de bon. Il fit soudain plus chaud et le ciel se mit à briller comme si on l'avait ciré. Kya parlait doucement, tandis que Tate et elle s'avançaient sur la berge herbue d'un ruisseau profond, dominé par de hauts gommiers. Soudain il lui saisit la main pour la faire taire. Elle suivit son regard jusqu'au bord de l'eau, où un crapaud large de près de quinze centimètres était blotti sous le feuillage. Un spectacle assez ordinaire, sauf que l'animal était d'un blanc étincelant.

Tate et Kya échangèrent un sourire et l'observèrent jusqu'à ce qu'il s'enfuie en silence, d'un bond de ses hautes pattes. Néanmoins, ils restèrent silencieux tandis qu'il s'éloignait de quatre ou cinq mètres dans les broussailles. Kya porta les mains à sa bouche et gloussa de rire. Elle s'écarta de Tate et esquissa un pas de gigue puéril, agitant un corps qui n'était plus celui d'une enfant.

Tate l'observa pendant une seconde, ne pensant déjà plus au crapaud. Il marcha vers elle avec détermination. L'expression qu'elle lut sur le visage du garçon la fit s'arrêter devant un grand chêne. Il la prit par les épaules et la poussa fermement contre le tronc. Lui maintenant les bras sur les flancs, il l'embrassa, le ventre plaqué contre le sien. Depuis Noël, ils s'étaient embrassés et explorés lentement, mais pas de cette façon. Il avait mené la danse mais avait toujours guetté ses signes de dérobade ; au contraire de maintenant…

Il recula, les cercles mordorés de ses yeux profonds plongeant dans les siens. Lentement il déboutonna son chemisier et le lui retira, dévoilant sa poitrine. Il prit le temps de la parcourir des yeux puis du bout des doigts, faisant le tour de ses tétons. Puis il baissa la fermeture Éclair de son short et le fit glisser sur ses jambes jusqu'à ce qu'il tombe à terre. Presque nue pour la première fois devant lui, elle se couvrit de ses mains en haletant. Avec douceur, il les écarta pour admirer longuement son corps. L'entrejambe de Kya palpitait comme si tout son sang y avait afflué. Il retira aussi son short et, sans la quitter des yeux, pressa son sexe érigé contre elle.

Quand elle détourna timidement la tête, il lui souleva le menton et dit :

« Regarde-moi. Regarde-moi dans les yeux, Kya.

– Tate, Tate. »

Elle tendit la main, tenta de l'embrasser, mais il la maintint à distance, n'autorisant que ses yeux à l'approcher. Elle ne savait pas que se retrouver nue pouvait faire naître tant de désir. Il effleura l'intérieur de ses cuisses, et instinctivement elle écarta légèrement les pieds. Ses doigts remontèrent entre les jambes et massèrent doucement des replis de son corps dont elle ne connaissait même pas l'existence. Elle rejeta la tête en arrière en gémissant.

Brusquement, il s'écarta d'elle et fit un pas en arrière.

« Mon Dieu, Kya, je suis désolé. Pardon.

– Tate, s'il te plaît, je veux, moi.

– Pas comme ça, Kya.

– Pourquoi non ? Pourquoi pas comme ça ? »

Elle posa les mains sur ses épaules et essaya de le ramener vers elle.

« Pourquoi non ? » répéta-t-elle.

Il ramassa les vêtements de Kya et la rhabilla. Sans la toucher là où elle aurait aimé qu'il le fasse, là où certaines parties de son corps frémissaient encore. Puis il la souleva dans ses bras et la porta jusqu'à la berge du ruisseau. La reposa par terre, et s'assit à côté d'elle.

« Kya, je te veux plus que tout au monde. Je te veux pour toujours. Mais tu es trop jeune. Tu n'as que quinze ans.

– Et alors ? Tu n'as jamais que quatre ans de plus. Arrête de faire les "je-sais-tout".

– D'accord, mais moi, je ne risque pas de me retrouver enceinte. Et de gâcher ma vie, alors que toi, oui. Je ne le ferai pas, Kya, parce que je t'aime. » L'amour. Elle ne comprenait rien à ce mot.

« Tu me prends toujours pour une petite fille, gémit-elle.

– Kya, tu en as de plus en plus l'air à chaque seconde. » Mais il avait souri en le disant, et il l'attira à lui.

« Mais quand alors, si c'est pas maintenant ? Quand est-ce qu'on pourra ?

– Pas tout de suite. »

Ils restèrent silencieux pendant un instant, puis elle demanda : « Comment tu as su t'y prendre ? » Tête baissée, à nouveau timide.

« Exactement comme toi tu as su. »

Un après-midi de mai, alors qu'ils rentraient de la lagune, il lui dit :

« Tu sais, je vais bientôt m'en aller. À l'université. » Il avait déjà parlé de partir pour Chapel Hill, mais Kya avait repoussé l'idée, songeant qu'ils avaient au moins l'été devant eux.

« Quand ? Pas maintenant.

– Dans pas très longtemps. Quelques semaines.

– Et pourquoi ? Je croyais que l'université commençait à l'automne.

– J'ai trouvé un travail au laboratoire de biologie sur le campus. Je ne peux pas laisser passer cette chance. Alors je dois commencer pendant le trimestre d'été. »

De tous ceux qui l'avaient quittée, seul Jodie lui avait dit au revoir. Tous les autres étaient partis pour toujours, mais cette façon de prendre congé n'était pas moins douloureuse. Elle ressentit une brûlure à la poitrine.

« Je reviendrai aussi souvent que possible. Ça n'est pas si loin, en fait. Moins d'une journée en car. »

Elle resta silencieuse. Puis elle dit : « Pourquoi est-ce qu'il faut que tu partes, Tate ? Pourquoi tu ne restes pas ici, à pêcher les crevettes comme ton père ?

– Kya, tu le sais bien. Ça n'est pas possible pour moi. Je veux étudier le marais, je veux faire des recherches en biologie. » Ils avaient atteint la plage et s'assirent sur le sable.

« Et après, alors ? Il n'y a pas de travail comme ça dans le coin. Tu ne reviendras jamais.

– Mais si. Je ne te quitterai pas, Kya, je te le promets. Je reviendrai. » Elle bondit sur ses pieds, et effaroucha des pluviers qui s'envolèrent à grands cris. Elle courut de la plage à la forêt. Tate la poursuivit, mais dès qu'il parvint à la limite des arbres, il s'arrêta, regarda alentour. Elle l'avait déjà distancé.

Mais au cas où elle serait encore à portée de voix, il s'écria :

« Kya, tu ne peux pas t'enfuir à chaque dispute. Parfois, il faut discuter des choses. Faire face. » Puis avec une impatience croissante : « Bon sang, Kya, bon Dieu de merde ! »

Une semaine plus tard, Kya entendit le bateau de Tate traverser la lagune en ronronnant et elle se cacha derrière un buisson. Tandis qu'il s'avançait dans le chenal, le héron prit lentement son envol sur ses ailes d'argent. Une partie d'elle aurait voulu s'enfuir, mais elle vint à sa rencontre sur la plage.

« Salut », dit-il. Pour une fois, il ne portait pas de casquette, et ses boucles blondes en bataille dansaient autour de son visage hâlé. Au cours des derniers mois, il semblait que ses épaules s'étaient élargies, c'étaient maintenant celles d'un homme.

« Salut. »

Il mit pied à terre, lui prit la main, et la conduisit jusqu'à la souche où ils avaient coutume de lire.

« Finalement, il faut que je parte encore plus tôt que je croyais. Je dois même manquer les cérémonies de fin d'études au lycée pour aller prendre mon poste. Kya, je suis venu te dire au revoir. » Même sa voix était maintenant celle d'un homme, prête à affronter un monde plus sérieux.

Elle ne répondit pas, et garda la tête tournée. Sa gorge se contractait. Il posa à ses pieds des sacs de manuels scolaires et de rebuts de la bibliothèque, pour l'essentiel des ouvrages de biologie. Elle n'était pas sûre de pouvoir parler. Elle aurait voulu qu'il l'emmène à nouveau là où ils avaient vu le crapaud blanc. Au cas où il ne reviendrait jamais, elle voulait qu'il la prenne là-bas.

« Tu vas me manquer, Kya, chaque jour, chaque heure.

– Tu vas peut-être m'oublier. Quand tu auras toutes ces choses à faire à l'université et que tu verras ces jolies filles.

– Je ne t'oublierai jamais. Jamais. Prends bien soin du marais jusqu'à ce que je revienne, tu m'entends ? Et fais attention à toi.

– D'accord.

– Je ne plaisante pas, Kya. Méfie-toi des gens ; ne laisse pas des inconnus t'approcher.

– Je crois que je peux me cacher ou courir plus vite que n'importe qui.

– Je sais que tu en es capable. Je reviendrai d'ici un mois, je te le promets. Pour le 4 Juillet. Ça passera plus vite que tu le crois. »

Elle ne répondit pas, et il resta campé là, les mains enfoncées dans les poches de son jean. Elle se tint près de lui, mais ils détournèrent la tête, les yeux rivés sur les arbres.

Il la prit par les épaules et l'embrassa longuement.

« Au revoir, Kya. » Pendant quelques instants, elle fixa un point au-dessus de son épaule puis plongea le regard dans ses yeux. Un abîme dont elle connaissait toutes les profondeurs.

« Au revoir, Tate. »

Sans un mot de plus, il monta sur son bateau et traversa la lagune. Juste avant de s'enfoncer entre les épaisses broussailles du chenal, il se retourna et agita la main. Elle leva la sienne bien haut, avant de la reposer sur son cœur.

19

Du nouveau

1969

Le matin qui suivit celui où il avait lu le deuxième rapport du laboratoire, le huitième jour depuis qu'ils avaient découvert le corps de Chase Andrews dans le marais, l'adjoint Purdue poussa la porte du bureau du shérif d'un coup de pied. Il portait deux gobelets de café et un sac de beignets, à peine sortis de la poêle.

« Bon Dieu, cette bonne odeur de chez Parker ! » s'exclama Ed, tandis que Joe déposait ce qu'il avait apporté sur le bureau. Ils prirent chacun un énorme beignet dans le sac en papier marron maculé de taches de graisse. Ils firent claquer leur langue, léchèrent leurs doigts luisants.

Parlant en même temps, ils annoncèrent tous les deux : « On dirait que j'ai trouvé quelque chose.

– Accouche, dit Ed.

– J'ai appris de plusieurs sources que Chase avait une histoire dans le marais.

– Une histoire ? Qu'est-ce que tu veux dire par là ?

– Rien de sûr, mais il y a des types au Dog-Gone qui racontent que depuis quatre ans il s'était mis à se promener dans le marais tout seul, et qu'il tenait pas vraiment à en parler. Il continuait à aller à la pêche et à se balader en bateau avec ses potes, mais il faisait aussi beaucoup d'allers-retours tout seul. Je me disais qu'il s'était peut-être mis à fréquenter des drogués ou pire encore. Qu'il avait trempé dans un truc louche avec un dealer. Quand on se couche à côté d'un chien, on se relève avec des puces. Ou dans son cas, on attrape rien du tout, parce qu'on se relève pas.

– Je sais pas trop. C'était un vrai athlète, difficile de l'imaginer se mettre à se droguer, dit le shérif.

– Un *ancien* athlète. Et de toute façon, il y en a beaucoup qui y trempent. Quand leur jour de gloire est passé, il faut bien qu'ils prennent leur pied quelque part. À moins qu'il n'ait connu une fille là-bas.

– Je vois pas bien quelle femme pourrait être à son goût dans les parages. On le voyait toujours en compagnie de ce qu'on appelle le haut du panier à Barkley. Tout le contraire de la racaille.

– Eh bien, s'il avait l'impression de s'encanailler, peut-être que c'est pour ça qu'il aimait pas en parler.

– C'est vrai, dit le shérif. En tout cas, quoi qu'il ait fait dans le marais, ça dévoile toute une partie de sa vie qu'on connaissait pas. On ferait bien d'aller fouiner un peu, voir ce qu'il mijotait.

– Tu as dit que toi aussi tu avais trouvé un tuyau ?

– Pas sûr exactement. La mère de Chase a appelé, elle a dit qu'elle avait quelque chose d'important à nous dire au sujet de l'affaire. Un truc lié à un coquillage que son fils portait sans arrêt à son cou. Elle est certaine que c'est un indice. Elle veut passer nous en parler.

– Elle vient quand ?

– Cet après-midi, dans pas longtemps.

– Ce serait chouette d'avoir un vrai indice. Ça serait toujours mieux que fouiller les environs à la recherche d'un type portant un pull-over rouge avec son mobile écrit dessus. Il faut reconnaître que, si c'est un meurtre, l'assassin a su y faire. Le marais a bouffé et englouti toutes les preuves, s'il y en avait. Est-ce qu'on a le temps d'aller déjeuner avant que Patti Love débarque ?

– Bien sûr. Le menu du jour, c'est des côtes de porc et de la tarte aux mûres ! »

20
Le 4 Juillet

1961

Le 4 Juillet, vêtue de sa robe d'été couleur pêche désormais trop courte, Kya marcha pieds nus jusqu'à la lagune et s'assit sur la souche de leurs séances de lecture. Une chaleur intense dissipait les derniers voiles de brouillard ; une épaisse humidité emplissait l'air et l'empêchait de respirer. De temps à autre, elle s'agenouillait sur le rivage et s'aspergeait le cou d'eau froide, tout en guettant le ronronnement du bateau de Tate. Il lui était égal d'attendre : elle lisait les livres qu'il lui avait offerts.

Les minutes s'égrenaient lentement, le soleil paraissait figé dans le ciel. La souche lui semblant de plus en plus dure, elle s'installa à même le sol, adossée contre un arbre. Elle finit par avoir faim et se précipita dans la cabane pour grignoter les restes d'une saucisse et quelques biscuits. Elle mangea vite, de peur qu'il n'arrive alors qu'elle n'était pas à son poste. La touffeur de l'après-midi fit venir les moustiques. Toujours pas de bateau ; pas de Tate. Au crépuscule, droite, immobile, et silencieuse comme une cigogne, elle garda les yeux rivés sur le calme désert du chenal. Respirer lui faisait mal. Quittant sa robe, elle entra dans l'eau et nagea dans cette fraîcheur sombre, le flot lui glissant sur la peau, libérant la chaleur accumulée. Elle revint au rivage, et s'assit sur un carré de mousse de la berge, restant nue jusqu'à avoir complètement séché, en attendant que la lune se glisse sous l'horizon. Puis, ses vêtements à la main, elle rentra chez elle.

Le lendemain, elle patienta encore toute la journée. La chaleur monta d'heure en heure jusqu'à midi, une véritable fournaise passé le milieu de journée, qui continua de se réverbérer après le coucher du soleil. Plus tard, la lune lança quelques rayons d'espoir sur l'eau, mais ils disparurent eux aussi. Nouveau lever de soleil, nouveau midi chauffé à blanc. Un autre coucher de soleil. Tout espoir au point mort. Elle détourna tristement le regard, et même si elle guettait encore le ronronnement du moteur, elle n'attendait plus vraiment.

La lagune sentait à la fois la vie et la mort, un mélange organique de promesses et de décomposition. Les grenouilles coassaient. Avec mélancolie, elle regarda les lucioles griffer le ciel de la nuit. Elle n'en capturait jamais, on en apprend plus sur les insectes quand ils ne sont pas enfermés dans un bocal. Jodie lui avait expliqué que la luciole femelle produit un clignotement sous sa queue pour faire signe au mâle qu'elle est prête à s'accoupler. Chaque espèce de luciole possède son propre langage de lumières. Tandis que Kya les observait, quelques femelles émettaient leur rayon intermittent tout en dansant en zigzag, tandis que d'autres décrivaient des figures différentes. Les mâles, bien sûr, connaissaient les signaux et ne se dirigeaient que vers les femelles de leur espèce. Puis, ainsi que Jodie le disait, les insectes frottaient leurs derrières l'un contre l'autre comme la plupart des créatures vivantes, pour donner naissance à des petits.

Soudain, Kya se redressa et concentra toute son attention : une des femelles venait de changer de code. Elle commença par la séquence ordinaire, points et traits lumineux, attirant un mâle de son espèce, et ils s'accouplèrent. Puis elle se mit à émettre des signaux différents, et un mâle vola vers elle. À lire son message, il s'était persuadé qu'il avait trouvé une femelle de son espèce désireuse de le rencontrer et il s'approcha pour s'accoupler. Mais brusquement, la femelle se releva, le prit entre ses mandibules et l'engloutit, dévorant ses six pattes et ses deux ailes.

Kya en observa d'autres. Les femelles obtenaient ce qu'elles voulaient – d'abord un compagnon, ensuite un repas – rien qu'en changeant le code de leurs signaux.

Kya savait qu'il n'y avait aucune place pour juger. Il n'y avait là rien de mauvais, c'était seulement l'élan de la vie, même aux dépens de certains des joueurs. La biologie considère le bien et le mal comme la même couleur perçue sous des jours différents.

Elle attendit Tate encore une heure, et elle finit par reprendre le chemin de sa cabane.

Le lendemain matin, pestant contre les lambeaux de cet espoir cruel, elle retourna près de la lagune. Assise au bord de l'eau, elle tendit l'oreille pour capter le bruit d'un bateau descendant le chenal ou traversant les estuaires lointains.

À midi, elle se releva et s'écria : « Tate, Tate, non, non ! » Puis elle tomba à genoux, le visage dans la boue. Elle sentit un violent élancement dans son ventre. Une vague de douleur qu'elle connaissait bien.

21
Coop

1961

Un vent brûlant agitait les branches des palmiers nains comme autant de petits ossements secs. Durant trois jours après avoir renoncé à attendre Tate, Kya ne sortit pas de son lit. Ivre de désespoir et de chaleur, elle s'agitait sous ses vêtements et entre les draps rendus moites par la transpiration, la peau poisseuse. Elle envoyait ses orteils en mission à la recherche d'endroits frais dans son lit, mais ils n'en trouvaient aucun.

Elle ne remarquait plus à quelle heure la lune se levait ou quand un grand duc fondait en pleine journée sur un geai bleu. De son lit, elle entendait les bruits du marais, les ailes noires des merles qui s'élançaient dans le ciel, mais elle n'allait pas à la fenêtre. Elle avait mal d'entendre les cris des oiseaux de mer qui l'appelaient de la plage. Mais pour la première fois de sa vie, elle ne les rejoignit pas. Elle espérait que la tristesse qu'elle éprouvait à ne pas leur répondre effacerait la blessure de son cœur. Mais rien n'y faisait.

Morose, elle se demandait ce qu'elle avait fait pour que tout le monde l'abandonne. Sa propre mère. Ses sœurs. Toute sa famille. Jodie. Et aujourd'hui Tate.

Ses souvenirs les plus poignants étaient les dates inconnues auxquelles les membres de sa famille s'étaient éclipsés le long du chemin. Le dernier éclair blanc d'un foulard qui disparaissait entre les feuillages. Un tas de chaussettes sur un matelas posé à même le sol.

Tate, la vie, l'amour, c'était tout un. Maintenant Tate n'était plus là.

« Pourquoi, Tate, pourquoi ? gémit-elle entre les draps. Tu étais censé être différent de tous les autres. Tu devais rester. Tu disais que tu m'aimais, mais l'amour, ça n'existe pas. On ne peut compter sur personne sur cette terre. » Au fond d'elle-même, elle se fit la promesse de ne plus jamais donner ni son amour ni sa confiance à personne.

Elle avait toujours trouvé l'énergie de se tirer du bourbier, de continuer à avancer, même d'une démarche chancelante. Mais où tout ce courage l'avait-il conduite ? Elle dormait d'un sommeil léger, entrecoupé de réveils fréquents. Soudain le disque aveuglant du soleil la frappa en plein visage. Jamais de sa vie elle n'avait dormi jusqu'à midi. Elle perçut un doux bruissement et, se relevant sur les coudes, aperçut un épervier de Cooper de la taille d'un corbeau perché de l'autre côté de la moustiquaire, qui plongeait le regard dans la maison. Pour la première fois depuis plusieurs jours, quelque chose avait éveillé son intérêt. Elle se leva au moment où l'épervier s'envolait. Finalement, elle prépara un mélange d'eau chaude et de gruau de maïs et se dirigea vers la plage pour donner à manger aux mouettes et aux goélands. Dès qu'elle arriva, ils se mirent à tournoyer et à descendre en piqué par nuées, et elle tomba à genoux pour jeter la nourriture sur le sable. Tandis que les oiseaux s'attroupaient autour d'elle, Kya sentit leurs plumes lui frôler les bras et les cuisses ; elle rejeta la tête en arrière et leur sourit. Alors même que des larmes lui ruisselaient sur les joues.

Pendant un mois après le 4 Juillet, Kya ne sortit pas de chez elle, ne vagabonda pas dans le marais et ne se rendit pas chez Jumping pour acheter de l'essence ou des provisions. Elle se contenta de poissons, de moules et d'huîtres séchés. De gruau de maïs et de légumes.

Quand toutes ses étagères furent vides, elle se décida à prendre son bateau pour retourner chez Jumping faire des courses mais elle ne s'attarda pas pour bavarder avec lui comme d'ordinaire. Elle fit ce qu'elle avait à faire et le laissa planté là à la suivre du regard. Quand on a besoin des autres, on finit par souffrir.

Quelques jours plus tard, l'épervier de Cooper revint sur le perron, et l'observa à travers la moustiquaire. *Comme c'est bizarre*, pensa-t-elle, en levant la tête vers lui. « Salut, Coop ! »

D'un petit saut, il se souleva de son perchoir et, après un petit vol de reconnaissance, fila droit vers les nuages. En le regardant, Kya finit par se dire : *Il va falloir que je retourne dans le marais.* Elle prit sa barque, descendit au long des chenaux et des bras de rivière, à la recherche de nids d'oiseaux, de plumes et de coquillages pour la première fois depuis que Tate l'avait abandonnée. Néanmoins, elle ne pouvait s'empêcher de penser à lui. L'intérêt intellectuel ou les jolies filles de Chapel Hill l'avaient retenu prisonnier. Elle ne parvenait pas à s'imaginer ces étudiantes, mais quelle que soit leur apparence, elles valaient sans doute mieux qu'une vendeuse de moules à la tignasse enchevêtrée, qui marchait pieds nus et vivait dans une cabane.

Fin août, sa vie retrouva son équilibre : bateau, pêche, peinture. Les mois passèrent. Elle ne se rendait chez Jumping que pour se réapprovisionner, mais n'échangeait avec lui que quelques mots. Sa collection grandit, elle l'organisa méthodiquement par catégories qui correspondaient à l'ordre, au genre et aux espèces ; à l'âge selon l'usure des os ; à la taille exprimée en millimètres de plumes ; ou aux plus subtiles nuances de vert. La science et l'art unissaient leurs forces : les couleurs, la lumière, les espèces, la vie ; tissant peu à peu un chef-d'œuvre de connaissances et de beauté qui emplissait chaque coin de sa cabane. Son monde à elle. Elle grandit avec ses trésors – tel le tronc de la vigne – seule, mais unique maîtresse de l'unité de toutes ces merveilles.

Toutefois, au fur et à mesure que sa collection se développait, sa solitude devenait plus pesante. Une douleur qui prenait autant de place que son cœur cognait dans sa poitrine. Rien ne l'apaisait. Ni les oiseaux de mer, ni un magnifique coucher de soleil, ni les coquillages les plus rares.

Les mois furent bientôt une année.

La solitude se fit plus lourde qu'elle n'en pouvait supporter. Elle rêvait d'entendre la voix, de sentir la présence ou la main de quelqu'un, mais surtout elle aurait voulu protéger son cœur.

Une autre année passa. Puis une autre encore.

DEUXIÈME PARTIE

Le marécage

22
La même marée

Dix-neuf ans, les jambes plus longues, les yeux plus grands et sans doute plus noirs encore, Kya était assise sur la plage de Point Beach, elle regardait les crabes s'enfouir dans le sable et reculer jusqu'aux flaques. Soudain, depuis le sud, elle entendit des voix et bondit sur ses pieds. La bande de gamins – aujourd'hui de jeunes adultes – qu'elle avait entrevus de temps à autre au fil des ans marcher dans sa direction, lancer un ballon de football, courir et donner des coups de pied dans la vague. Craignant qu'ils ne l'aperçoivent, elle s'enfuit à l'abri des arbres, le sable se décollant peu à peu de ses pieds, et elle se cacha derrière le gros tronc d'un chêne. Sachant pertinemment combien ses manières étaient bizarres.

Il n'y a pas grand-chose qui a changé, pensa-t-elle, *ils rient aux éclats, et moi je me cache comme un crabe*. Une créature sauvage qui avait honte d'être aussi farouche.

Grande-blonde-maigrichonne, Queue-de-cheval-à-taches-de-rousseur, Éternel-collier-de-perles et Petite-boulotte-à-grosses-joues caracolaient sur la plage, et ne cessaient de s'esclaffer en tombant dans les bras les unes des autres. Lors de ses rares excursions au bourg, elle avait entendu leurs moqueries. « Ah oui, la Fille des marais achète ses vêtements chez les gens de couleur ;

elle est obligée d'échanger les moules qu'elle pêche contre du gruau de maïs. »

Pourtant, après toutes ces années, elles formaient la même joyeuse bande. Elles étaient toutes restées copines. C'était déjà quelque chose. Elles n'avaient pas l'air bien futées vues de loin, mais comme Mabel le lui avait souvent répété, leur amitié tenait bon. « Vous auriez bien besoin de copines, vous aussi, ma petite, parce que l'amitié ça dure pour toujours. Pas besoin d'échanger des vœux. Une petite troupe de femmes, y a rien de plus tendre et de plus solide sur terre. »

Kya se surprit à rire doucement de concert tandis qu'elles soulevaient des gerbes d'eau pour s'arroser les unes les autres. Puis avec force cris, elles se précipitèrent toutes ensemble dans une haute vague. Le sourire de Kya s'effaça quand elles sortirent de la mer et s'étreignirent chaleureusement comme elles avaient coutume de le faire.

Leurs cris joyeux rendaient le silence de Kya plus assourdissant encore. Leur solidarité épinglait sa solitude, mais elle savait que, pour ces filles, elle n'était que de la racaille des marais, et elle ne se résolut pas à sortir de sa cachette.

Elle tourna les yeux vers le plus grand des garçons. Torse nu, vêtu d'un short en toile, il engagea le ballon. Kya observa les tendons de ses muscles qui saillaient dans son dos. Ses épaules bronzées. Elle savait qu'il s'appelait Chase Andrews, et au fil des ans, depuis qu'il avait failli la renverser sur sa bicyclette, elle l'avait croisé avec ses amis sur la plage, ou vu entrer dans la buvette pour y commander des milkshakes, ou encore acheter de l'essence chez Jumping.

Là, alors que le groupe se rapprochait, elle ne voyait que lui. Quand un autre garçon lança le ballon, il se précipita pour l'attraper et se rapprocha de son arbre, ses pieds nus s'enfonçant dans le sable brûlant. Alors qu'il levait le bras pour renvoyer la balle, il jeta par hasard un regard en arrière et rencontra les yeux de Kya. Après avoir fait sa passe, sans le moindre signe à l'adresse des autres, il se retourna et soutint son regard. Il avait les cheveux noirs, comme elle, mais les yeux bleu ciel, le visage étonnamment énergique. L'ombre d'un sourire se dessina sur ses lèvres. Puis il retourna vers les autres, les épaules dégagées, d'un pas assuré.

Mais il l'avait remarquée. L'avait fixée droit dans les yeux. Kya en avait le souffle coupé et une douce chaleur l'envahit.

Elle les suivit des yeux – enfin surtout lui – tout le long de la plage. Son esprit penchait d'un côté, son désir de l'autre. Son corps guettait Chase Andrews mais pas son cœur.

Le lendemain, elle revint – la même marée, mais à une heure différente ; personne n'était là, rien que de bruyants chevaliers des sables et des crabes qui se laissaient porter par les vagues.

Elle tenta de se forcer à éviter cette plage et à rester dans le marais, à la recherche de nids d'oiseaux et de plumes. Il fallait demeurer sur ses gardes, porter du gruau de maïs aux mouettes et aux goélands. La vie lui avait appris à aplatir ses sentiments pour qu'ils prennent une forme plus raisonnable.

Mais la solitude a une boussole bien à elle. Et elle retourna vers la plage dans l'espoir de le revoir le lendemain. Et le jour suivant.

Tard un après-midi, après avoir guetté Chase Andrews, Kya s'éloigne de sa cabane, se couche sur un ruban de plage que la dernière vague a lissé. Elle allonge les bras au-dessus de sa tête, caresse le sable mouillé, étend les jambes et tire sur ses orteils. Elle ferme les yeux et se laisse rouler vers la mer. Ses hanches et ses bras impriment des marques peu profondes dans le sable scintillant, qui deviennent alternativement plus claires et plus sombres au fil de ses mouvements. Plus près des vagues maintenant, elle sent le rugissement de l'océan sur toute la longueur de son corps et une question la traverse : *Quand la mer me touchera-t-elle ? Où m'atteindra-t-elle en premier ?*

Une vague couronnée d'écume déferle sur le rivage, elle s'avance vers Kya. L'attente la fait frémir, elle respire profondément. Elle roule sur elle-même de plus en plus lentement. À chaque révolution, juste avant que son visage ne balaie le sol, elle relève doucement la tête et inhale l'odeur de sel et de soleil. *Je suis près, tout près. La mer arrive. Quand vais-je la sentir ?*

La fièvre monte. Le sable sous son corps est de plus en plus mouillé, le grondement de la vague de plus en plus puissant. Plus lentement encore, elle avance centimètre par centimètre, attendant que la vague la touche. Bientôt, bientôt. Kya la devine avant qu'elle n'arrive.

Elle a envie d'ouvrir les yeux pour regarder, pour savoir combien de temps il reste. Mais elle résiste, elle les ferme plus fort encore, le ciel étincelle derrière ses paupières, ne lui donnant aucun indice.

Soudain elle pousse un cri quand le flot se rue sous elle avec violence, lui caresse les cuisses, passe entre ses jambes, coule dans son dos, tourbillonne sous sa tête, écarte ses cheveux en mèches d'un noir d'encre. Elle se précipite vers une vague plus profonde, luttant contre les coquillages et les débris qui jonchent l'océan, la mer la prend dans ses bras. Se pressant contre son corps vigoureux, elle se sent étreinte, portée. Elle n'est plus seule.

Kya se redresse et ouvre les yeux pour découvrir l'écume qui l'entoure et dessine des formes blanches, sans cesse changeantes.

Depuis que Chase l'avait aperçue sur la plage, elle était déjà allée chez Jumping deux fois en une semaine. Sans s'avouer qu'elle espérait y croiser le garçon. Avoir été remarquée par quelqu'un avait éveillé en elle un désir de vie sociale. Et voilà qu'elle demandait à Jumping : « Comment va Mabel, au fait ? Est-ce que vous avez certains de vos petits-enfants chez vous ? » Comme au bon vieux temps. Jumping remarqua le changement, mais se garda bien de faire un commentaire. « Oui, on en a quatre avec nous. La maison est pleine de rires, un vrai charivari ! »

Mais quelques jours plus tard, quand Kya approcha du ponton, Jumping n'était pas là. Des pélicans bruns, perchés sur les pilotis, la surveillaient comme s'ils étaient chargés de garder la boutique. Kya leur sourit.

Elle sursauta en sentant une tape sur son épaule.

« Salut. » Elle se retourna et vit Chase qui se tenait derrière elle. Son sourire s'effaça aussitôt.

« Je m'appelle Chase Andrews. » Ses yeux, d'un bleu de glace, percèrent les siens. Il ne semblait pas du tout gêné de la fixer comme ça.

Elle ne répondit pas, mais déplaça son appui d'une jambe à l'autre.

« Je t'ai déjà vue dans les parages. Tu sais, toutes ces années, dans le marais. Comment tu t'appelles ? »

Pendant un instant, il crut qu'elle allait répondre ; elle était peut-être muette, ou bien sans doute parlait-elle une langue primitive, comme le racontaient certains. Un homme moins sûr de lui aurait passé son chemin.

« Kya. »

Manifestement, il ne se rappelait pas leur rencontre au bord du trottoir, et ne savait rien d'elle mis à part le fait qu'on la surnommait la Fille des marais.

« Kya – c'est original. Mais joli. Tu veux venir en pique-nique ? Dans mon bateau, demain ? » Elle regarda l'horizon, prenant le temps de mesurer cette proposition, mais elle se demandait où cela la mènerait. C'était néanmoins une chance d'avoir un peu de compagnie. Elle finit par répondre : « OK. » Il lui dit de le retrouver sur la presqu'île des chênes au nord de Point Beach à midi. Puis il monta sur son hors-bord bleu et blanc, décoré sur chaque surface de parements métalliques étincelants, et il s'éloigna dans un vrombissement de moteur.

Elle se retourna en entendant le bruit d'autres pas. Jumping remontait précipitamment le ponton.

« Salut, mademoiselle Kya. Désolé, j'étais en train de me débarrasser de quelques caisses. Je vous fais le plein ? »

Kya fit oui de la tête.

En chemin vers la maison, elle coupa le moteur, se laissa dériver, les yeux tournés vers le rivage. Appuyée contre son vieux sac à dos, observant le ciel, elle récita des poèmes qu'elle savait par cœur, comme elle le faisait parfois. Un de ses préférés était « Fièvre marine » de John Masefield :

> Je veux des jours de vent,
> nuages défilant,
> embruns tourbillonnant,
> jets d'écume fusant
> et cris des goélands.

Kya se souvenait d'un autre, récemment publié dans le journal local qu'elle avait acheté au Piggly Wiggly :

L'amour là enfermé
Pauvre animal piégé
De sa chair se repaît.
Libre d'errer il doit rester
Au rivage désiré
Il lui faut respirer.

Ces mots ramenèrent la pensée de Tate, et elle eut soudain du mal à respirer. Il avait suffi qu'il trouve mieux ailleurs, et il avait disparu. Il n'était même pas venu lui dire au revoir.

Kya ne le savait pas, mais Tate était revenu la voir.

La veille du jour où il devait rentrer en car ce 4 Juillet, le Dr Bloom, le professeur qui l'avait engagé, entra dans le laboratoire de biologie des protozoaires et demanda au jeune homme s'il souhaiterait se joindre à un groupe d'écologues réputés, pour aller observer des oiseaux pendant le week-end.

« J'ai remarqué votre intérêt pour l'ornithologie et je me demandais si vous aimeriez venir. Je ne peux emmener qu'un seul étudiant, j'ai pensé à vous.

– Oui, absolument, je viendrai. »

Après le départ du Dr Bloom, Tate resta seul, parmi les paillasses de laboratoire, les microscopes, et le bourdonnement de l'autoclave, en se demandant pourquoi il avait accepté si vite. Comme il avait sauté sur cette occasion d'impressionner son professeur ! La fierté d'être choisi, d'être le seul étudiant invité.

Sa seule chance de rentrer chez lui la prochaine fois, et rien que pour une nuit, s'était présentée quinze jours plus tard. Il était urgent pour lui de présenter ses excuses à Kya, qui comprendrait sûrement quand il lui aurait parlé de l'invitation du Dr Bloom. Il avait baissé les gaz en quittant la mer pour s'enfoncer dans le chenal, où, tout autour des rondins qui flottaient à la surface, on apercevait le dos luisant de tortues d'eau qui prenaient le soleil. À mi-chemin, il repéra le bateau de Kya soigneusement caché dans les hautes herbes. Aussitôt, il ralentit et la vit de loin, agenouillée sur un vaste banc de sable, apparemment fascinée par quelques petits crustacés.

La tête baissée presque jusqu'à terre, elle ne l'avait pas vu et n'avait pas entendu son moteur qui tournait au ralenti. Il poussa doucement son embarcation entre les roseaux, à l'abri des regards. Depuis des années, il savait qu'elle l'espionnait parfois, qu'elle l'observait à travers les broussailles. Il éprouva soudain l'envie de l'imiter.

Pieds nus, vêtue d'un jean coupé et d'un T-shirt blanc, elle se releva en étirant les bras. Dévoilant sa taille de guêpe. Elle s'agenouilla de nouveau et ramassa une poignée de sable, le laissant couler entre ses doigts, examinant les créatures qui se tortillaient dans sa paume. Il sourit à la jeune biologiste, si concentrée, sourde à tout ce qui l'entourait. Il l'imagina à l'arrière du groupe d'ornithologues, essayant de ne pas se faire remarquer, mais néanmoins la première à repérer et à identifier chaque oiseau. Sans forfanterie, avec douceur, elle aurait fait la liste précise des espèces d'herbes qui constituaient chaque nid, ou bien déterminé l'âge au jour près d'une femelle en train de devenir adulte rien qu'à observer les couleurs qui commençaient à poindre au bout de ses ailes. Une précision admirable qui dépassait celle de tous les guides ou les connaissances de ce groupe d'écologues reconnus. Une connaissance intime des plus petits détails qui permettent de caractériser une espèce. L'essence de chaque organisme vivant.

Soudain, Tate sursauta quand Kya bondit sur ses pieds, du sable s'échappant encore de ses doigts, le regard tourné vers l'amont, dans la direction opposée. Ce fut à peine s'il entendit le faible barattage d'un moteur qui approchait, sans doute un pêcheur ou un habitant du marais qui regagnait la ville. Un ronronnement, ordinaire et paisible, pareil au roucoulement des colombes. Mais Kya empoigna son sac à dos, traversa en courant le banc de sable, et s'enfonça dans les hautes herbes. Accroupie, jetant des coups d'œil furtifs pour surveiller l'inconnu, elle rampa jusqu'à son bateau. Ses genoux remontaient presque jusqu'à son menton. Elle s'était rapprochée de Tate, et il distinguait ses yeux, noirs et affolés. Quand elle atteignit sa barque, elle baissa la tête et se tapit à l'abri de la coque.

Le pêcheur – un vieil homme jovial coiffé d'un chapeau – se rapprocha encore, sans voir ni Kya ni Tate, et disparut derrière un coude de la rivière. Mais la jeune fille demeura immobile, l'oreille aux aguets jusqu'à ce que le bruit du moteur s'évanouisse, puis elle se releva, en s'épongeant le front. Continua de regarder dans la direction du bateau comme un cerf examine les traces qu'a laissées une panthère dans les broussailles qu'elle vient de quitter.

Au fond de lui, il savait qu'elle se comportait de cette façon, mais depuis l'échange des plumes, il n'avait plus été confronté à ce noyau brut et farouche. Comme elle était tourmentée, solitaire, étrange !

Il n'était à l'université que depuis deux mois mais il était déjà entré de plain-pied dans le monde qu'il voulait connaître, analysant les époustouflantes symétries des molécules d'ADN comme s'il s'était glissé dans les ténèbres scintillantes d'une cathédrale d'atomes virevoltants et qu'il ait escaladé chaque barreau acide et tourbillonnant de l'hélice. Il avait compris que toute vie dépend de ce code précis et complexe transcrit sur de fragiles lamelles organiques, qui se détruiraient si on les exposait à un monde plus chaud ou plus froid. Enfin, il était entouré de gens aussi curieux que lui de trouver les réponses aux vastes questions qu'il se posait, et qui le poussaient à réaliser son objectif de devenir un chercheur en biologie dans son propre laboratoire, interagissant avec d'autres hommes de science.

L'esprit de Kya pourrait facilement vivre dans cet univers, mais physiquement elle en serait incapable. Respirant avec difficulté, il réfléchit à la décision qu'il devait prendre, tapie sous les spartines : Kya, ou bien tout le reste.

« Kya, Kya, je ne peux pas faire ça, murmura-t-il. Pardonne-moi. »

Quand elle se fut éloignée, il regagna son bateau et se dirigea vers l'océan. Maudissant le lâche en lui qui n'était pas capable de lui dire au revoir.

23
Le coquillage

1965

Le soir qui suivit le moment où elle avait vu Chase Andrews sur le ponton de Jumping, Kya était assise à sa table sous la lumière vacillante de la lampe à pétrole. Elle avait recommencé à cuisiner, et pour dîner, elle grignota des biscuits au babeurre, quelques navets, et des haricots pinto, sans cesser de lire. Mais l'idée du pique-nique avec Chase le lendemain embrouillait chaque phrase.

Kya se leva et alla se promener dans la nuit, sous la lumière opaline d'une lune à son troisième quartier. L'air doux du marais enveloppait ses épaules d'un châle de soie. Les rayons lui montrèrent un chemin inattendu entre les pins, où les ombres se dédoublaient comme les vers d'un poème. Elle marchait telle une somnambule tandis que la lune émergeait nue de l'eau et escaladait les chênes de branche en branche. L'épaisse boue de la lagune était baignée de lumière, et des centaines de lucioles constellaient les bois. Vêtue d'une robe blanche de seconde main à la jupe bouffante, elle agita lentement les bras, et se mit à valser au chant des sauterelles et des grenouilles-léopards. Elle glissa les mains sur ses hanches et son cou. Puis elle remonta le long de ses cuisses en fixant l'image de Chase dans son esprit. Elle voulait qu'il la touche de la même façon. Sa respiration s'accéléra. Personne ne l'avait jamais regardée comme il l'avait fait. Pas même Tate.

Elle dansa parmi les ailes des éphémères qui voltigeaient au-dessus de la lagune illuminée.

Le lendemain matin, elle fit le tour de la presqu'île et repéra Chase dans son hors-bord, à quelques mètres du rivage. Là, à la lumière du jour, la réalité flottait, embusquée, et elle se sentit la gorge sèche. Manœuvrant pour s'approcher de la plage, elle mit pied à terre et hissa son bateau sur la plage, la coque crissant contre le sable.

Chase fit s'avancer son bateau jusqu'à elle. « Salut ! »

Lui jetant un regard par-dessus son épaule, elle hocha la tête. Il mit pied à terre à son tour et lui tendit la main – de longs doigts bronzés, la paume ouverte. Elle hésita : toucher quelqu'un signifiait se défaire d'une partie d'elle, une partie qu'elle ne parviendrait jamais à retrouver.

Toutefois, elle posa légèrement la main dans la sienne. Il la dévisagea tandis qu'elle montait à l'avant et prenait place sur les coussins de la banquette. Il faisait beau et chaud, et Kya, vêtue d'un short en jean et d'un chemisier en coton blanc – une tenue qu'elle avait imitée de celle des autres –, ressemblait à une fille ordinaire. Il s'assit à côté d'elle et elle sentit la manche du garçon lui effleurer doucement le bras.

Chase poussa le bateau vers l'océan. Au large, le hors-bord se mit à tanguer davantage que dans les eaux paisibles du marais, et elle devina que bientôt, à la faveur de ce mouvement, son bras toucherait à nouveau le sien. Anxieuse, elle gardait les yeux fixés vers le lointain, mais elle ne s'éloigna pas de lui. Finalement, une vague plus haute que les autres se souleva avant de retomber, et le bras du jeune homme, chaud et vigoureux, vint frotter le sien. Ils s'écartaient brusquement, puis se touchaient à nouveau à chaque mouvement de la mer. Et quand un rouleau les souleva, la cuisse de Chase effleura la sienne et elle en eut le souffle coupé.

Tandis qu'ils longeaient la côte vers le sud, alors que le bateau était la seule embarcation en ce lieu reculé, il accéléra. Durant dix minutes, plusieurs kilomètres de plage blanche défilèrent sur le rivage, protégés du reste du monde par une épaisse forêt. Droit devant eux, Point Beach étincelait comme un éventail d'un blanc aveuglant.

Chase n'avait pas prononcé un mot depuis le premier « Salut » ; elle n'avait pas parlé du tout. Il fit glisser le bateau jusqu'au rivage et posa le panier de pique-nique à l'ombre de la coque sur le sable.

« Tu veux faire un tour ? proposa-t-il.

– Oui. »

Ils marchèrent au bord de l'eau, chaque vaguelette entourant leurs chevilles de petits remous et aspirant leurs pieds quand elle repartait vers le large.

Il ne la tenait pas par la main, mais de temps à autre, d'un mouvement naturel, leurs doigts se frôlaient. Ici et là, ils s'agenouillaient pour examiner un coquillage ou une spirale d'algues transparentes aussi belle qu'une œuvre d'art. Une lueur amusée dansait dans les yeux bleus de Chase, il souriait facilement. Il avait la peau aussi brune que la sienne. Tous deux grands et élégants, ils se ressemblaient.

Kya savait que Chase avait choisi de ne pas aller à l'université et de travailler pour son père. Il était une sorte de héros local, le coq de la basse-cour. Et au fond d'elle-même, elle se demanda si elle n'était pas elle aussi une sculpture de la plage, une curiosité qu'il retournerait dans ses mains, avant de la rejeter sur le sable. Mais elle continua de marcher. Elle avait donné sa chance à l'amour ; maintenant elle voulait seulement remplir les espaces vides. Alléger sa solitude tout en protégeant son cœur.

Au bout de presque un kilomètre, lui faisant face, il inclina le torse, balayant l'air en une invitation chevaleresque et exagérée à s'asseoir sur le sable contre un tronc de bois flotté. Ils enfoncèrent les pieds dans les cristaux blancs et s'allongèrent.

De sa poche, Chase tira un harmonica.

« Oh, dit-elle, tu sais jouer. » Les mots lui paraissaient rugueux sur sa langue.

« Pas très bien. Mais quand j'ai un public de choix, adossé contre un tronc de bois flotté sur la plage… » Fermant les yeux, il joua « Shenandoah », sa paume palpitant sur l'instrument tel un oiseau contre une vitre. C'était une jolie musique plaintive, qui semblait provenir d'une maison désormais lointaine. Puis, brusquement, il s'arrêta au milieu de la chanson et ramassa un coquillage un peu plus grand qu'une pièce de cinq cents, d'un blanc laiteux constellé de brillantes taches rouges et violettes.

« Regarde-moi ça un peu, dit-il.

– Oh c'est une coquille Saint-Jacques mouchetée ! *Pecten ornatus*, dit Kya. On en voit assez rarement. Il y en a beaucoup qui appartiennent à ce genre dans les parages, mais cette espèce particulière vit en général plus au sud parce que les eaux d'ici sont trop froides pour elle. »

Il la regarda avec surprise. Il avait entendu beaucoup de ragots sur elle, mais personne n'avait jamais raconté que la Fille des marais, celle qui ne savait même pas épeler le mot « sac », connaissait les noms latins des coquillages, et savait où on les trouvait – il se demandait bien pourquoi, pour l'amour du ciel !

« Ça je n'en sais rien, dit-il, mais regarde, elle est toute tordue. » Les petites ailettes qui apparaissaient de chaque côté de la charnière étaient déformées, et on voyait un petit trou parfait à la base. Il retourna la coquille Saint-Jacques dans sa paume. « Tiens, garde-la. C'est toi la fille-coquillages.

– Merci. » Elle la glissa dans sa poche.

Il joua encore quelques airs, terminant par un « Dixie » endiablé, et ensuite ils retournèrent vers le panier de pique-nique en osier et prirent place sur un plaid pour manger du poulet froid, du jambon cru et des biscuits, ainsi qu'une salade de pommes de terre. Des cornichons en saumure et d'autres, aigres-doux. Des tranches de quatre-quarts nappées d'un épais glacis de caramel. Le tout fait maison, enveloppé dans du papier paraffiné. Il ouvrit deux bouteilles de Royal Crown Cola et remplit deux gobelets en carton – la première fois qu'elle buvait un soda de sa vie. Ce repas généreux lui parut incroyable, avec ces serviettes en tissu soigneusement disposées, ces assiettes et ces couverts en plastique. Il y avait même une salière et un poivrier minuscules. C'était sa mère qui devait l'avoir préparé, se dit-elle, ignorant qu'il allait retrouver la Fille des marais. Ils parlèrent paisiblement des oiseaux de mer – les pélicans qui glissaient sur l'eau et les chevaliers des sables qui sautillaient – sans jamais se toucher, ne riant que rarement. Quand Kya lui montra un vol de pélicans en formation irrégulière, il hocha la tête, se rapprocha d'elle, si bien que leurs épaules se touchèrent un peu. Elle tourna la tête vers lui, et il lui souleva le menton pour l'embrasser. Il lui effleura le cou, puis ses doigts glissèrent avec légèreté sur son chemisier en direction de son sein. Il l'embrassa, la serra dans ses bras, et il se renversa en arrière jusqu'à ce qu'ils se retrouvent allongés sur la couverture. D'un lent mouvement de reptation, il la chevaucha, plaquant sa braguette entre ses jambes, et remonta prestement son chemisier. Elle détourna la tête et se tortilla pour lui échapper, ses yeux plus sombres que la nuit lançant des éclairs. Remit son chemisier en place.

« Du calme du calme. Tout va bien. » Elle resta étendue là – ses cheveux balayant le sable, le visage empourpré, ses lèvres rouges entrouvertes –, étonnante de beauté. Précautionneusement, il tendit la main pour lui caresser le visage, mais aussi vite qu'une chatte, elle s'écarta de lui et bondit sur ses pieds.

Kya respirait avec difficulté. La nuit dernière, alors qu'elle dansait seule sur la plage de la lagune, oscillant sous la lune parmi les éphémères, elle s'était imaginée qu'elle était prête. Pensait qu'elle savait tout de l'accouplement après avoir observé les colombes. Personne ne lui avait jamais parlé de sexe, et sa seule expérience des jeux préliminaires était celle qu'elle avait partagée avec Tate. Mais elle connaissait les détails grâce à ses livres de biologie et elle avait vu plus de créatures copuler – et il ne s'agissait pas seulement de « se frotter le derrière l'un contre l'autre », comme Jodie lui avait dit – que la plupart des gens auraient la chance d'en voir.

Mais tout cela avait été trop rapide – on part en pique-nique, et on couche avec la Fille des marais. Même les oiseaux courtisent leurs femelles pendant un temps, ils exhibent leur plumage brillant, ils construisent de jolis abris, ils mettent en scène des ballets magnifiques et chantent des sérénades. Bien sûr, Chase avait préparé un festin, mais elle valait mieux qu'un peu de poulet froid. Et « Dixie » pouvait difficilement être confondue avec un chant d'amour. Elle aurait dû deviner que les choses se passeraient ainsi. Le seul moment où les mammifères mâles s'approchent des femelles, c'est quand ils sont en rut.

Tandis qu'ils se regardaient, le silence se fit plus pesant, interrompu seulement par le bruit de leurs respirations et des vagues qui se fracassaient. Chase se releva et lui tendit la main, mais elle le repoussa.

« Je suis désolé. Ne t'en fais pas », dit-il en se redressant. C'est vrai, il était venu là pour coucher avec elle, pour être le premier, mais en voyant ses yeux de braise, il était entré en transe. Il essaya de nouveau : « Allons, Kya. Je t'ai dit que j'étais désolé. Oublions ça. Je vais te ramener à ton bateau. »

À ces mots, elle se retourna et, traversant la plage, s'enfuit vers les bois en titubant.

« Mais qu'est-ce que tu fais ? Tu ne peux pas rentrer à pied, on est à plusieurs kilomètres. » Mais déjà elle s'enfonçait entre les arbres en marchant droit devant elle, s'enfonçant d'abord dans les terres avant de traverser la presqu'île pour rejoindre son bateau. Elle ne connaissait pas ces lieux, mais les merles la guidèrent pour lui montrer le chemin à travers le marais intérieur. Elle ne ralentit pas pour éviter les tourbières ou les ravines, franchit les ruisseaux en soulevant des gerbes d'eau, sauta par-dessus les arbres abattus.

Finalement, haletante, elle tomba à genoux. Lâchant des jurons éculés. Tant qu'elle pestait ainsi, les sanglots ne pouvaient pas monter. Mais rien n'aurait su effacer sa honte brûlante et sa tristesse infinie. Le simple espoir d'être avec quelqu'un, de voir sa compagnie enfin désirée, d'être touchée, l'avait attirée. Mais ces mains baladeuses et pressées ne voulaient que la prendre, ni partager ni donner.

Elle s'assura qu'il ne la suivait pas, ne sachant pas vraiment si elle voulait ou non le voir surgir des broussailles, la prendre dans ses bras, la supplier de lui pardonner. Furieuse à nouveau de sa propre hésitation. Ensuite, épuisée, elle se releva et reprit son chemin jusqu'à sa barque.

24

La tour de guet

1965

Cet après-midi-là, les cumulonimbus s'amoncelaient et se pressaient contre l'horizon tandis que Kya rejoignait la mer. Elle n'avait pas revu Chase depuis le pique-nique à la plage dix jours plus tôt, mais elle sentait toujours l'empreinte de son corps ferme qui écrasait le sien contre le sable.

Il n'y avait aucun autre bateau en vue tandis qu'elle se dirigeait vers une crique au sud de Point Beach, où elle avait vu un jour des papillons extraordinaires – d'un blanc si surnaturel qu'ils auraient pu être albinos. Mais une quarantaine de mètres plus loin, elle réduisit soudain les gaz en voyant les amis de Chase charger des paniers de pique-nique et des serviettes de bain colorées dans leurs bateaux. Kya fit rapidement demi-tour pour s'éloigner sans attendre mais, n'écoutant pas ce premier mouvement, elle changea d'avis et se retourna pour le chercher du regard. Elle savait parfaitement que ce désir n'avait aucun sens. Un comportement illogique pour remplir un vide et qui ne ferait pas grand-chose de plus. Combien faut-il être prêt à donner pour vaincre sa propre solitude ?

Et là, près de l'endroit où il l'avait embrassée, elle le vit marcher, portant des cannes à pêche, en direction de son hors-bord. Derrière lui, Éternel-collier-de-perles trimballait une glacière.

Soudain, Chase tourna la tête et il scruta l'endroit où elle laissait dériver son bateau. Elle ne chercha pas à esquiver son regard. Mais comme toujours, sa timidité l'emporta, elle détourna les yeux, s'éloigna à toute allure, et manœuvra pour se réfugier dans une petite baie ombragée. Elle attendrait là que leur flottille soit partie avant de rejoindre elle-même la plage.

Dix minutes plus tard, elle reprenait la mer et, droit devant, elle aperçut Chase, seul sur son bateau, au milieu des vagues qui bondissaient. Il attendait.

Le vieux désir revint en force. Chase s'intéressait toujours à elle. Bien sûr, il s'était montré un peu trop pressant au pique-nique, mais il s'était arrêté quand elle l'avait repoussé. S'était excusé. Peut-être devrait-elle lui donner une seconde chance.

Il lui fit signe de venir plus près et s'écria : « Salut, Kya. »

Elle ne se rapprocha pas, mais ne s'éloigna pas non plus. Ce fut lui qui alla vers elle.

« Kya, je suis désolé pour l'autre jour. Tu comprends ? Allez, je t'en prie, je veux te montrer la tour de guet. »

Elle ne répondit pas, laissant son bateau dériver lentement vers le sien, sachant que c'était une faiblesse de sa part.

« Écoute, si tu n'es jamais montée au sommet de cette tour, sache qu'on a une vue imprenable sur le marais de là-haut. Suis-moi. »

Elle augmenta les gaz, se rapprocha encore, sans cesser de surveiller la mer pour s'assurer que ses amis n'étaient plus en vue.

Chase fit route vers le nord ; ils dépassèrent Barkley Cove – qui paraissait serein et pittoresque dans le lointain – et ils accostèrent sur la plage d'une petite baie bordée par une épaisse forêt. Une fois les bateaux amarrés, il lui fit prendre un sentier envahi de myrte sauvage et de buissons de houx. Elle n'était jamais venue dans ces bois détrempés et envahis de racines, parce qu'ils se trouvaient de l'autre côté du bourg et trop près des habitations. Tandis qu'ils marchaient, de petits filets d'eau dormante ruisselaient sous les broussailles, des rappels furtifs qu'un jour la mer avait été maîtresse de cette terre.

Puis ils pénétrèrent dans un véritable marais, avec ses odeurs d'humus et de décomposition. Tout à la fois imprévisible, secret et silencieux, il s'avançait jusqu'à l'orée de la sombre forêt qui reculait devant lui.

Kya aperçut la vieille plate-forme en bois de la tour de guet abandonnée surplombant les arbres, et quelques minutes plus tard, ils parvenaient devant ses piliers écartés et mal équarris. De la boue noire s'amassait autour de la base et sous la tour elle-même, et la moisissure rongeait peu à peu les traverses. Des escaliers montaient jusqu'au sommet, l'ensemble de la structure devenant plus étroit à chaque niveau.

Après avoir traversé ce bourbier, ils entamèrent l'ascension, Chase montrant le chemin. Parvenus au cinquième étage, ils découvrirent les forêts de chênes qui s'étendaient vers l'ouest à perte de vue. Dans toutes les autres directions, courants, lagunes, ruisseaux et estuaires tissaient leur toile à travers de hautes herbes vertes jusqu'à la mer. Kya n'avait jamais vu le marais d'aussi haut. Maintenant toutes les pièces du puzzle étaient sous ses yeux, et elle voyait le visage entier de cette terre amie pour la première fois.

Quand ils parvinrent à la dernière marche, Chase poussa sur la grille de fer qui obstruait la cage d'escalier. Quand ils se furent hissés sur la plate-forme, il la laissa retomber. Avant de poser le pied dessus, Kya éprouva sa résistance en la tapotant du bout des orteils. Chase éclata de rire. « Elle est solide, ne t'inquiète pas. » Il la mena jusqu'à la balustrade, d'où ils balayèrent les marécages du regard. Deux buses à queue rousse, le vent sifflant à travers leurs ailes, volèrent jusqu'à leur niveau, manifestement surprises de voir deux êtres humains envahir leur espace.

Chase se retourna : « Merci d'être venue, Kya. De m'avoir donné une seconde chance de te dire que je suis désolé pour l'autre jour. J'ai dépassé toutes les bornes et ça ne se reproduira pas. »

Elle ne dit rien. Une partie d'elle-même avait envie de l'embrasser maintenant, de sentir sa vigueur tout contre elle.

Fouillant dans la poche de son jean, elle lui dit : « J'ai fait un collier avec le coquillage que tu as trouvé. Tu n'es pas obligé de le porter si tu ne veux pas. » Elle avait enfilé le coquillage sur un cordon de cuir la veille au soir, en pensant le porter elle-même, tout en sachant pertinemment qu'elle espérait revoir Chase et le lui donner si elle en avait la possibilité. Toutefois, même au cours de sa rêverie mélancolique, elle n'aurait jamais imaginé qu'ils se retrouveraient ensemble en haut d'une tour de guet dominant le monde. Un sommet !

« Merci, Kya. » Il regarda le pendentif, se le passa autour du cou, et caressa le coquillage quand il retomba sur son sternum. « Bien sûr que je vais le porter. » Il avait su éviter des mots aussi banals que « il ne me quittera plus jamais » ou « je le porterai jusqu'à ma mort ».

« Emmène-moi chez toi », demanda soudain Chase. Kya eut une vision de sa cabane blottie sous les chênes, ses planches grises piquées par la rouille qui se détachait du toit. Les moustiquaires qui avaient plus de trous que de mailles. Un ramassis de pièces détachées.

« C'est loin, se contenta-t-elle de répondre.

– Kya, ça m'est égal que ce soit loin ou à quoi ça ressemble. Viens, allons-y. » La chance d'être enfin acceptée pourrait s'évanouir si elle refusait.

« D'accord. » Ils redescendirent de la tour, et il la ramena vers la baie, puis lui fit signe de passer devant. Elle se dirigea vers le sud à travers un labyrinthe d'estuaires, et pencha la tête en entrant dans son chenal pour éviter les branches basses. Le bateau de Chase était presque trop grand pour se frayer un chemin dans cette jungle, il était en tout cas trop bleu, trop blanc, mais il réussit à se faufiler à travers les arbres qui griffaient sa coque.

Dans sa lagune, chaque détail délicat des branches moussues et des feuilles brillantes se reflétait dans l'eau pure et sombre à la fois. Les libellules et les aigrettes neigeuses décollèrent un instant en voyant cette étrange embarcation, puis se posèrent à nouveau avec grâce en battant de leurs ailes silencieuses. Kya amarra sa barque tandis que Chase remontait jusqu'au rivage. Le grand héron bleu, qui avait depuis longtemps accepté ces créatures moins sauvages que lui, resta campé à quelques pas, aussi immobile qu'une cigogne.

Elle avait fait la lessive et ses salopettes élimées et ses vieux T-shirts étaient suspendus à la corde. Quant aux radis, ils avaient tellement poussé en direction des bois alentour qu'il était difficile de déterminer les limites du jardin et des terres encore incultes.

Observant la véranda aux moustiquaires rapiécées, il demanda : « Ça fait combien de temps que tu vis seule ici ?

– Je ne sais plus exactement quand Pa est parti. Environ dix ans, je suppose.

– Ça doit être chouette de vivre sans parents pour te dire ce qu'il faut faire. »

Pour toute réponse, Kya lui dit : « Il n'y a rien à voir à l'intérieur. » Mais déjà il montait les marches du perron. Il remarqua d'abord les collections disposées sur les étagères qu'elle avait fabriquées. Un collage de la vie qui frémissait par-delà les moustiquaires.

« C'est toi qui as fait tout ça ? s'enquit-il.

– Oui. »

Il observa brièvement quelques papillons mais s'en désintéressa assez vite. Il songeait : *À quoi sert de garder des trucs qu'on peut voir dehors juste devant sa porte ?*

La couverture de son matelas posé à même le plancher de la véranda était aussi élimée qu'un vieux peignoir, mais le lit était fait. Quelques pas encore, et ils entrèrent dans le petit séjour, avec son canapé affaissé, puis il jeta un coup d'œil dans la chambre du fond, où des plumes de toutes les couleurs, de toutes les formes, de toutes les tailles décoraient les murs.

Elle le conduisit dans la cuisine, se demandant ce qu'elle pouvait bien lui proposer. Bien sûr, elle n'avait ni Coca-Cola ni thé glacé, pas de gâteaux secs, ni même de biscuits. Un reste de pain de maïs était posé sur la cuisinière à côté d'une casserole de haricots écossés qu'elle s'apprêtait à faire bouillir pour son dîner. Rien à offrir à un invité.

Par habitude, elle ajouta quelques morceaux de bois dans le poêle. Tisonna doucement les braises, et les flammes jaillirent aussitôt.

« Et voilà », dit-elle en lui tournant le dos, tandis qu'elle tirait de l'eau pour remplir la bouilloire cabossée – une image des années 1920 qui aurait surgi dans les années 1960. Pas d'eau courante, pas d'électricité, pas de salle de bains. La baignoire en zinc, au bord rouillé et déformé, était installée dans un coin de la cuisine. Dans le garde-manger se trouvaient des restes de nourriture soigneusement couverts par des torchons, et le réfrigérateur ventru était maintenu ouvert par une tapette à mouches. Chase n'avait jamais rien vu de semblable. Il actionna la pompe, regarda l'eau couler dans la cuvette en émail qui servait d'évier. Posa la main sur les bûches empilées en bon ordre contre le poêle. Les seules sources de lumière étaient quelques lampes à pétrole, leurs globes de verre rendus opaques par la fumée.

Chase était son premier visiteur depuis le départ de Tate, dont la présence bienveillante lui avait semblé aussi naturelle que celle de n'importe quelle créature du marais. Devant Chase, elle se sentait vulnérable, comme si quelqu'un voulait la découper en filets tel un poisson. Elle se sentait envahie par la honte. Elle continuait à lui tourner le dos mais devinait qu'il se déplaçait dans la pièce en percevant les grincements familiers du plancher. Puis il s'approcha d'elle, la fit se retourner, et la prit doucement dans ses bras. Il posa les lèvres contre ses cheveux, et elle sentit son haleine tout près de son oreille.

« Kya, je ne connais personne qui aurait pu vivre ici seul, la plupart de mes copains, même les garçons, auraient eu trop peur. »

Elle pensa qu'il allait l'embrasser, mais il laissa retomber ses bras et se dirigea vers la table.

« Qu'est-ce que tu attends de moi ? demanda-t-elle. Dis-moi la vérité.

– Écoute, je ne vais pas te mentir. Tu es magnifique, libre, aussi imprévisible qu'une averse. L'autre jour, j'ai essayé de m'approcher autant que possible. Qui ne l'aurait pas fait à ma place ? Mais ce n'était pas bien. Je n'aurais jamais dû faire ça. Je veux seulement être auprès de toi, tu comprends ? Je veux qu'on apprenne à se connaître.

– Et après ?

– Après on verra où on en est. Je ne tenterai plus rien sauf si tu me le demandes. Qu'est-ce que tu en dis ?

– Ça me va.

– Tu m'as raconté qu'il y avait une plage par ici. Allons-y. » Elle découpa quelques tranches du pain de maïs qui restait pour les mouettes et les goélands, puis ouvrit la marche jusqu'à ce que le sentier débouche sur le sable brillant et la mer. Elle lança un petit cri, les oiseaux vinrent virevolter autour de ses épaules. Le grand mâle, Big Red, se posa et sautilla de long en large entre ses pieds.

Chase demeura un peu à distance, regardant Kya disparaître dans les tourbillons des oiseaux. Il n'avait pas prévu de ressentir quelque chose pour cette étrange sauvageonne aux pieds nus, mais à la voir tournoyer sur le sable, des oiseaux au bout des doigts, il fut fasciné par son indépendance autant que par sa beauté. Il n'avait jamais connu personne qui lui ressemblait ; sa curiosité et son désir s'éveillèrent ensemble. Quand elle revint vers lui, il lui demanda s'il pouvait lui rendre visite le lendemain, promit qu'il ne lui prendrait même pas la main, qu'il voulait juste être à ses côtés. Elle se contenta de hocher la tête. Le premier espoir qui la traversait depuis la désertion de Tate.

25

Une visite de Patti Love

1969

On frappa quelques coups discrets à la porte du bureau du shérif. Joe et Ed levèrent la tête quand la silhouette de Patti Love Andrews, la mère de Chase, se dessina, sombre et fragmentée, derrière le verre dépoli. Reconnaissable entre toutes grâce à sa robe et son chapeau noirs. Des cheveux châtains qui grisonnaient, relevés en un chignon parfait. Une touche bienséante d'un rouge à lèvres discret.

Tous deux se levèrent, et Ed ouvrit la porte.

« Bonjour, Patti Love. Entrez, asseyez-vous. Est-ce que je peux vous proposer du café ? »

Elle guigna les tasses à moitié vides, aux bords maculés de coulées brunes. « Non merci, Ed. » Elle prit place sur la chaise que Joe avait approchée.

« Est-ce que vous avez trouvé une piste ? De nouvelles informations depuis le rapport du laboratoire ?

– Non, rien. On est en train de tout passer au peigne fin ; Sam et vous serez les premiers à être mis au courant si on découvre quoi que ce soit.

– Mais ça n'était pas un accident, Ed, vous êtes d'accord ? Je sais que ça n'était pas un accident. Chase ne serait jamais tombé de la tour tout seul. Vous savez quel sportif c'était. Et intelligent, en plus.

– C'est vrai qu'il y a assez de preuves pour soupçonner un mauvais coup. Mais l'enquête est en cours, et on n'a rien de solide pour l'instant. Par contre, il paraît que vous aviez quelque chose à me dire ?

– Oui, et je crois que c'est important. » Le regard de Patti Love passa de Ed à Joe, et revint vers Ed. « Il y a ce coquillage en pendentif que Chase portait tout le temps. Depuis des années. Je sais qu'il l'avait au cou le soir où il est allé à la tour. Il était passé dîner à la maison, vous vous rappelez, je vous l'ai déjà dit. Pearl ne pouvait pas venir. Elle jouait au bridge – et je suis sûre qu'il portait ce pendentif avant de partir pour la tour. Et ensuite, après que… enfin, quand on l'a revu à la clinique, il ne l'avait plus sur lui. J'ai supposé que le coroner avait dû le lui enlever, alors je n'en ai pas parlé à ce moment-là, et avec l'enterrement et tout le reste, j'avais oublié ce détail. Ensuite, l'autre jour quand je suis allée à Sea Oaks, j'ai demandé au coroner si je pouvais voir les affaires de Chase, ses effets personnels. Vous savez, ils avaient tout gardé pour l'examen du laboratoire, je voulais les prendre dans mes mains, rien que pour sentir ce qu'il portait la dernière nuit. Alors ils m'ont laissée m'asseoir à une table en me les confiant et, shérif, ce pendentif n'était plus là. J'ai demandé au coroner s'il le lui avait pris, et il m'a répondu que non, il n'y avait pas touché. Il a dit qu'il n'avait remarqué aucun collier.

– C'est très bizarre, dit Ed. Comment il était accroché ? Peut-être qu'il s'est détaché quand votre fils est tombé.

– C'était un simple coquillage suspendu à un cordon de cuir, juste assez long pour qu'il puisse l'enfiler. Il n'était pas lâche et il était fermé par un nœud. Je ne vois vraiment pas comment il aurait pu s'envoler.

– Vous avez raison. Le cuir, c'est résistant, et ça fait des nœuds solides, commenta Ed. Pourquoi est-ce qu'il le portait tout le temps ? Est-ce que quelqu'un à qui il tenait le lui avait fait ? Le lui avait donné ? »

Patti Love garda le silence et fixa le flanc du bureau. Elle craignait d'en dire plus parce qu'elle n'avait jamais accepté que son fils fréquente cette racaille. Bien sûr, dans la petite ville, on racontait que Chase et la Fille des marais avaient eu une aventure un an avant son mariage. Et Patti Love soupçonnait même que ça avait continué, mais quand des amis avaient posé des questions sur cette affaire, elle avait toujours nié. Aujourd'hui, les choses étaient différentes. Maintenant, elle devait dire la vérité parce qu'elle savait que cette femme n'était pas étrangère à la mort de son fils.

« Oui, je sais qui avait fait ce pendentif pour Chase. C'est cette femme qui circule dans les parages dans sa vieille barque à moitié démantibulée ; et depuis des années… Elle l'a fait et elle le lui a donné quand ils se sont fréquentés pendant un certain temps.

– Vous pensez à la Fille des marais ? » demanda le shérif.

Joe prit la parole : « Vous l'avez vue récemment ? C'est plus exactement une gamine, elle doit avoir environ vingt-cinq ans, et elle est franchement jolie.

– Vous parlez de la fille Clark ? Il s'agit juste d'essayer d'être clairs », intervint Ed, en fronçant les sourcils.

Patti Love reprit : « Je ne sais pas son nom. Ni même si elle en a un. Tout le monde l'appelle la Fille des marais. Vous la connaissez, c'est elle qui a vendu des moules à Jumping pendant des années.

– Exact. On parle bien de la même personne. Continuez.

– Eh bien, ça m'a fait un choc quand le coroner m'a dit que Chase ne portait pas le pendentif. Et ensuite il m'est venu à l'idée qu'elle était la seule personne qui pouvait avoir intérêt à le lui reprendre. Chase avait mis fin à leur liaison, et épousé Pearl. Comme elle ne pouvait pas l'avoir, il n'est pas impossible qu'elle l'ait tué et qu'elle ait récupéré le coquillage. »

Patti Love tremblait légèrement, puis elle reprit son souffle.

« Je vois. Effectivement, c'est très important, Patti Love, et ça vaut la peine de suivre cette piste. Mais n'allons pas trop vite en besogne, conseilla Ed. Vous êtes sûre que c'est elle qui le lui a donné ?

– Oui, j'en suis sûre. Je le sais parce que d'abord Chase ne voulait pas me l'avouer, mais il a fini par le faire.

– Vous savez autre chose à propos de ce pendentif ou de leur liaison ?

– Pas grand-chose. Je ne sais même pas exactement combien de temps ils se sont fréquentés. Personne ne le sait vraiment, sans doute ; il était très secret à ce sujet. Comme je vous l'ai dit, il ne m'en a pas parlé pendant des mois. Et par la suite, je ne savais jamais, quand il partait en bateau, s'il allait rejoindre ses copains ou la retrouver, elle.

– Bon, on va enquêter. Je vous le promets.

– Je vous remercie. Je suis certaine que c'est un indice. » Elle se leva pour partir, et Ed lui ouvrit la porte.

« Revenez chaque fois que vous voudrez parler, Patti Love.

– Au revoir, Ed. Au revoir, Joe. »

Après avoir refermé la porte, Ed se rassit, et Joe lui demanda : « Eh bien, qu'est-ce que tu en penses ?

– Si quelqu'un a retiré le pendentif du cou de Chase à la tour, ce quelqu'un pourrait bien être mêlé à l'affaire, et ça m'étonnerait pas que ce soit un habitant des marais. Ces gens ont leurs propres lois. Mais j'ai du mal à croire qu'une femme puisse avoir poussé un type grand et fort comme Chase par ce trou.

– Elle a pu l'attirer là-haut, ouvrir la grille avant qu'il arrive, et ensuite, quand il s'est approché dans le noir, elle a pu le pousser avant qu'il ait remarqué sa présence, supposa Joe.

– Ça m'a l'air plausible. Pas évident, mais plausible. C'est pas grand-chose comme piste. L'absence d'un coquillage.

– À ce stade, on n'en a pas d'autres. À part l'absence d'empreintes et quelques fibres mystérieuses.

– C'est vrai.

– Mais ce que j'arrive pas à comprendre, dit encore Joe, c'est pourquoi elle aurait pris la peine de lui retirer son pendentif ? D'accord, humiliée qu'elle était, elle était prête à tout pour le tuer. C'est déjà un peu léger comme mobile, mais pourquoi en plus reprendre le collier, alors que ça pouvait nous amener droit vers l'auteur du crime ?

– Tu sais comment ça se passe. Dans une affaire de meurtre, il y a toujours un détail qui cloche. Le coupable fait toujours une bévue. Peut-être que ça l'a rendue folle de rage qu'il porte encore ce pendentif, et après un crime pareil, ça lui a pas semblé si grave de le lui reprendre. Elle a peut-être pas eu l'idée qu'on pourrait faire le lien entre elle et ce coquillage. Tes sources disaient que Chase avait trempé dans un truc louche là-bas. Peut-être, comme tu l'as dit toi-même avant, que c'était pas une affaire de drogue, mais une histoire avec une femme. Cette femme-là.

– En somme, une autre sorte de drogue, dit Joe.

– En plus, les gens des marais savent comment effacer les traces, parce qu'ils posent des pièges, ils pistent le gibier, et tout et tout. Ça ferait pas de mal à mon avis d'aller faire un tour dans les parages et de poser quelques questions à cette fille. De lui demander où elle était ce soir-là. On pourrait aussi lui parler du pendentif et voir comment elle réagit.

– Tu vois où elle habite ? demanda Joe.

– Je sais pas bien comment on y va en bateau, mais je crois qu'on peut essayer avec le pick-up. Il faut prendre cette route en zigzag qui passe devant tout ce chapelet de lagunes. Il y a un bout de temps, j'avais été obligé de passer rendre quelques visites à son père. Un drôle de bonhomme, ce type.

– Quand est-ce qu'on y va ?

– Au lever du jour. Il faudrait arriver là-bas avant qu'elle mette les voiles. Demain. D'abord, on devrait retourner à la tour et rechercher ce pendentif pour de bon. Peut-être qu'il est resté là-bas depuis le début.

– Je me demande bien comment. On a fouillé partout, à la recherche de traces, d'empreintes, d'indices…

– Il faut quand même qu'on le fasse. Allons-y. »

Plus tard, quand ils eurent gratté la boue au pied de la tour avec des râteaux et même avec leurs doigts, ils convinrent qu'il n'y avait là aucun pendentif.

Une lumière pâle se glissait sous le ciel bas et lourd de l'aube tandis qu'Ed et Joe suivaient la route des lagunes, en espérant trouver l'endroit où vivait la Fille des marais avant qu'elle ait eu le temps de filer en bateau quelque part. Ils se trompèrent plusieurs fois à différentes intersections et aboutirent dans des impasses face à des habitations délabrées. Devant une de ces baraques, quelqu'un cria : « Shérif ! » Et des individus presque nus s'égaillèrent dans toutes les directions et s'enfoncèrent dans les fourrés.

« Saloperies de drogués ! s'exclama le shérif. Au moins, les bouilleurs de cru gardaient leurs vêtements. »

Mais finalement, ils arrivèrent devant le long sentier qui conduisait jusqu'à la cabane de Kya. « C'est là », dit-il.

Il fit s'engager son gros pick-up sur le chemin et roula lentement vers la maison, puis ralentit pour s'arrêter à une vingtaine de mètres de la porte. Ils descendirent de voiture sans un bruit. Ed frappa sur le cadre en bois de la moustiquaire.

« Ohé ! Il y a quelqu'un ? » Aucune réponse ; il essaya de nouveau. Ils attendirent deux à trois minutes.

« Faisons un petit tour pour voir si son bateau serait pas dans les parages.

– Je crois pas. On dirait que c'est ça le poteau où elle amarre sa barque. Elle a déjà pris la poudre d'escampette, grommela Joe.

– Oui, elle a dû nous entendre arriver. Elle serait capable d'entendre un lapin dormir, cette fille ! »

La fois suivante, ils s'arrangèrent pour arriver avant l'aube, se garèrent au bord de la route et trouvèrent le bateau amarré au poteau. Cependant, cette fois non plus, personne ne répondit.

Joe murmura : « J'ai l'impression qu'elle est là à nous regarder. Pas toi ? Elle doit être planquée quelque part derrière ces palmiers nains. Vraiment pas loin. Je le sens. » Il tourna la tête, et balaya les broussailles du regard.

« Eh bien, je crois que ça va jamais marcher. Si on découvre quelque chose d'autre, on demandera un mandat. On lève le camp. »

26

Le bateau amarré

1965

Durant la première semaine de leur aventure, Chase s'arrêta dans la lagune de Kya presque tous les jours en sortant du travail chez Western Auto, et ils explorèrent les chenaux lointains bordés de chênes. Le samedi matin, il l'emmena en expédition sur la côte, jusqu'à un endroit où elle n'était jamais allée parce qu'il se trouvait trop loin pour son petit bateau. Là, à la place des estuaires et des immenses étendues d'herbes de son marais, on voyait l'eau claire scintiller à perte de vue à travers une lumineuse forêt de cyprès largement espacés. Des hérons et des cigognes d'une blancheur aveuglante étaient perchés parmi les nénuphars et autres plantes flottantes, une végétation si verte qu'elle semblait resplendir sous le soleil. Perchés sur des nœuds de cyprès aussi confortables que des chaises longues, ils dévorèrent des sandwiches tartinés de fromage au piment et des chips, souriant de toutes leurs dents tandis que des oies sauvages leur passaient juste sous les orteils.

Comme pour la plupart des gens, le marais était pour Chase un endroit à exploiter, où il allait faire du bateau et pêcher, qu'on pouvait assécher pour le cultiver, et donc la connaissance qu'avait Kya de ses créatures, de ses courants, et de ses roseaux l'intriguait. Mais il se moquait gentiment de sa délicatesse, de la façon dont elle s'appliquait à se déplacer à petite vitesse, laissant dériver son bateau sans un bruit pour ne pas effrayer les cerfs, baissant la voix près des nids d'oiseaux. Apprendre à connaître les coquillages ou les plumes ne l'intéressait pas du tout, et il se montrait sceptique quand elle prenait des notes dans son journal ou qu'elle collectionnait des spécimens.

« Pourquoi tu peins de l'herbe ? demanda-t-il un jour dans sa cuisine.

– C'est les fleurs que je peins. »

Il éclata de rire.

« Mais les herbes n'ont pas de fleurs.

– Bien sûr que si. Regarde un peu. Elles sont minuscules, mais très belles. Chaque espèce d'herbe fleurit d'une manière différente.

– Qu'est-ce que tu vas faire de tous ces trucs de toute façon ?

– Je constitue des dossiers pour en apprendre toujours plus sur le marais.

– Tout ce qu'il y a à savoir c'est quand et où le poisson mord, et ça, moi je peux te le dire. »

Elle riait pour lui faire plaisir, ce qu'elle n'avait jamais fait pour personne. Renonçant à une partie d'elle-même rien que pour ne pas perdre sa compagnie.

Cet après-midi-là, après le départ de Chase, Kya partit seule en bateau dans le marais. Mais la solitude ne lui pesait pas. Elle accéléra un peu plus que d'ordinaire, ses longs cheveux flottant au vent, un léger sourire aux lèvres. Rien que savoir qu'elle le reverrait bientôt, qu'elle serait avec quelqu'un, c'était comme la promesse d'un nouvel espace. Puis, au détour d'une boucle de la rivière envahie de hautes herbes, elle aperçut Tate. Il était encore assez loin, à une quarantaine de mètres, et il n'avait pas entendu son bateau. Aussitôt, elle réduisit les gaz et coupa le moteur. S'empara de la rame et recula dans les broussailles.

« Il doit être rentré de l'université, je suppose », chuchota-t-elle. Elle l'avait entrevu plusieurs fois au cours de ces années, mais jamais de si près. Et voilà qu'il était là, sa tignasse s'échappant d'une casquette rouge toute neuve. Le visage hâlé.

Chaussé de cuissardes, Tate arpentait la lagune, récoltant des échantillons d'eau dans de minuscules flacons. Non pas des bocaux à confiture comme quand ils étaient enfants et qu'ils allaient pieds nus, mais de vrais tubes à essai qui cliquetaient sur un présentoir spécial. Un air de professeur. Ils ne jouaient plus dans la même cour.

Elle ne s'éloigna pas tout de suite ; elle l'observa pendant un moment, songeant que chaque fille se souvient sans doute de son premier amour. Elle poussa un long soupir, puis repartit à la rame par où elle était venue.

Le lendemain, alors que Chase et Kya faisaient route vers le nord en longeant la côte, quatre marsouins entrèrent dans leur sillage et les suivirent. Le ciel était gris, et les doigts du brouillard effleuraient les vagues. Chase coupa le moteur et, laissant le bateau dériver, il sortit son harmonica et joua la vieille chanson « Michael Rowed the Boat Ashore », une mélodie entraînante que chantaient les esclaves dans les années 1860 alors qu'ils ramaient depuis le continent jusqu'aux îles de Caroline du Sud. Ma la fredonnait autrefois en faisant le ménage, et Kya se souvenait plus ou moins des paroles. Comme si la musique les inspirait, les marsouins s'approchèrent et entourèrent le bateau, leurs yeux perçants fixant ceux de Kya. Puis deux d'entre eux frôlèrent presque la coque, et elle pencha la tête pour se retrouver à quelques centimètres des leurs, et leur chanta doucement :

Sister, help to trim dat boat, hallelujah
Bruder lend a helpin' hand, hallelujah.
My father gone to unknown land, hallelujah.
Michael rowed the boat ashore, hallelujah.
Jordan's river is deep and wide,
Meet my mother on the other side, hallelujah.
Jordan's river is chilly and cold
Chills the body but not the soul, hallelujah.

Les marsouins observèrent Kya pendant quelques secondes encore avant de disparaître dans la mer.

Au cours des semaines suivantes, Chase et Kya passèrent leurs soirées à paresser en compagnie des mouettes et des goélands sur la plage, étendus sur le sable encore chaud des rayons du soleil. Chase ne l'amenait jamais en ville, au cinéma ou aux bals populaires ; il n'y avait qu'eux deux, le marais, la mer et le ciel. Il ne l'embrassait pas, se contentait de lui tenir la main ou de lui enlacer légèrement les épaules dans la fraîcheur du soir.

Puis, une nuit, il s'attarda plus longtemps, et ils restèrent assis sur la plage sous les étoiles près d'un petit feu, leurs épaules se touchant, protégés par une couverture. Les flammes éclairaient leurs visages et la plage obscure, comme le font toujours les lueurs d'un feu de camp. Plongeant le regard dans le sien, il lui demanda : « Tu serais d'accord pour que je t'embrasse maintenant ? » Elle hocha la tête, il se pencha et l'embrassa, d'abord tout doucement, puis comme un homme.

Ils s'allongèrent sur la couverture et elle se blottit contre lui, aussi proche que possible, éprouvant la vigueur de son corps. Il la serra entre ses bras, mais ne toucha que ses épaules. Rien de plus. Elle respirait profondément, humant la douceur de l'air, le parfum de Chase, la mer, leur étreinte.

Rien que quelques jours plus tard, Tate, toujours en congé de l'université, prit la direction du chenal de Kya, pour la première fois depuis cinq ans. Il ne parvenait pas à s'expliquer pourquoi il ne l'avait jamais fait avant ce jour. Pour l'essentiel il s'était montré lâche, il avait honte. Enfin, il allait la retrouver, lui dire qu'il n'avait jamais cessé de l'aimer, et la supplier de lui pardonner.

Durant ces quatre ans à Chapel Hill, il s'était convaincu que Kya ne trouverait pas sa place dans le monde universitaire où il souhaitait faire la sienne. Pendant les quatre premières années, il avait essayé de l'oublier. Après tout, il y avait un certain nombre de filles pour le distraire à Chapel Hill. Il avait même eu quelques liaisons durables, mais aucune ne méritait la comparaison. Ce qu'il avait appris juste après l'ADN, les isotopes et les protozoaires, c'était qu'il était incapable de respirer sans Kya. Assurément, elle ne pouvait pas vivre dans le monde universitaire qu'il avait voulu intégrer, mais aujourd'hui il pouvait revenir vivre dans le sien.

Il avait tout prévu. Son professeur lui avait expliqué qu'il pouvait finir ses études en trois ans parce qu'il avait déjà mené les recherches nécessaires à son doctorat durant sa licence et que sa thèse était presque terminée. D'autre part, Tate avait appris récemment qu'un laboratoire de recherche national devait se construire près de Sea Oaks et qu'il avait de grandes chances d'être engagé comme chercheur à plein temps. Personne sur terre n'était mieux qualifié que lui : il avait étudié le marais des environs pendant toute sa vie, et bientôt il aurait le diplôme nécessaire pour en témoigner. Dans quelques années, il pourrait vivre dans le marais avec Kya et travailler au laboratoire. L'épouser. Si elle le voulait encore.

Maintenant, tandis que son bateau bondissait parmi les vagues pour gagner son chenal, il vit soudain filer celui de Kya vers le sud, dessinant un tracé perpendiculaire au sien. Il lâcha la barre, leva haut les bras en les agitant frénétiquement pour attirer son attention. Il cria son nom. Mais elle regardait vers l'est. Tate tourna à son tour la tête dans cette direction et aperçut le hors-bord de Chase qui voguait vers elle. Tate mit son moteur au ralenti, et observa Kya et Chase qui virevoltaient l'un autour de l'autre entre les vagues bleu-gris dans un tourbillon de remous déchaînés, décrivant des cercles concentriques toujours plus rapprochés, comme des aigles qui dansent dans le ciel une parade nuptiale.

Tate continua de fixer le spectacle quand ils se rejoignirent et que leurs doigts s'unirent dans l'eau bouillonnante. Il avait entendu des rumeurs à ce sujet de la bouche de ses vieux amis à Barkley Cove mais avait espéré qu'elles n'étaient pas fondées. Il comprenait comment Kya avait pu être séduite par un tel homme, beau, sans doute romantique, qui l'emportait dans son bateau de luxe, et préparait pour elle des pique-niques de choix. Elle ne savait sans doute rien de ce qu'il faisait en ville – de ses conquêtes, de jeunes femmes de Berkeley, et même de Sea Oaks.

Et puis, songea-t-il, *je n'ai vraiment rien à dire. Je ne l'ai pas traitée mieux que lui. Je n'ai pas tenu ma promesse, je n'ai même pas eu le cran de rompre.*

Il baissa la tête, leur jeta un dernier regard, juste à temps pour voir Chase se pencher pour l'embrasser. *Kya, Kya*, se demanda-t-il, *comment ai-je pu te quitter ?* Lentement, il reprit son accélération et fit demi-tour en direction du port pour aller aider son père à décharger la pêche du jour.

Quelques jours plus tard, ne sachant jamais quand Chase pouvait arriver, Kya se surprit une fois encore à guetter le bruit de son moteur. Exactement comme elle le faisait autrefois pour Tate. Qu'elle soit en train d'arracher de mauvaises herbes, de couper du bois de chauffe, ou de pêcher des moules, elle penchait la tête pour entendre le ronronnement familier. « Tends l'oreille », avait coutume de dire Jodie. Fatiguée de se laisser attrister par les espoirs déçus, elle fourra dans son sac à dos des provisions pour trois jours : biscuits, lard et sardines, et alla à la vieille hutte de rondins branlante ; « la cahute de lecture », comme elle aimait à l'appeler. Là-bas, loin de tout, elle était libre de vagabonder, de s'occuper de ses collections à sa guise, de lire les mots des livres et ceux de la nature. Ne plus attendre que quelqu'un arrive la libérait. Elle se sentait forte.

Dans un buisson de chênes kermès, passé le premier coude du sentier, elle trouva une minuscule plume provenant du cou d'un huart à collier roux, et elle éclata de rire. Elle rêvait d'en posséder une depuis si longtemps, et elle l'avait dénichée à un jet de pierre de sa porte.

Surtout, elle était venue pour lire. Depuis le départ de Tate tant d'années auparavant, elle n'avait aucun accès aux livres, et un matin, elle avait pris son bateau, dépassé Point Beach, et parcouru encore quinze kilomètres jusqu'à Sea Oaks, une ville un peu plus grande et plus huppée que Barkley Cove. Jumping lui avait expliqué que n'importe qui pouvait emprunter des livres à la bibliothèque municipale. Elle en avait d'abord douté, peu sûre que ce règlement s'applique aux habitants des marais, mais elle s'était décidée à vérifier.

Elle avait amarré son bateau au dock de la ville et traversé la place bordée d'arbres qui dominait la mer. Quand elle s'était dirigée vers la bibliothèque, personne ne l'avait observée, n'avait murmuré dans son dos, ou ne l'avait forcée à s'éloigner d'une vitrine. Ici, elle n'était pas la Fille des marais. Elle tendit à Mlle Hines, la bibliothécaire, une liste d'ouvrages spécialisés. « Pourriez-vous s'il vous plaît m'aider à emprunter *Principes de chimie organique* de Geissman, *Zoologie des invertébrés* de Jones et *Notions fondamentales d'écologie* d'Odum ? » Elle avait trouvé ces titres dans le dernier livre que Tate lui avait donné avant de la quitter pour partir à l'université.

« Oh mon Dieu, je vois ! Il va falloir que nous demandions un prêt interbibliothèques à l'université de Caroline du Nord à Chapel Hill pour obtenir ces ouvrages. »

Et maintenant, installée sur le seuil de la vieille hutte, elle avait en main un magazine de vulgarisation scientifique. Un article sur les stratégies de reproduction était intitulé « Les baiseurs furtifs ». Kya éclata de rire. Comme chacun sait, expliquait l'article, dans la nature, ce sont habituellement les mâles dotés des attributs sexuels secondaires les plus remarquables, comme ceux qui portent les plus grands bois, qui ont les voix les plus puissantes, les poitrails les plus larges et les connaissances les plus grandes, qui se réservent les meilleurs territoires parce qu'ils ont réussi à éloigner les mâles les plus faibles. Les femelles choisissent de s'accoupler avec ces alpha imposants et reçoivent en conséquence la semence contenant le meilleur ADN, qu'elles transmettent à leurs rejetons – un des phénomènes les plus impressionnants qui témoignent de la façon dont la vie sait s'adapter et se perpétuer. De plus, les femelles en question jouissent ensuite des meilleurs territoires pour leurs petits.

Toutefois, quelques mâles défavorisés, ni assez forts, ni assez beaux, ni assez intelligents pour se gagner de bons territoires, ont dans leur sac assez de tours pour tromper les femelles. Ils exhibent leurs corps moins robustes en bombant le torse, ou bien poussent des cris répétés – même de leur voix de fausset. En recourant aux mensonges et aux faux signaux, ils réussissent à obtenir un accouplement ici ou là. Des modèles réduits de crapauds, écrivait l'auteur, se tapissent dans l'herbe et se cachent près d'un mâle alpha qui coasse avec énergie et vigueur pour appeler les femelles. Quand plusieurs d'entre elles sont attirées par ces fortes vocalises en même temps, et que le mâle alpha est occupé à s'accoupler avec l'une d'elles, le mâle plus faible bondit et saute sur l'une des autres. Ce sont ces imposteurs qui sont appelés « baiseurs furtifs ».

Kya se rappela, des années auparavant, Ma mettant en garde ses sœurs aînées contre les jeunes gens qui faisaient vrombir leurs pick-up rouillés ou paradaient dans leurs tacots en poussant le volume de la radio. « Les vauriens font beaucoup de bruit », avait dit Ma.

Elle découvrit aussi en lisant qu'il existait une compensation pour les femelles. La nature a suffisamment de ressources pour s'assurer que les mâles qui émettent des signaux malhonnêtes ou passent d'une femelle à l'autre finissent invariablement seuls.

Un autre article traitait des combats autour du sperme. Chez la plupart des espèces vivantes, les mâles se livrent à une compétition effrénée pour féconder les femelles.

Les lions se battent parfois jusqu'à la mort ; chez les éléphants, les rivaux s'empoignent par la trompe et piétinent le sol tandis qu'ils se déchirent de leurs défenses. Bien que très ritualisés, les conflits aboutissent à de véritables mutilations.

Pour s'épargner de telles blessures, les inséminateurs de certaines espèces inventent des méthodes moins violentes, plus créatives. Les insectes sont les plus imaginatifs. Le pénis du mâle demoiselle est muni d'une petite pelle qui lui permet d'enlever le sperme de son prédécesseur avant de fournir le sien.

Kya reposa le magazine sur ses genoux, laissa son esprit vagabonder. Chez certains insectes, les femelles dévorent leurs compagnons ; chez les mammifères, des mères abandonnent leurs petits ; beaucoup de mâles mettent au point des manœuvres risquées et rusées pour vaincre leurs compétiteurs sur le terrain de la fertilité. Rien ne semble répréhensible tant que le mouvement de la vie continue. Rien à voir avec la part sombre de la nature, c'étaient seulement des moyens créatifs pour subsister contre toutes les vicissitudes de la vie. Assurément, pour les humains, il en existait davantage encore.

Après avoir trouvé Kya absente trois jours de suite, Chase commença à demander s'ils pouvaient convenir d'un jour et d'un moment pour la voir chez elle ou sur une plage ou une autre, et il arrivait toujours à l'heure. De loin, elle apercevait son bateau aux couleurs éclatantes – comme les plumes colorées des oiseaux à la période des amours – qui fendait les vagues et elle savait qu'il ne venait que pour elle.

Kya commença à imaginer qu'il pourrait l'emmener en pique-nique avec ses amis. Ils auraient ri tous ensemble, bondi dans les vagues, donné des coups de pied dans l'eau. Il l'aurait soulevée de terre, et l'aurait fait tourbillonner. Puis au milieu des autres, ils auraient partagé des boissons et des sandwiches apportés dans des glacières. Petit à petit, des images de mariage et d'enfants se formèrent dans son esprit en dépit de toutes ses résistances. *Sans doute un élan biologique qui me pousse à la reproduction*, se dit-elle. Mais pourquoi n'aurait-elle pas une famille à chérir comme tout le monde ? Pourquoi pas ?

Pourtant, chaque fois qu'elle essayait de lui demander quand il lui présenterait ses amis et ses parents, les mots lui restaient bloqués dans la gorge.

Alors qu'ils s'éloignaient du rivage par un jour de grande chaleur, quelques mois seulement après leur rencontre, il déclara que le temps était parfait pour piquer une tête.

« Je ne regarderai pas, dit-il, retire tes vêtements et saute, ensuite je te rejoindrai. »

Elle se campa devant lui, gardant tant bien que mal l'équilibre, mais quand elle fit passer son T-shirt pardessus sa tête, il ne détourna pas le regard. Il tendit la main et effleura sa poitrine ferme. Elle n'arrêta pas son geste. L'attirant à lui, il baissa la fermeture Éclair de son short et le fit glisser sur ses hanches étroites. À son tour, il retira son maillot et son short, et la poussa doucement à s'allonger sur les serviettes.

Agenouillé à ses pieds, sans dire un mot, il fit courir ses doigts comme un murmure de sa cheville gauche au creux de son genou, et remonta doucement le long de sa cuisse. Elle souleva le bassin à la rencontre de sa main. Ses doigts s'attardèrent en haut de la cuisse, effleurèrent l'étoffe de sa culotte, puis voletèrent au-dessus de son ventre, aussi légers qu'une pensée. Elle sentit sa paume remonter jusqu'à ses seins, et se tortilla pour lui échapper. Fermement, il la plaqua au sol et poursuivit jusqu'à son sein, décrivant un cercle autour du mamelon. Il la regarda, sans sourire, tandis que sa main redescendait pour tirer sur l'élastique de sa culotte. Elle le voulait, lui tout entier, et son corps s'avançait à la rencontre du sien. Mais quelques secondes plus tard, elle l'arrêta.

« Allons, Kya. Je t'en prie. On attend depuis si longtemps. J'ai été plutôt patient, tu ne trouves pas ?

– Chase, tu as promis.

– Mon Dieu, Kya, qu'est-ce qu'on attend ? » Il se redressa. « Je t'ai montré que tu comptes vraiment pour moi. Pourquoi tu ne veux pas ? » S'asseyant à son tour, elle baissa son T-shirt. « Mais après, il se passe quoi ? Comment je peux être sûre que tu ne me quitteras pas ?

– On ne peut jamais être sûr de rien. Mais, Kya, je ne m'en vais nulle part. Je suis en train de tomber amoureux de toi. Je veux être avec toi tout le temps. Qu'est-ce que je peux faire d'autre pour te le prouver ? »

Il n'avait jamais parlé d'amour avant. Kya plongea dans ses yeux à la recherche de la vérité, mais ne trouva qu'un regard dur. Indéchiffrable. Elle ne savait pas exactement ce qu'elle éprouvait pour Chase, mais au moins, elle ne se sentait plus seule. Cela semblait lui suffire.

« Bientôt, OK ? » Il l'attira à lui. « D'accord. Viens ici. » Il la prit dans ses bras et ils restèrent là sous le soleil, dérivant au fil de l'eau, dans le clapotis des vagues qui soulevaient doucement la coque. Le jour s'écoula et la nuit tomba brusquement, les lumières de la bourgade dansant çà et là sur le rivage lointain. Les étoiles clignotaient au-dessus de leur monde de mer et de ciel.

« Je me demande bien ce qui fait clignoter les étoiles.

– Des perturbations dans l'atmosphère. Tu sais, comme les grands vents atmosphériques.

– Ah vraiment ?

– Tu sais sans doute que la plupart des étoiles sont trop loin de nous pour qu'on les voie. On ne perçoit que leur lumière, qui peut être déformée par l'atmosphère. Mais, bien sûr, les étoiles ne sont pas fixes, elles se déplacent même très rapidement. »

Dans les livres d'Albert Einstein, Kya avait appris que le temps n'est pas plus fixe que les étoiles. Le temps file et tourne autour des planètes et des soleils, il n'est pas le même dans les montagnes et dans les vallées, il est de la même nature que l'espace, qui s'incurve et enfle comme le fait la mer. Les objets, qu'il s'agisse de planètes ou de pommes, tombent ou tournent en orbite, non pas à cause de la force de gravité, mais parce qu'ils chutent entre les plis soyeux de l'espace-temps – pareils aux rides qui se dessinent à la surface d'un étang – formés par ceux qui ont une masse supérieure.

Mais Kya garda tout cela pour elle. Malheureusement, la gravité n'a aucune influence sur les pensées humaines, et on enseigne encore au lycée que les pommes tombent à cause d'une force puissante émanant de la Terre.

« Ah, j'ai oublié de te dire, annonça Chase, on m'a demandé d'entraîner l'équipe de foot du lycée. »

Elle lui sourit.

Puis elle songea : *Comme toutes choses dans l'univers, nous dégringolons peu à peu, happés par ces masses supérieures*.

Le lendemain matin, au cours d'une de ses expéditions vers le Piggly Wiggly qu'elle ne faisait plus que rarement pour acheter des articles qu'elle ne trouvait pas chez Jumping, en sortant de l'épicerie, Kya se retrouva nez à nez avec les parents de Chase – Sam et Patti Love. Ils savaient qui elle était – comme tout le monde.

Elle les avait vus de temps à autre en ville durant toutes ces années, généralement de loin. On pouvait apercevoir Sam à son comptoir du Western Auto, s'occupant de ses clients, ouvrant son tiroir-caisse. Kya se rappela que, quand elle était gamine, il la forçait à s'éloigner de la vitrine comme si elle risquait d'effrayer de vrais acheteurs prospectifs. Patti Love ne travaillait pas à plein temps à la boutique, ce qui lui laissait tout loisir d'arpenter les rues, en distribuant des prospectus pour le Concours annuel de patchwork, ou le Carnaval de la Reine des Crabes Bleus. Toujours élégamment vêtue, chaussée de hauts talons, portant un petit sac à main et un chapeau de couleur assortis et correspondant à la saison. Quel que soit le sujet des conversations, elle s'arrangeait toujours pour rappeler que Chase était le meilleur quarterback que la ville ait jamais connu.

Kya sourit timidement, et regarda Patti Love droit dans les yeux, espérant qu'ils prononceraient quelques mots personnels, et se présenteraient. Peut-être la salueraient-ils comme la petite amie de Chase. Mais ils se figèrent sur place, et la contournèrent sans un mot, au prix d'un détour plus grand que nécessaire, avant de poursuivre leur chemin.

Ce même soir, Kya et Chase poussèrent leur barque sous un chêne si grand que ses moignons surplombaient l'eau, créant de petites grottes où se logeaient loutres et canards. Baissant la voix, en partie pour ne pas effrayer les colverts et en partie parce qu'elle redoutait cette conversation, Kya dit à Chase qu'elle avait vu ses parents et lui demanda si elle allait bientôt leur être présentée.

Chase garda le silence, et elle sentit son estomac se contracter. Finalement, il répondit :

« Bien sûr, d'ici peu, je te le promets. » Mais il avait détourné les yeux en parlant.

« Ils sont au courant pour moi, non ? Pour nous ?
– Évidemment. » La barque avait dû s'approcher trop près du chêne, car un grand duc, aussi replet et tranquille qu'un oreiller en duvet, étendit les ailes et se laissa tomber d'une branche, puis s'envola lentement à travers la lagune, les plumes de son jabot se reflétant en jolis motifs sur l'eau.

Chase prit la main de Kya et l'étreignit pour faire s'évanouir ses doutes.

Pendant plusieurs semaines, couchers de soleil et levers de lune escortèrent les promenades tranquilles de Chase et de Kya à travers le marais. Chaque fois qu'elle résistait à ses avances, il arrêtait. Des images de biche ou de dinde abandonnées avec leurs petits réclamant tous leurs soins, les mâles partis depuis longtemps avec d'autres femelles, continuaient de la hanter. Quoi qu'en disent les gens de Barkley Cove, ils n'allèrent jamais plus loin que s'allonger presque nus au fond du bateau. Même si Chase et Kya se tenaient à l'écart, la ville était petite, et les gens les voyaient parfois sur son hors-bord ou sur les plages. Peu de choses échappent aux crevettiers en mer. Les langues se délièrent. On commença à jaser.

27
Sur la route de Hog Mountain

1966

La cabane était plongée dans le silence, on n'entendait que le froufrou matinal des ailes des merles, tandis que se formait au ras du sol une épaisse brume d'hiver, qui s'amoncelait contre les murs comme des flocons de coton. Grâce à l'argent de plusieurs semaines de pêche à la moule, Kya avait pu s'offrir des provisions extraordinaires et elle avait fait rissoler des tranches de jambon dans de la mélasse, préparé une sauce sucrée au café, et servi le tout avec des biscuits à la crème aigre-douce et de la confiture de mûres. Chase buvait du café soluble Maxwell House, elle, du thé Tetley bien chaud. Ils étaient maintenant ensemble depuis près d'un an, même si aucun des deux n'évoquait jamais le sujet. Chase s'exclama soudain qu'il avait de la chance que son père possède le garage Western Auto :

« Comme ça, on aura une belle maison quand on se mariera. Je vais te construire un pavillon à un étage sur la plage avec une galerie tout autour. Ou même n'importe quelle maison que tu voudras, Kya. »

Elle en eut le souffle coupé. Il voulait qu'elle entre dans sa vie. Ce n'était pas seulement une allusion, ça ressemblait à une proposition en bonne et due forme. Elle appartiendrait enfin à quelqu'un. Elle aurait une vraie famille. Elle se redressa sur sa chaise.

Il poursuivit : « Je ne pense pas qu'on devrait vivre en ville. Ça serait un trop grand saut pour toi. Mais on pourrait se construire une maison un peu en dehors. Près des marais, tu vois ? »

Ces derniers temps, l'idée d'épouser Chase lui avait de nouveau traversé l'esprit, mais elle n'avait pas osé s'y attarder. Or, voilà qu'il en parlait lui-même. Kya avait du mal à respirer. Elle se sentait incrédule, et pourtant elle réfléchissait déjà à chaque détail. *J'en suis capable*, songea-t-elle. *Si on vit loin des gens, ça pourrait marcher.*

Puis, baissant la tête, elle demanda : « Et tes parents ? Tu leur en as parlé ?

– Kya, il y a quelque chose qu'il faut que tu comprennes sur ma famille. Ils m'aiment. Si je leur dis que je t'ai choisie, ils ne trouveront rien à redire. Ils se mettront à t'aimer quand ils te connaîtront. »

Elle se mordilla les lèvres. Elle voulait le croire.

« Je construirai un atelier pour toutes tes collections, poursuivit-il. Avec de grandes fenêtres pour que tu puisses voir chaque détail de tes maudites plumes. »

Elle n'était pas sûre d'éprouver pour Chase les sentiments d'une épouse pour son mari, mais à ce moment précis, quelque chose qui ressemblait à de l'amour se mit à palpiter dans sa poitrine. Elle n'aurait plus jamais besoin d'aller pêcher les moules.

Elle tendit la main pour toucher le coquillage autour de son cou.

« Oh, au fait, dit Chase. D'ici quelques jours, il va falloir que j'aille à Asheville acheter des trucs pour le magasin. Je me disais que peut-être tu pourrais m'accompagner ? »

Les yeux baissés, elle répondit :

« Mais c'est une grande ville. Il y aura des tonnes de gens. Et je n'ai pas les vêtements qu'il faut, je ne sais même pas ce qu'il faut mettre, et…

– Kya, Kya. Écoute-moi, je serai là. Moi, je sais tout. On n'a pas besoin d'aller dans des endroits élégants. Tu découvriras une bonne partie de la Caroline du Nord rien qu'en la traversant : le Piedmond, les monts Great Smoky, pour l'amour du ciel ! Et puis, une fois sur place, on pourra juste s'arrêter au drive-in prendre des hamburgers. Tu peux porter ce qui te chante. Tu ne seras obligée de parler à personne si tu ne veux pas. Je m'occuperai de tout. J'y suis allé des quantités de fois. Et même à Atlanta. Asheville, c'est une petite ville. Écoute, si on doit se marier, tu ferais peut-être mieux de commencer à découvrir un peu le monde. Il est temps de déployer tes longues ailes. »

Elle hocha le menton. Au moins, voir les montagnes…

Il reprit : « Il faut deux jours aller-retour, donc il faudra qu'on passe une nuit quelque part, dans un endroit sympa. Un petit motel, tu comprends ? Aucun problème, on est adultes maintenant.

– Oh ! » s'exclama-t-elle pour toute réponse. Puis, elle murmura : « Je vois. »

Kya n'avait jamais roulé en voiture, si bien que quelques jours plus tard, quand ils quittèrent Barkley dans le pick-up de Chase, elle garda les yeux rivés sur le paysage, en s'agrippant au siège à deux mains. La route serpentait à travers des kilomètres de hautes herbes et de palmiers nains, laissant la mer derrière eux.

Pendant plus d'une heure, les étendues familières de laîches et de chenaux défilèrent à travers le pare-brise. Kya reconnut des roitelets et des aigrettes, rassurée par ces oiseaux familiers, comme si elle n'avait pas quitté son domaine mais l'avait emporté avec elle.

Puis brusquement, de l'autre côté d'une frontière imaginaire, les prés et les lagunes des marais prirent fin, et un sol poussiéreux – découpé en parcelles carrées qui se succédaient par rangées régulières, entourées de clôtures – apparut sous leurs yeux. Des centaines et des centaines de souches paraplégiques, là où les arbres avaient été abattus. Des poteaux, auxquels étaient accrochés des fils électriques, s'avançaient martialement vers l'horizon. Bien sûr, elle savait que le marais côtier ne recouvrait pas tout le globe, mais elle n'en était jamais sortie. Qu'avaient fait ces gens à la terre ? Les maisons, tels des cartons à chaussures identiques, s'accrochaient à leurs pelouses bien tondues. Des flamants roses picoraient dans un jardin, mais quand Kya, surprise, se retourna, elle s'aperçut qu'ils étaient en plastique. Les cerfs, en ciment. Les seuls canards qui volaient dans les parages étaient ceux qu'on voyait peints sur les boîtes à lettres.

« Elles sont incroyables, non ? demanda Chase.

– Quoi ?

– Ces maisons. Je suis sûr que tu n'en avais jamais vu de semblables.

– Non, effectivement. »

Quelques heures plus tard, depuis les contreforts du Piedmont, elle aperçut les Appalaches dont les sommets dessinaient une ligne bleue à l'horizon. Alors qu'ils s'approchaient, les pics les encerclèrent et les versants boisés se mirent à ondoyer à perte de vue.

Entre les bras repliés des collines, des nuages flottaient, puis remontaient en volutes et s'éloignaient. Les vrilles de hautes herbes s'élevaient en spirales serrées au bord des ravins où la température était plus clémente, un peu comme la brume suit les rivages humides des marais. Les lois de la physique mais appliquées à un domaine différent de la biologie.

Kya venait des basses terres, un pays de vastes horizons où le soleil se couche et la lune se lève à une heure précise. Mais là, dans ces reliefs à la topographie chaotique, le soleil se faufilait parmi les sommets, se couchant derrière une corniche durant un instant avant de surgir à nouveau quand le pick-up de Chase escaladait le versant suivant. Dans les montagnes, remarqua-t-elle, l'heure du coucher du soleil dépend de l'endroit où l'on se situe sur les pentes.

Elle se demanda où se trouvaient les terres de son grand-père. Peut-être sa famille avait-elle élevé des porcs dans une étable dégradée par les intempéries, pareille à celle qu'elle apercevait maintenant au milieu d'un pâturage bordé par un ruisseau. Une famille qui aurait dû être la sienne avait autrefois peiné, ri et pleuré dans ces parages. Certains de ses membres étaient sûrement encore là, dispersés dans le pays. Anonymes.

La route devint bientôt une artère principale à quatre voies, et Kya se cramponna plus fermement encore tandis que le pick-up de Chase roulait à quelques mètres d'autres véhicules qui filaient sur l'asphalte. Il tourna pour s'engager sur une sorte de boucle qui s'élevait dans les airs comme par magie et les conduisit vers la ville. « Un croisement en trèfle », expliqua-t-il fièrement.

D'énormes immeubles, de huit à dix étages, se découpaient sur le panorama des montagnes. Des dizaines et des dizaines de voitures grouillaient comme des crabes, et toute une foule arpentait les trottoirs. Kya colla le nez à la vitre pour scruter les passants, songeant que Ma et Pa devaient se trouver parmi eux. Un garçon, au teint hâlé et aux cheveux noirs, courant sur le trottoir, ressemblait à Jodie, et elle se retourna pour mieux le voir. Son frère était un adulte maintenant, bien sûr, mais elle suivit néanmoins le gamin des yeux jusqu'au carrefour suivant.

À l'autre extrémité de la ville, Chase leur prit une chambre dans un motel sur la route de Hog Mountain, une série de bungalows marron de plain-pied, éclairés par des néons qui avaient la forme de palmiers, qui l'eût cru ?

Quand Chase eut ouvert la porte, elle entra dans une pièce qui paraissait plutôt propre mais empestait le désinfectant. Elle était meublée et décorée au rabais : des murs en faux lambris, un lit affaissé doté d'un vibrateur en nickel, et un téléviseur noir et blanc attaché à la table par une énorme chaîne et un gros cadenas. Les couvre-lits étaient jaune citron, la moquette à poils longs orange vif. Kya repensa à tous les endroits où ils s'étaient étendus ensemble : sur du sable cristallin près des flaques laissées par l'océan à marée basse, sur des bateaux qui dérivaient au clair de lune. Ici, le lit était clairement la pièce maîtresse, mais la chambre avait l'air de tout sauf d'un nid d'amour.

Délibérément, elle resta figée près de la porte.

« Rien d'extraordinaire », dit-il en posant son sac de marin sur la chaise. Il marcha vers elle. « L'heure est venue, tu ne crois pas, Kya ? Il est temps. »

C'était son plan depuis le début, bien sûr. Mais elle était prête. Son corps l'attendait depuis des mois et, après qu'il eut parlé de mariage, elle avait cédé mentalement. Elle hocha la tête. Il s'approcha d'elle lentement et déboutonna son chemisier, puis la fit doucement pivoter sur elle-même pour dégrafer son soutien-gorge. Lui effleura les seins. La chaleur de l'excitation l'envahit de la poitrine aux cuisses. Tandis qu'il l'attirait vers le lit à la lumière des néons rouges et verts qui filtraient à travers les minces rideaux, elle ferma les yeux. Avant ce moment, chaque fois qu'ils avaient failli le faire, quand elle l'avait arrêté, les doigts de Chase avaient eu quelque chose de magique, éveillant à la vie les différentes parties de son corps, l'amenant à s'arc-bouter vers lui, à le désirer, à le vouloir. Mais là, une fois la permission accordée, il fut pris par un sentiment d'urgence, sembla oublier les besoins de la jeune femme et se fraya un chemin sans attendre. Une violente déchirure la fit crier, et elle se dit que quelque chose clochait.

« Ne t'en fais pas. Ça va aller mieux maintenant », dit-il, sûr de lui. Mais les choses ne s'améliorèrent pas, et bientôt il se laissa retomber sur le dos, le sourire aux lèvres. Tandis qu'il s'endormait, elle fixa les lumières clignotantes du panneau qui annonçait qu'il restait des chambres vides.

Quelques semaines plus tard, après avoir terminé un petit-déjeuner composé d'œufs au plat et de gruau au jambon, Chase et elle étaient assis à la table de sa cuisine. Après avoir fait l'amour, elle s'était enveloppée confortablement dans une couverture, leur entente physique ne s'étant que très légèrement améliorée depuis leur première expérience au motel. Chaque tentative lui laissait un sentiment de manque, mais elle n'avait pas la moindre idée de comment aborder un sujet pareil. Et de toute façon, elle ne savait rien de ce qu'elle était censée ressentir. Peut-être était-ce normal.

Chase se leva de table et, lui prenant le menton à deux doigts, l'embrassa en disant : « Bon, je ne vais pas pouvoir sortir beaucoup dans les jours qui suivent avec Noël qui approche et tout le reste. On a pas mal de choses prévues et de la famille qui nous rend visite. »

Kya haussa les yeux et répondit : « J'espérais que peut-être je pourrais… Enfin tu vois, aller à quelques soirées, sortir un peu. Au moins être invitée le soir de Noël dans ta famille. »

Chase se rassit.

« Kya, écoute, ça fait un moment que je veux t'en parler. J'ai bien envie de t'inviter à danser à l'Elk Club et dans des endroits de ce genre, mais je sais que tu es timide, que tu n'aimes pas beaucoup faire des choses en ville. Je suis sûr que tu te sentirais très malheureuse. Tu ne connaîtrais personne, tu n'as pas les vêtements qu'il faut. D'ailleurs, est-ce que tu sais danser ? Tout ça n'est pas dans tes habitudes. Tu le comprends, non ? »

Fixant le plancher, elle dit : « Oui, je comprends, tout ce que tu dis est vrai. Mais il faut quand même que je commence à trouver ma place dans ta vie. Que je déploie mes ailes, comme tu disais. Il va falloir que j'achète des vêtements convenables, que je rencontre tes amis. » Elle releva la tête. « Et puis, tu pourrais m'apprendre à danser, non ?

– C'est vrai, et je le ferai. Mais quand je pense à toi et à moi, c'est ici que ça se passe. J'aime les moments qu'on partage, rien que toi et moi. Pour te dire la vérité, moi, j'en ai un peu marre de ces soirées dansantes. C'est la même chose depuis des années. Le gymnase du lycée. Les vieux et les jeunes, tous mélangés. La même musique ringarde. Je suis prêt au changement. Tu sais, quand on sera mariés, on ne fera pas de trucs comme ça, alors pourquoi est-ce que je t'y traînerais aujourd'hui ? Ça n'a aucun sens. Tu saisis ? »

Elle baissa de nouveau les yeux, et il lui releva le menton, plongeant son regard dans le sien. Puis, avec un grand sourire, il reprit : « Et pour ce qui est du repas de Noël avec ma famille… mes vieilles tantes débarquent de Floride. Elles sont bavardes comme des pies. Je ne souhaite à personne de les rencontrer. Particulièrement pas à toi. Crois-moi, tu ne rates pas grand-chose. »

Elle gardait le silence.

« Je t'assure, Kya, je voudrais que tu comprennes. Ce qu'on partage ici, c'est ce qu'on peut espérer de mieux, c'est tout à fait spécial. Tout le reste… – il balaya l'air de ses bras – ça ne vaut rien. »

Il tendit la main et l'attira sur ses genoux ; elle posa la tête sur son épaule.

« Tout ce qui compte est ici, Kya. Nulle part ailleurs. » Et il l'embrassa, avec chaleur et tendresse. Puis il se releva : « OK. Il faut que j'y aille. »

Kya passa Noël seule avec les mouettes et les goélands, comme elle l'avait toujours fait depuis le départ de Ma.

Deux jours après Noël, Chase n'avait toujours pas reparu. Manquant à sa promesse de ne plus jamais attendre personne, Kya arpentait la plage, les cheveux tressés et relevés, maquillée avec le vieux rouge à lèvres de Ma.

Par-delà la lagune, le marais avait revêtu son manteau d'hiver aux teintes brunes et grises. Des kilomètres d'herbes fanées, ayant dispersé leurs graines, penchaient la tête vers l'eau d'un air vaincu. Le vent se déchaînait, et agitait les tiges sèches dans un vacarme assourdissant. Kya dénoua ses cheveux et se débarbouilla les lèvres du dos de la main.

Le matin du quatrième jour, assise seule dans sa cuisine, elle repoussait sans y toucher ses biscuits et ses œufs.

« Après toutes ces belles paroles, où est-il passé maintenant ? » siffla-t-elle entre ses dents. Elle s'imaginait Chase jouant au ballon avec des amis ou dansant à des soirées. « Toutes ces choses stupides dont il disait en avoir marre. »

Finalement, elle entendit le bruit de son moteur. Elle bondit de la table, claqua la porte, et se précipita de la cabane à la lagune, tandis que le bateau approchait en crachotant. Mais ce n'était pas le hors-bord de Chase, ni même Chase, mais un jeune homme aux cheveux dorés, plus courts qu'autrefois mais qui continuaient de s'échapper sous un bonnet de laine. C'était un vieux chalutier, et là, debout, alors même que l'embarcation approchait, elle aperçut Tate, qui était devenu un homme. Son visage n'avait plus rien d'enfantin, il était beau, plus mûr. Dans ses yeux, elle lut une question, un sourire timide se dessinait sur ses lèvres.

D'abord elle pensa à s'enfuir. Puis quelque chose en elle cria : *NON ! C'est ma lagune ; je suis toujours en train de m'enfuir. Pas cette fois !* Son idée suivante fut de ramasser une pierre, et de la lui jeter au visage à six ou sept mètres de distance. Il se baissa pour l'éviter, et la pierre lui passa tout près du front.

« Bon Dieu, Kya ! Qu'est-ce qui te prend ? Attends un peu », s'écria-t-il alors qu'elle ramassait une autre pierre et visait sa cible. Il se couvrit le visage de ses mains. « Kya, je t'en prie, arrête. S'il te plaît. Est-ce qu'on peut parler ? »

Le projectile le toucha à l'épaule.

« CASSE-TOI DE MA LAGUNE ! ESPÈCE DE SALOPARD ! TU AS ENCORE ENVIE DE ME PARLER, LÀ ? » Déchaînée, la jeune furie chercha frénétiquement une autre pierre.

« Kya, écoute-moi, je sais que tu es avec Chase maintenant. Je respecte ce choix. Je veux seulement te parler. S'il te plaît, Kya.

– Et pourquoi moi je voudrais te parler ? Je veux plus jamais te revoir ! »

Elle ramassa cette fois une poignée de cailloux et les lui jeta au visage.

Il fit un pas de côté, se pencha en avant, et s'agrippa au plat-bord pendant que son bateau touchait terre.

« JE T'AI DIT DE TE TIRER DE LÀ ! » Elle criait toujours mais moins fort et elle ajouta : « Oui, je suis avec quelqu'un d'autre maintenant. »

Tate reprit son équilibre après la secousse de l'abordage, puis il s'assit à l'avant de son bateau.

« Kya, s'il te plaît, il y a des choses qu'il faut que tu saches au sujet de ce garçon. »

Il n'avait pas prévu d'avoir une conversation sur Chase. Cette visite surprise à Kya ne se passait pas du tout comme il l'avait imaginée.

« Qu'est-ce que tu racontes ? Tu as aucun droit de me parler de ma vie privée. » À moins de deux mètres de lui, elle lui crachait chaque syllabe au visage.

Avec fermeté, il reprit : « Je sais bien que je n'en ai pas le droit, mais je le fais quand même. »

À ces mots, Kya lui tourna le dos, mais Tate leva la voix :

« Tu ne vis pas en ville. Tu ne sais pas que Chase sort avec d'autres filles. Pas plus tard qu'avant-hier, je l'ai vu s'en aller en voiture après une soirée avec une blonde dans son pick-up. Il ne te mérite pas. »

Elle pivota sur elle-même. « C'est toi qui dis ça ! Toi qui m'as quittée, qui es pas revenu comme tu l'avais promis, qui es même jamais revenu du tout. Toi qui m'as jamais écrit pour expliquer pourquoi, ou me dire si tu étais vivant ou mort. Tu as même pas eu le cran de rompre avec moi. Tu avais trop la trouille de m'affronter. Tu t'es contenté de disparaître. PAUVRE LÂCHE DE

MERDE ! Et après toutes ces années, tu te pointes ici sur ton bateau… Tu es bien pire que lui. Il est sans doute pas parfait, mais toi tu es encore pire ! »

En le fixant droit dans les yeux, elle s'interrompit brusquement.

Paumes ouvertes, il la supplia :

« Tu as tout à fait raison à mon sujet, Kya. Chaque chose que tu dis est vraie. J'ai été lâche. Et je n'avais aucun droit de te parler de Chase. Ce n'est pas mes affaires. Et je ne reviendrai plus jamais t'importuner. Je voulais seulement m'excuser et m'expliquer. Ça fait des années que j'ai des remords, Kya, je t'en prie. »

Sa colère retomba comme une voile quand le vent faiblit. Tate n'était pas seulement son premier amour : il partageait sa passion pour le marais, lui avait appris à lire, et il était le seul lien qu'il lui restait, même ténu, avec sa famille disparue. Il était une page d'histoire, une note qu'on colle dans un cahier, parce qu'elle n'avait rien d'autre. Son cœur cognait tandis que sa rage s'apaisait.

« Regarde-toi ! Tu es tellement belle ! Une vraie femme. Tu vas bien ? Tu vends toujours des moules ? »

Il était abasourdi de voir combien elle avait changé, ses traits étaient plus délicats et pourtant toujours aussi fascinants, ses pommettes saillantes, ses lèvres pleines.

« Oui. Oui.

– Regarde, je t'ai apporté quelque chose. »

Il prit une enveloppe et lui tendit une minuscule plume provenant de la joue d'un pic flamboyant. Elle songea à la jeter par terre, mais elle n'en avait jamais trouvé de pareille ; pourquoi ne la garderait-elle pas ? Elle la glissa dans sa poche sans le remercier.

Parlant vite, il reprit : « Kya, te laisser, ce n'était pas seulement mal, c'était la pire des choses que j'aie jamais faites ou que je ferai de ma vie. Je le regrette depuis des années et je le regretterai toujours. Je pense à toi tous les jours. Pour le restant de ma vie, je me mordrai les doigts de t'avoir laissée. J'ai vraiment pensé que tu ne serais pas capable de quitter le marais et de vivre dans un autre monde, alors je ne voyais tout simplement pas comment on pourrait rester ensemble. Mais j'avais tort, et c'était vraiment dégueulasse de ne pas revenir t'en parler. Je savais combien de fois tu avais été abandonnée avant. Je ne voulais pas savoir à quel point je t'avais blessée. Je n'en ai pas eu le courage. Exactement comme tu l'as dit toi-même. »

Il se tut et la regarda.

Au bout d'un moment, elle répondit : « Qu'est-ce que tu veux maintenant, Tate ?

– Seulement que tu me pardonnes, si c'est possible. »

Il respira profondément et attendit.

Kya regardait le bout de ses pieds. Pourquoi celui qu'on a abandonné, celui qui saigne encore, devrait-il assumer la charge du pardon ? Elle ne répondit pas.

« Il fallait juste que je te le dise, Kya. »

En voyant qu'elle restait muette, il continua : « Je poursuis mes études doctorales, en zoologie. Des protozoaires pour l'essentiel. Tu adorerais ça. »

Elle en doutait sérieusement, et elle tourna les yeux vers la lagune pour voir si Chase arrivait. Tate s'en rendit compte ; depuis le premier instant, il avait deviné qu'elle était sortie pour l'attendre.

Pas plus tard que la semaine précédente, au gala de Noël, Tate avait observé Chase, dans son smoking blanc, qui dansait avec différentes femmes. Le bal, comme la plupart des réceptions que l'on donne à Barkley Cove, se tenait dans le gymnase du lycée. Tandis que les accords de « Wooly Bully » s'échappaient avec peine d'une chaîne stéréo trop petite installée sous le panier de basket, Chase faisait virevolter une petite brune. Quand « Mr Tambourine Man » commença, il quitta la piste et la petite brune pour aller boire quelques rasades de Wild Turkey à même une flasque portant le logo de l'équipe des Tar Heels avec de vieux copains. Tate se trouvait tout proche, il bavardait avec deux de ses anciens professeurs du lycée et il l'entendit expliquer : « Oui, oui, elle est aussi déchaînée qu'une renarde prise au piège. Exactement ce qu'on peut attendre d'une sauvageonne des marais. Ça vaut bien l'essence que je dépense. »

Tate dut se forcer à s'éloigner.

Il soufflait un vent froid et violent qui dessinait des vaguelettes sur la lagune. Pour attendre Chase, Kya était sortie en jean avec un léger pull-over. Elle serra les bras contre sa poitrine.

« Tu es gelée ; rentrons. » Tate fit un geste en direction de la cabane, où de la fumée s'échappait du poêle rouillé.

« Tate, je crois que tu ferais mieux de partir maintenant. » Elle jeta quelques coups d'œil rapides en direction du chenal. Et si Chase arrivait alors que Tate était encore là ?

« Kya, je t'en prie, rien que quelques minutes. Je voudrais vraiment revoir tes collections. »

Pour toute réponse, elle tourna les talons et se précipita vers la cabane, et il la suivit. Dans la véranda, il s'arrêta net. Autrefois un simple passe-temps d'enfant, ses collections étaient devenues un véritable muséum d'histoire naturelle du marais. Il souleva une coquille Saint-Jacques, accompagnée d'une aquarelle de la plage où elle avait été trouvée, et de cartouches qui montraient l'animal en train de dévorer d'autres créatures marines plus petites. Pour chaque spécimen – il y en avait des centaines, peut-être des milliers – il en allait de même. Il en avait déjà vu certains, quand il était gamin, mais aujourd'hui, alors qu'il préparait son doctorat de zoologie, c'était avec un regard de scientifique qu'il les examinait.

Il se tourna vers elle, sans dépasser le seuil.

« Kya, ces tableaux sont magnifiques, le luxe de détails est impressionnant. Tu pourrais les publier. Ça pourrait faire un livre, plusieurs livres.

– Non, non. Ils sont seulement pour moi. Je m'en sers pour apprendre, c'est tout.

– Kya, écoute-moi. Tu sais mieux que personne que les ouvrages de référence sur cette partie du pays sont presque inexistants. Avec les notes que tu as prises, toutes ces précisions techniques, et ces croquis splendides, tu as de quoi écrire des livres que tout le monde attend depuis toujours. »

Et c'était vrai. Les vieux guides de Ma présentant les coquillages, les plantes, les oiseaux et les mammifères de la région étaient les seuls disponibles, et ils étaient tristement inexacts, ne contenant que des photographies noir et blanc et des informations sommaires sur chaque spécimen.

« Si tu me permets de prendre quelques échantillons, je vais me renseigner pour trouver un éditeur, on verra bien ce qu'ils diront. » Elle gardait le regard fixe, ne sachant pas très bien comment réagir. Est-ce qu'elle serait obligée d'aller en ville, de rencontrer des gens ? Tate lut dans ses yeux les questions qu'elle se posait.

« Tu ne serais obligée d'aller nulle part. Tu pourrais poster des échantillons à un éditeur. Ça pourrait te rapporter de l'argent. Sans doute pas une très grosse somme, mais peut-être que tu n'aurais plus à pêcher de moules pour le restant de tes jours. »

Kya ne disait toujours rien. Une fois de plus, Tate la poussait à prendre soin d'elle-même, ne se contentant pas de prendre soin d'elle. Elle avait l'impression que, toute sa vie, il avait été là. Puis il était parti.

« Pourquoi ne pas essayer, Kya ? Je ne vois pas le problème. »

Elle finit par accepter qu'il emporte quelques pièces, et il choisit un assortiment d'aquarelles aux couleurs douces représentant des coquillages et le grand héron bleu, à cause des dessins élaborés de l'oiseau qu'elle avait réalisés à chaque saison, ainsi que la gouache minutieuse d'une plume incurvée provenant de son sourcil.

Tate souleva la toile : une myriade de touches de couleurs vives qui se fondaient en un noir profond, si brillant qu'on avait l'impression que le soleil illuminait la peinture. Le détail d'une très légère déchirure sur la hampe était si caractéristique que Tate et Kya se rendirent compte au même instant que ce tableau représentait la toute première plume qu'il lui avait offerte dans la forêt. Leurs regards se croisèrent. Elle se détourna de lui. S'interdisant toute émotion. Pas question de se laisser à nouveau émouvoir par quelqu'un en qui elle ne pouvait pas avoir confiance.

Il fit un pas et lui toucha l'épaule. Essaya doucement de la faire pivoter sur elle-même.

« Kya, je suis tellement désolé de t'avoir quittée. S'il te plaît, tu ne peux pas me pardonner ? » Finalement, elle se retourna et le fixa longuement.

« Je ne sais pas comment faire, Tate. Je ne pourrai plus jamais te croire. S'il te plaît, il faut que tu partes.

– Je comprends. Je te remercie de m'avoir écouté, de m'avoir donné cette chance de te présenter mes excuses. »

Il laissa passer une seconde, mais elle resta muette. Au moins, il repartait avec quelque chose. L'espoir de trouver un éditeur était une raison de reprendre contact.

« Au revoir, Kya. » Elle ne répondit pas. Il la dévisagea encore, elle lui rendit son regard avant de détourner la tête. Il passa la porte pour regagner son bateau.

Elle attendit qu'il soit parti, puis alla s'asseoir sur le sable humide et froid de la lagune pour attendre Chase. À haute voix, elle se répéta les paroles qu'elle avait adressées à Tate : « Il est peut-être pas parfait, mais toi, tu es encore pire. »

Fixant durant plusieurs minutes les eaux sombres, elle ne parvenait pas à chasser de son esprit ce qu'il avait dit au sujet de Chase – « je l'ai vu s'en aller en voiture après une soirée avec une blonde dans son pick-up ».

Après Noël, Chase attendit une semaine avant de reparaître. Amarrant son bateau dans la lagune, il annonça qu'il pouvait rester toute la nuit et fêter le passage de l'année nouvelle avec elle. Bras dessus bras dessous, ils se dirigèrent vers la cabane où le même brouillard continuait d'envelopper le toit. Après avoir fait l'amour, ils se blottirent sous des couvertures devant le poêle. L'air épais ne pouvait supporter la moindre molécule d'humidité supplémentaire, et quand la bouilloire se mit à siffler, de lourdes gouttelettes coulèrent le long des vitres.

Chase tira son harmonica de sa poche et, le pressant contre ses lèvres, joua une triste ballade, « Molly Malone ». « Mais son fantôme pousse sa brouette à travers les rues larges et étroites, en criant : “Coques et moules ! vivantes, vivantes Oh !” »

Il semblait à Kya que les moments où Chase jouait ces airs mélancoliques étaient ceux où il avait le plus d'âme.

28
Le crevettier

1969

À l'heure de l'apéritif, circulaient au Dog-Gone des commérages plus intéressants qu'au restaurant. Le shérif et Joe pénétrèrent dans le bar étroit et bondé et gagnèrent le comptoir, façonné dans le tronc d'un pin, qui occupait tout le côté gauche de la salle jusqu'à s'enfoncer dans l'obscurité. Les gens du cru – tous des hommes, puisque les femmes n'avaient pas le droit d'y entrer – s'attroupaient au bar ou occupaient les tables. Les deux barmans faisaient rôtir des saucisses, frire des crevettes, des huîtres, et sauter des pommes de terre ; ils touillaient le gruau de maïs, servaient des bières et du bourbon. La seule source de lumière provenait de différents panneaux vantant le mérite des bières, produisant une lueur ambrée, comme des feux de camp éclairant des visages barbus. Du fond de la salle, on entendait cliqueter les boules de billard.

Ed et Joe s'approchèrent du milieu du comptoir où étaient accoudés plusieurs pêcheurs, et à peine eurent-ils commandé des pintes de Miller et des huîtres frites que les questions fusèrent. Est-ce qu'il y a du nouveau ? Comment se fait-il qu'il n'y ait pas d'empreintes ?

C'est vrai ce qu'on raconte ? Vous avez pensé au vieux Hansen, les gars ? Il est fou comme un lapin, il serait bien capable de faire un truc pareil, monter en haut de la tour et pousser le premier venu dans le vide. On peut dire que cette affaire vous laisse comme deux ronds de flan, pas vrai ? Joe d'un côté, Ed de l'autre firent face aux commentaires. Ils répondaient, écoutaient, hochaient le menton. Puis, dans ce vacarme, le shérif perçut une voix tranquille, un ton mesuré, et il se retourna pour faire face à Hal Miller, un crevettier qui travaillait pour Tim O'Neal.

« Je peux vous dire deux mots, shérif ? Seul à seul ? »

Ed s'éloigna du bar. « Sûr, Hal, suivez-moi. » Il le conduisit jusqu'à une petite table près du mur, et ils s'assirent.

« Une autre bière ?

– Non, ça va pour l'instant. Merci quand même.

– Quelque chose vous trotte dans la tête, Hal ?

– Oui, pour sûr. D'ailleurs il faut que je me sorte cette idée du crâne. Elle me rend un peu neuneu.

– Voyons voir.

– Oh bon sang ! » Hal agita la tête. « Je sais pas trop. C'est peut-être pas grand-chose, en tout cas, j'aurais dû vous en parler plus tôt. Je suis obsédé par un truc que j'ai vu.

– Racontez-moi, Hal. Ensemble, on décidera si c'est important ou pas.

– Eh bien, c'est au sujet de l'affaire Chase Andrews. La nuit où il est mort, j'étais en mer sur le chalutier de Tim, et on est rentrés tard dans la baie, bien après minuit, et moi et Allen Hunt, on a vu cette femme, celle qu'on appelle la Fille des marais, qui sortait dans sa barque.

– Ah vraiment ? Combien de temps après minuit ?

– Il devait être 2 heures moins le quart, environ.

– Et où est-ce qu'elle allait ?

– Eh bien, justement, shérif. Elle filait droit vers la tour de guet. Si elle a maintenu son cap, elle a dû se retrouver dans la petite crique à côté de la tour. »

Ed poussa un soupir. « Eh oui, Hal, c'est une sacrée info. Très importante. Vous êtes sûr que c'était bien elle ?

– Allen et moi, on en a parlé à ce moment-là et on était certains que oui. Je veux dire, on a tous les deux pensé pareil. On s'est demandé ce qu'elle pouvait bien faire dans son bateau aussi tard, tous feux éteints. On a eu de la chance de la voir, on aurait pu lui rentrer dedans. Après, ça nous est sorti de la tête. C'est seulement plus tard que j'ai réfléchi à tout ça et que je me suis rendu compte que c'était la même nuit que Chase était mort au pied de cette tour. Alors je me suis dit que je ferais mieux d'en parler.

– Est-ce que quelqu'un d'autre sur le bateau l'a vue ?

– Ma foi, j'en sais rien. Bien sûr, il y avait pas que nous, on était en train de rentrer au port. Tout le monde était sur le pont. Mais j'en ai jamais parlé avec les autres. Vous savez, il y avait aucune raison à ce moment-là. Et depuis, je leur ai pas posé la question.

– Je comprends. Hal, vous avez bien fait de m'en parler, c'était votre devoir. Maintenant, vous en faites pas. Vous aurez seulement à me répéter ce que vous avez vu. Je vais vous demander à tous les deux de passer faire une déposition. Vous permettez que je vous offre une bière maintenant ?

– Non, je crois que je vais me rentrer. Bonsoir.

– Bonsoir. Merci beaucoup. » Dès que Hal se fut levé, Ed fit signe à Joe, qui regardait dans sa direction toutes les trois secondes pour déchiffrer l'expression de son visage. Ils laissèrent à Hal le temps de quitter la salle après avoir pris congé, puis ils sortirent du bar.

Ed rapporta à Joe ce dont Hal avait été témoin.

« Bon sang, s'exclama Joe, cette fois on dirait qu'on tient le bon bout ! Tu crois pas ?

– Je pense que le juge pourrait bien nous signer un mandat. J'en suis pas tout à fait sûr, et je voudrais bien l'être avant de le lui demander. Avec un mandat, on pourrait fouiller sa baraque à la recherche de fibres rouges qui correspondraient à celles qu'on a trouvées sur les vêtements de Chase. Il va falloir que cette fille nous donne sa version de ce qui s'est passé ce soir-là. »

29
Comme une algue

1967

Tout l'hiver, Chase rendit souvent visite à Kya, passant chez elle d'ordinaire une nuit par week-end. Même quand il faisait froid et humide, ils s'aventuraient en bateau entre les broussailles noyées de brume ; elle complétait ses collections et il jouait les airs qui lui passaient par la tête sur son harmonica. Les notes flottaient dans le brouillard, se dissipaient à l'orée des sombres forêts des basses terres, et semblaient étrangement absorbées et mémorisées par le marais, parce que chaque fois que Kya passait par là, elle entendait de nouveau sa musique.

Au début du mois de mars, un matin, Kya prit sa barque pour se rendre à Barkley Cove, sous un ciel gris et nuageux qui ressemblait à un pull-over fripé. L'anniversaire de Chase tombait deux jours plus tard, et elle allait au Piggly pour acheter de quoi préparer un dîner de fête pour l'occasion – en vedette, son premier fondant au caramel. Elle s'était déjà imaginée poser le gâteau avec ses bougies devant lui sur la table de la cuisine – un rituel oublié depuis le départ de Ma. Il avait plusieurs fois répété récemment qu'il mettait de l'argent de côté pour bâtir leur maison. Elle se disait qu'elle ferait mieux d'apprendre vite à faire des pâtisseries.

Après avoir amarré son bateau, alors qu'elle marchait sur la jetée pour se diriger vers l'unique rangée de boutiques, elle aperçut Chase au bout, en train de bavarder avec des amis. Il enlaçait les épaules d'une jeune fille blonde au corps élancé. Kya essaya d'interpréter ce qu'elle avait sous les yeux alors que ses jambes continuaient à avancer toutes seules. Elle ne l'avait jamais approché en ville quand il était avec d'autres, mais à part se jeter à l'eau, elle n'avait aucun moyen de les éviter.

Chase et ses copains se retournèrent tous ensemble pour la regarder et, au même instant, il lâcha la fille. Kya était vêtue d'un short en jean blanc, qui mettait en valeur ses longues jambes. Une tresse noire lui tombait sur chaque sein. Ils cessèrent de parler tandis qu'elle s'approchait. La certitude qu'elle ne pouvait pas s'élancer vers lui marqua son cœur au fer rouge : décidément, tout était trop injuste !

Quand elle atteignit l'extrémité du dock, il lui lança : « Ohé, Kya, salut. »

Après les avoir toisés du regard, lui d'abord, puis les autres, elle répondit : « Salut, Chase. »

Elle l'entendit ajouter : « Kya, tu te rappelles sans doute Tim, Pearl et Tina. » Il prononça quelques noms supplémentaires avant de marquer une pause. Puis, se tournant vers elle, il reprit : « Et voici Kya Clark. »

Comment aurait-elle pu se souvenir d'eux ? Elle ne leur avait jamais été présentée. Pour elle, ils étaient seulement Grande-blonde-maigrichonne, etc. Elle eut l'impression d'être une algue accrochée à un hameçon, mais réussit à sourire et à dire bonjour. C'était l'occasion qu'elle avait attendue. Elle se trouvait enfin parmi les amis qu'elle voulait connaître. Elle chercha ses mots, quelque chose d'intelligent à dire qui puisse les intéresser. Finalement, deux d'entre eux la saluèrent sans chaleur avant de se détourner, les autres les suivant comme un banc de petits poissons au fil de la rue.

« Comme on se retrouve, dit Chase.

– Je ne veux pas te déranger. Je suis seulement venue faire des courses, ensuite je rentre.

– Tu ne me déranges pas. Je les ai rencontrés par hasard. Je viendrai dimanche, comme prévu. » Il se balançait d'un pied sur l'autre, en tripotant le pendentif.

« Bon, eh bien salut », dit-elle, mais il avait déjà tourné les talons pour rejoindre les autres. Elle se hâta vers le marché, contournant une famille de colverts qui se dandinaient dans la rue principale, leurs pattes orange vif détonnant sur le pavé gris. Au Piggly Wiggly, repoussant l'image de Chase et de la fille, au coin du rayon boulangerie, elle aperçut la dame des services sociaux, Mme Culpepper, à un mètre de distance. Elles restèrent figées face à face comme un lapin et un coyote enfermés dans un pré clôturé. Kya était maintenant plus grande que cette femme et sans doute beaucoup plus instruite, alors qu'aucune des deux ne l'aurait jamais cru possible. Après ce qui venait de se passer, elle avait surtout envie de détaler, mais elle tint bon et la fixa droit dans les yeux. La femme lui adressa un petit signe de tête, et poursuivit son chemin.

Kya trouva tout ce qu'il fallait pour le pique-nique – fromage, baguette, et ingrédients pour le gâteau –, dépensant tout ce qu'elle avait réussi à économiser pour l'occasion. Mais, c'était un peu comme si c'était la main de quelqu'un qui prenait ses courses et les déposait dans le chariot. Elle restait obnubilée par l'image du bras de Chase posé sur l'épaule de la fille. Elle acheta un journal local parce que les titres parlaient d'un laboratoire océanographique qui allait ouvrir sur la côte non loin de là.

Une fois sortie du magasin, tête baissée, elle fila tel un furet jusqu'à la jetée. De retour chez elle, elle s'assit à la table de la cuisine pour lire l'article sur le nouveau laboratoire. Assurément, un important complexe scientifique allait se développer à trente kilomètres au sud de Barkley Cove près de Sea Oaks. Des scientifiques allaient étudier l'écosystème du marais, qui contribuait à la survie de la moitié des espèces marines d'une façon ou d'une autre, et…

Kya tourna les pages et découvrit une grande photo de Chase et d'une fille au-dessus d'une annonce de fiançailles : *Andrews-Stone.* Des mots, des sanglots et finalement des halètements s'échappèrent de sa bouche. Elle se releva, sans quitter la page des yeux. Elle la souleva pour mieux voir – certaine d'avoir tout inventé. Mais ils étaient là, l'un contre l'autre, tout sourire. La fille, Pearl Stone, si belle et si gâtée par la vie, arborant son collier de perles et son chemisier en dentelle. Celle qu'il avait enlacée de son bras. Éternel-collier-de-perles.

En s'appuyant au mur, Kya se dirigea vers la véranda et s'affala sur son lit, en se couvrant la bouche de ses mains. Puis elle entendit un moteur. D'un bond, elle se releva, regarda en direction de la lagune, et aperçut Chase qui tirait son bateau sur la plage.

Aussi vive qu'une souris s'échappant d'une boîte dont on a retiré le couvercle, elle se glissa hors de la véranda avant qu'il ne l'ait vue et se précipita dans les bois, loin de la lagune. Tapie derrière les palmiers nains, elle le regarda entrer dans la cabane et l'entendit l'appeler. Il ne manquerait pas de remarquer le journal ouvert sur la table. Quelques minutes plus tard, il ressortit et marcha vers la plage, s'imaginant sans doute la trouver là.

Elle resta immobile, même quand il revint, alors qu'il continuait à crier son prénom. Elle ne sortit pas des broussailles avant que son bateau ne se soit éloigné. Se mouvant à grand-peine, elle prit de la nourriture pour les mouettes et les goélands et suivit le soleil vers la plage. Une forte brise océane s'engouffrait dans le sentier et, quand elle émergea sur le sable, elle se sentit soutenue par la bourrasque. Elle appela les oiseaux et jeta de gros morceaux de pain dans les airs. Puis elle hurla des mots plus forts et plus violents que le vent.

30
Turbulence

1967

De la plage, Kya courut vers son bateau et s'élança pleins gaz en direction du large, fonçant droit dans les rouleaux. Rejetant la tête en arrière, elle cria : « Espèce de salopard… fils de pute ! » Tout un charivari de vagues faisait tanguer l'arrière de l'embarcation, se pressant contre le gouvernail. Comme toujours, l'océan semblait plus violent que le marais. Plus profond, il avait davantage de souffle.

Depuis longtemps, Kya avait appris à connaître les courants ordinaires et les contre-courants, découvert comment les négocier ou s'en éloigner en tirant des bords parallèles à leur direction. Mais elle ne s'était jamais dirigée droit vers les plus profonds, qui pour certains subissaient les mouvements du Gulf Stream, lequel débite plus d'un milliard de mètres cubes d'eau par seconde, davantage que toutes les rivières de la Terre réunies – et qui passaient à proximité des bras tendus de la Caroline du Nord. La houle produit des contre-courants violents, des remous tumultueux, et des flux contraires qui font naître à leur tour des tourbillons côtiers, et finissent par creuser l'une des fosses à serpents les plus dangereuses de la planète. Kya s'était tenue à l'écart de ces régions toute sa vie, mais pas cette fois. Aujourd'hui, elle se dirigeait droit vers cette gueule béante, prête à tout pour vaincre la douleur et la colère.

Les rouleaux chargeaient, soulevant la proue et tirant le bateau par tribord. Toujours plus hauts avant de s'aplanir. Kya fut aspirée par un violent contre-courant qui décupla sa vitesse. S'en écarter paraissait trop dangereux, et elle s'efforça de se laisser porter, attentive à ne pas heurter les bancs de sable, qui formaient des barrières sans cesse en mouvement sous la surface. Rien qu'en effleurer un aurait pu la faire chavirer.

Les vagues se brisaient dans son dos, lui inondant les cheveux. Des nuages noirs défilaient au-dessus de sa tête, interceptant la lumière du soleil et occultant les signes des remous et des turbulences. Absorbant toute la chaleur de la journée.

Pourtant, elle n'avait toujours pas peur, même si elle rêvait d'être terrifiée – tout pour déloger la lame qui s'était plantée dans son cœur.

Soudain les sombres remous du courant changèrent d'orientation, et le petit bateau, gîtant dangereusement, bondit vers tribord. La violence du choc la plaqua au fond de la coque, et l'eau de mer faillit la submerger. Abasourdie, elle se redressa, se préparant à l'attaque d'une autre vague.

Pourtant, elle était encore bien loin du Gulf Stream proprement dit. Ce n'était là qu'un camp d'entraînement, un terrain de jeu pour le champ de bataille plus menaçant qui attendait plus loin. Mais elle avait l'impression de s'être aventurée dans l'œil du cyclone et elle avait bien l'intention d'être la plus forte. De remporter cette bataille. De tuer la douleur.

Ayant perdu tout sens de la symétrie ou de leur mouvement naturel, des vagues gris ardoise déferlaient de toutes parts. Elle rampa jusqu'à son banc et agrippa la barre, mais sans la moindre idée de la direction qu'il lui fallait prendre. Elle apercevait la côte au loin, qui faisait surface de temps à autre entre les crêtes d'écume. Mais quand elle entrevoyait la terre ferme, le bateau tournait sur lui-même ou penchait tellement qu'elle la perdait de vue. Elle avait été si sûre de parvenir à négocier le courant, mais gagnant sans cesse en puissance, il l'entraînait toujours plus loin vers le large, sur une mer en furie et de plus en plus sombre. Les nuages s'amoncelaient, toujours plus bas, et masquaient davantage le soleil. Trempée jusqu'aux os, elle tremblait et son énergie l'abandonnait, lui rendant même difficile de tenir le cap. Elle n'avait apporté aucun vêtement imperméable, aucune nourriture, aucune eau potable. Finalement, la peur la prit. Émergeant d'un lieu plus profond que l'océan. La peur de savoir qu'elle allait de nouveau être seule. Probablement pour toujours. Condamnée à perpétuité. D'affreux spasmes s'échappèrent de sa gorge tandis que le bateau tanguait et roulait. Gîtant dangereusement à chaque vague.

Plus de quinze centimètres d'une eau écumeuse couvraient maintenant le fond du bateau, si froide que ses pieds nus la brûlaient. Comme la mer et les nuages l'emportent vite sur la chaleur du printemps ! Repliant un bras sur sa poitrine, elle tenta de se réchauffer tout en tenant faiblement la barre de l'autre main. Sans ferrailler contre les vagues, elle se laissait porter.

Enfin, la houle s'apaisa, et même si le courant continuait à la pousser là où bon lui semblait, l'océan avait cessé de bouillonner et de tourbillonner. Elle aperçut bientôt un petit banc de sable, d'une trentaine de mètres de long, que la mer et les coquillages mouillés faisaient resplendir. Luttant contre un fort courant sous-marin, et précisément au moment opportun, Kya tira violemment sur la barre et réussit à virer de bord. Elle contourna le banc de sable pour gagner le côté sous le vent et, dans une mer plus calme, aborda aussi doucement que l'on donne un premier baiser. Elle se glissa sur l'étroite langue de sable où ses pieds s'enfoncèrent et elle se laissa tomber à terre. Rassurée par le sol ferme qu'elle sentait sous son dos.

Elle savait que ce n'était pas Chase qu'elle pleurait, mais une vie entière marquée par les rejets successifs. Tandis que le ciel et les nuages continuaient à batailler au-dessus de sa tête, elle s'écria : « Il faut que je mène ma vie seule. Mais je n'étais pas dupe. Je sais depuis longtemps que personne ne reste jamais. »

Ce n'était pas une coïncidence si Chase avait habilement parlé de mariage pour la piéger, qu'il avait aussitôt couché avec elle, et qu'il l'avait ensuite quittée pour une autre. Ses études lui avaient appris que les mâles vont d'une femelle à la suivante, alors pourquoi s'était-elle laissé séduire par cet homme ? Son luxueux hors-bord était l'équivalent du cou qui enfle et des bois démesurés d'un cerf en rut : des appendices destinés à écarter les autres mâles et à attirer les femelles. Pourtant, elle avait été abusée par la même ruse que sa mère : tous des baiseurs furtifs qui bondissent comme des crapauds. Quels mensonges avait pu lui dire Pa ? Dans quels restaurants élégants l'avait-il invitée avant de n'avoir plus un sou et de la ramener dans son seul vrai territoire : une cabane au fond du marais ? Peut-être vaut-il mieux laisser l'amour au repos comme un champ en jachère. Toujours à haute voix, elle récita un poème d'Amanda Hamilton :

Il me faut maintenant te laisser t'en aller.
L'amour est bien souvent la raison de rester.
Et trop peu fréquemment celle de renoncer.
Je lance mes filets et te vois t'éloigner…
Au fil de ces années
La femme qui t'adorait
Risquait de te noyer.
Du moins tu le pensais.
En fait c'était mon cœur
Qui à fuir te poussait
Libre de dériver
Telle une algue oubliée.

Un pâle soleil réussit à se frayer un chemin entre les épais nuages et ses rayons touchèrent le banc de sable. Kya regarda alentour. Les courants, l'ample mouvement du flot et le sable lui-même s'étaient unis pour prendre délicatement au piège la plus étonnante collection de coquillages qu'elle ait jamais vue. À l'abri du banc de sable, les vagues moins violentes les avaient soulevés et déposés là doucement sans les briser. Elle repéra quelques spécimens rares et plusieurs parmi ses préférés, intacts et nacrés. Encore chatoyants d'eau de mer.

Elle choisit les plus précieux et les empila, puis retourna le bateau, écopa l'eau stagnante et aligna soigneusement ses trésors sur la jointure de la coque.

Ensuite, elle se redressa et étudia le mouvement des eaux pour préparer l'expédition du retour. Elle savait lire l'océan et, ayant beaucoup appris des coquillages, elle allait reprendre la mer sous le vent et se dirigerait droit vers le rivage. Elle éviterait ainsi les courants les plus forts.

Tandis qu'elle s'éloignait, elle comprit que plus personne ne verrait jamais ce banc de sable. Les éléments avaient créé ce bref sourire de sable toujours changeant et dessiné sa courbe. À la prochaine marée, les vagues en créeraient un autre, puis un autre encore, mais plus jamais celui-ci. Celui qui l'avait accueillie. Celui qui lui avait livré un secret ou deux.

Plus tard, errant sur sa plage, elle récita son poème favori d'Amanda Hamilton :

Ô Lune qui décrois,
Éclaire et suis mes pas
Dissipe de ta lumière
Les ombres de la Terre
Viens éveiller mes sens
Pénétrés de silence
Tu sais comme le temps
Étire les moments
Jusqu'à l'autre rivage
Quand nul ne les partage
Le ciel n'est qu'un soupir
Quand le temps se retire…
Sur le sable mouvant.

Si quelqu'un devait jamais comprendre sa solitude, c'était bien la lune.

Retournant vers le cycle immuable de la vie des têtards et le ballet des lucioles, Kya s'enfonça plus profondément encore dans un monde sauvage où les mots n'avaient pas cours. La nature semblait le seul galet qui ne se déroberait plus sous ses pas quand elle traverserait un ruisseau.

31
Un livre

1968

La boîte à lettres rouillée, perchée sur un poteau et que Pa avait fabriquée, se tenait au bout de la route qui n'avait pas de nom. Pour tout courrier, Kya recevait des envois en nombre adressés à tous les résidents. Elle n'avait aucune facture à payer, aucune copine ni vieilles tantes avec qui échanger de petits messages affectueux et sans importance. À l'exception de cette unique lettre expédiée par Ma des années auparavant, la correspondance pour elle n'existait pas, et il lui arrivait de ne pas vider la boîte pendant plusieurs semaines.

Mais au cours de sa vingt-troisième année, plus de douze mois après que Chase et Pearl eurent annoncé leurs fiançailles, il ne se passait pas un jour sans qu'elle remonte sous une chaleur de feu le chemin sablonneux vers la boîte à lettres pour jeter un coup d'œil à l'intérieur. Finalement, un matin, elle trouva une grosse enveloppe en papier marron et en tira un exemplaire de presse des *Coquillages marins de la côte Est*, de Catherine Danielle Clark. N'ayant personne à qui le montrer, elle prit une profonde inspiration.

Assise sur la plage, elle tourna une page après l'autre. Quand Kya avait écrit à l'éditeur après le premier contact pris par Tate et soumis quelques dessins supplémentaires, il lui avait envoyé un contrat par retour de courrier. Parce que toutes ses toiles et les textes décrivant chaque spécimen de coquillage étaient prêts depuis plusieurs années, son éditeur, M. Robert Foster, lui écrivit que le livre serait publié en un temps record et que le second, consacré aux oiseaux, le suivrait de près. Il avait inclus une avance de cinq mille dollars. Pa en aurait trébuché sur sa jambe boiteuse et renversé son sac en papier.

Elle tenait maintenant entre ses mains la version finale – chaque coup de pinceau, chaque couleur soigneusement choisie, chaque développement de biologie, imprimés dans un livre. Il y avait aussi des croquis des créatures qui vivent à l'intérieur de ces coquilles – comment elles se nourrissent, se déplacent, s'accouplent – parce que les gens ont tendance à oublier ces petites bêtes. Elle effleura les pages en se rappelant chaque coquillage, le moment où elle l'avait trouvé, l'endroit où il reposait sur la plage, la saison, le lever de soleil. Un vrai album de famille.

Au cours des mois suivants, tout au long des côtes de Caroline du Nord, de Caroline du Sud, de Géorgie, de Virginie, de Floride et de Nouvelle-Angleterre, les magasins de souvenirs et les librairies exposèrent son ouvrage dans leurs vitrines ou sur des présentoirs. Les droits d'auteur lui parviendraient tous les six mois, lui avait-on dit, et ils pourraient s'élever chaque fois à plusieurs milliers de dollars.

Assise à la table de sa cuisine, elle rédigea une lettre de remerciements pour Tate, mais quand elle la relut, le cœur lui manqua. Un tel petit mot ne semblait pas suffisant. Grâce à la gentillesse de ce garçon, l'amour qu'elle éprouvait pour le marais allait maintenant devenir son œuvre, la source même de sa vie. Chaque plume, chaque coquillage, chaque insecte qu'elle ramasserait ferait désormais l'objet d'un partage avec les autres, elle n'aurait plus jamais à fouiller la boue pour assurer sa subsistance. Elle ne serait peut-être même plus obligée de manger du gruau de maïs tous les jours.

Jumping lui avait annoncé que Tate avait été engagé comme écologue dans le laboratoire du nouvel institut près de Sea Oaks, qui lui avait attribué un bateau rutilant pour mener ses recherches. Parfois elle l'apercevait au loin, mais elle passait son chemin.

Elle ajouta un post-scriptum à sa lettre : « Si tu passes dans les parages, arrête-toi. J'aimerais t'offrir un exemplaire du livre », et elle la lui expédia au laboratoire.

La semaine suivante, elle engagea les services d'un homme à tout faire, Jeremy, qui installa l'eau courante, un chauffe-eau, et une salle de bains complète avec une baignoire sur pattes dans la chambre du fond. Il posa aussi un évier dans un placard recouvert de carrelage, et aménagea des toilettes équipées d'une chasse d'eau. On amena l'électricité, et Jeremy brancha une cuisinière et un nouveau réfrigérateur. Kya insista pour garder le vieux poêle, avec son tas de bois juste à côté, parce qu'il chauffait la cabane, mais surtout parce qu'elle y avait fait cuire des milliers de biscuits, pareils à ceux dont sa mère avait le secret. Et si Ma revenait et que son vieux fourneau ait disparu ? Il fabriqua des éléments en pin massif pour la cuisine, une nouvelle porte d'entrée, une moustiquaire toute neuve pour la véranda, et installa des étagères du sol au plafond pour disposer ses spécimens. Elle commanda un canapé, des chaises, des lits, et des matelas ainsi que des tapis chez Sears & Roebuck mais conserva l'ancienne table de cuisine. Désormais elle avait aussi un vrai placard pour y entreposer quelques souvenirs : le petit tabernacle de sa famille dispersée.

La cabane n'avait pas été repeinte à l'extérieur, les planches de pin restaient délavées par le temps, et le toit en tôle grise maculé de traces de rouille continuait à se laisser effleurer par la mousse espagnole tombant des branches du chêne tout proche. En moins piteux état, mais toujours profondément fondue dans le tissu du marais. Kya continuait à coucher dans la véranda, sauf au plus froid de l'hiver. Mais maintenant elle dormait dans un vrai lit.

Un matin, Jumping annonça à Kya que des promoteurs allaient venir dans le secteur avec de vastes projets pour réhabiliter ce « marais obscur » et construire des hôtels. De temps à autre, au cours de la dernière année, elle avait vu de grandes machines-outils abattre des bosquets entiers de chênes en une semaine, puis creuser des canaux pour assécher le marais. Quand ils avaient fini, ils recommençaient ailleurs, laissant les traces de ce qu'ils avaient bu et mangé derrière eux. Apparemment, ils n'avaient jamais lu le livre d'Aldo Leopold.

Un poème d'Amanda Hamilton le disait clairement :

D'un enfant à l'autre,
D'un œil à l'autre,
Nous grandissions
Comme un seul homme,
Un corps unique, une seule âme.
Mais une aile après l'autre,
Une feuille après l'autre,
Tu as quitté ce monde,
Morte avant tes petits
Nature sauvage, mon amie.

Kya ne savait pas si sa famille possédait cette parcelle ou si elle l'occupait simplement, comme la plupart des gens des marais l'avaient fait depuis quatre siècles. Au fil des ans, fouillant dans les affaires de Ma, elle avait déniché tous les papiers qui se trouvaient dans la cabane et n'avait jamais rien trouvé qui ressemble à un acte de propriété.

À peine rentrée de chez Jumping, elle enveloppa la vieille bible dans un torchon et la porta au tribunal de Barkley Cove. Le préposé au cadastre, un homme aux cheveux blancs, doté d'un front immense et d'épaules étroites, alla chercher un gros registre relié en cuir, des cartes, et quelques photographies aériennes, qu'il déploya sur le comptoir. Faisant courir un doigt sur la carte, Kya désigna sa lagune et dessina le contour approximatif des limites de ce qu'elle pensait être son terrain. L'employé vérifia le numéro de référence, et se mit à la recherche de l'acte de propriété dans un vieux classeur en bois.

« Ah oui, le voilà ! dit-il. Le terrain a été mesuré comme il faut et acheté en 1897 par un certain M. Napier Clark.

– C'était mon grand-père », dit Kya. Elle feuilleta les fines pages de la bible, et là, parmi les dates de naissances et de morts, apparaissait effectivement Napier Murphy Clark. Quel nom magnifique ! Le même que son frère. Elle dit à l'employé que son père était mort, ce qui était probablement vrai.

« La parcelle n'a jamais été vendue. Donc, pour sûr, on doit supposer qu'elle vous appartient, mais je crains bien de vous le dire, il y a des taxes foncières en retard à régler, mademoiselle Clark, et si vous voulez garder cette terre, il va falloir les payer. En fait, mademoiselle, selon la loi, si quelqu'un se présente et règle les arriérés, c'est lui qui possède la terre même s'il n'a pas d'acte de propriété.

– Ça se monte à combien ? »

Kya n'avait jamais ouvert de compte en banque, et tout l'argent qu'elle possédait après les améliorations apportées à sa maison, environ trois mille dollars, se trouvait dans son sac à dos. Mais ils étaient en train de parler de quarante ans d'arriérés – de milliers et de milliers de dollars.

« Bon, voyons un peu. Cette parcelle est classée “terrain nu”, donc les taxes pour la plus grande partie de cette période s'élèvent à cinq dollars par an environ. Attendez un peu, il faut que je calcule. » Il s'approcha d'une grosse calculatrice en métal, il tapa les chiffres et, après chaque ajout, abaissait une sorte de manivelle, qui produisait un gargouillis mécanique comme si elle était effectivement en train d'additionner.

« Ça va chercher dans les huit cents dollars au total, et vous serez quitte. »

Kya sortit du tribunal avec un acte de propriété en bonne et due forme à son nom pour cent cinquante hectares de lagune, de marais aux eaux miroitantes, de forêts de chênes, et une longue plage privée sur la côte de Caroline du Nord. « Terrain nu. Marais obscur. »

Regagnant sa lagune au crépuscule, elle engagea une petite conversation avec le héron : « Tout va bien. Cet endroit reste à toi ! »

Le lendemain à midi, elle trouva un billet de Tate dans sa boîte à lettres, ce qui lui sembla étrange et bien cérémonieux, étant donné que jusque-là il ne lui avait jamais écrit que pour lui laisser des messages à côté des plumes sur la souche. Il la remerciait pour l'invitation à passer chez elle prendre un exemplaire du livre et ajoutait qu'il viendrait l'après-midi même.

Avec un des six exemplaires de son nouveau livre que l'éditeur lui avait envoyés, elle l'attendit sur la souche où il lui avait appris à lire. Environ vingt minutes plus tard, elle entendit ronronner le teuf-teuf du vieux bateau de Tate qui remontait le chenal et s'arrêtait. Quand il émergea des broussailles, ils se saluèrent d'un geste de la main et se sourirent timidement. Chacun des deux sur ses gardes. La dernière fois qu'il s'était arrêté là, elle lui avait jeté des pierres au visage.

Après avoir amarré son embarcation, Tate s'avança vers elle.

« Kya, ton livre est une vraie merveille. » Il se pencha légèrement en avant, comme pour l'embrasser, mais l'écorce endurcie de son cœur retint Kya.

À la place, elle lui tendit l'ouvrage. « Tiens, Tate. C'est pour toi.

– Merci, Kya », dit-il en l'ouvrant et en le feuilletant. Il ne lui avoua pas, bien sûr, qu'il en avait déjà acheté un à la librairie de Sea Oaks, et s'extasia sur chaque page. « On n'avait jamais rien publié de pareil. Je suis sûr que ce ne sera qu'un début. »

Elle se contenta d'incliner la tête avec un petit sourire.

Puis, retournant à la page de garde, il ajouta : « Oh, mais tu ne l'as pas signé. Il faut que tu me le dédicaces. S'il te plaît. »

Elle releva prestement la tête vers lui. N'y avait pas pensé. Que pouvait-elle bien écrire à Tate ?

Il sortit un stylo de la poche de son jean et le lui tendit.

Elle le prit et, au bout de quelques secondes, inscrivit : *Au Garçon des plumes, merci, de la Fille des marais.*

Tate lut la dédicace, puis il se détourna, le regard perdu de l'autre côté du marais parce qu'il ne pouvait pas la serrer dans ses bras. Finalement, il lui prit la main et l'étreignit.

« Merci, Kya.

– C'est moi qui dois te remercier, Tate », répondit-elle, puis elle pensa : *C'est toi qui as tout fait, Tate, ça a toujours été toi.* Une partie de son cœur allait vers lui, l'autre se protégeait. Il attendit une minute et, voyant qu'elle ne disait rien de plus, il s'apprêta à partir. Mais au moment où il montait sur son bateau, il ajouta : « Kya, quand tu me vois dans les marais, s'il te plaît, ne te cache pas dans les hautes herbes comme un petit faon. Si tu m'appelles, on pourrait partir en exploration ensemble. Tu veux bien ?

– D'accord.

– Merci encore pour le livre.

– Au revoir, Tate. » Elle demeura là jusqu'à ce qu'il ait disparu dans les broussailles, et se dit ensuite : *J'aurais au moins pu l'inviter à prendre le thé. Ça ne ferait de mal à personne. Je pourrais être son amie.* Puis, en un mouvement de fierté rare chez elle, elle songea à son livre. *Je pourrais être sa collègue.*

Une heure après le départ de Tate, Kya se rendit jusqu'au ponton de Jumping, un autre exemplaire de son livre dans son sac à dos. Alors qu'elle s'approchait, elle le vit, adossé au mur de sa vieille échoppe. Il se leva et lui fit un signe de la main, mais elle ne le salua pas en retour. Sentant qu'il se passait quelque chose de différent, il attendit en silence tandis qu'elle amarrait son bateau. Elle marcha vers lui, prit sa main, et posa le livre dans sa paume. D'abord, il ne comprit pas, mais elle lui montra son nom et lui dit :

« Tout va bien pour moi maintenant, Jumping. Merci à vous et merci à Mabel de tout ce que vous avez fait tous les deux pour moi. »

Il la dévisagea longuement. Dans un autre lieu, à une autre époque, un vieil homme noir et une jeune femme blanche se seraient peut-être embrassés. Mais pas là, pas à l'époque. Elle posa la main sur celle de Jumping, puis tourna les talons, et s'éloigna. C'était la première fois qu'elle le voyait ne pas trouver ses mots. Elle continua de lui acheter de l'essence et des provisions mais n'accepta plus jamais aucun vêtement d'occasion.

Et chaque fois qu'elle montait sur ce ponton, elle voyait son livre exposé à la minuscule fenêtre pour que tous puissent le voir. Comme un père aurait été fier de l'exhiber.

32
Un alibi

1969

De lourds nuages noirs défilaient au-dessus d'une mer gris anthracite en direction de Barkley Cove. Le vent tira le premier, secouant les vitres et faisant bondir les vagues par-dessus la jetée. Des bateaux, amarrés au dock, étaient ballottés comme des modèles réduits, tandis que des hommes en cirés jaunes attachaient ici et là des filins de sécurité. Puis, une pluie oblique s'abattit sur la petite ville, obscurcissant tout mis à part quelques silhouettes jaunes qui s'agitaient dans la grisaille. Le vent sifflait à travers les vitres du shérif et il dut élever la voix :

« Alors, Joe, tu as du nouveau à m'annoncer ?

– Pour sûr. J'ai trouvé où Mlle Clark va nous dire qu'elle était la nuit où Chase est tombé.

– Comment ça ? Tu veux dire que tu as fini par mettre la main dessus ?

– Tu veux rire ? Cette fille est une vraie anguille. Elle décampe chaque fois que je m'approche. Alors j'ai été en voiture jusqu'à la marina de Jumping ce matin pour voir s'il savait quand elle devait repasser. Comme tout le monde, elle a besoin de se ravitailler en essence, et donc je me suis dit que je finirais par l'attraper à un moment ou un autre. Tu croiras jamais ce que j'ai découvert.

– Raconte.

– Je tiens de deux sources sûres qu'elle était pas dans les parages ce soir-là.

– Quoi ? Qui ? Elle s'éloigne jamais d'ici, et même si c'était vrai, personne n'en saurait rien.

– Tu te rappelles Tate Walker ? Le Pr Walker aujourd'hui : il travaille au nouveau laboratoire de protection de l'environnement.

– Oui, je connais. Son père est crevettier. Scupper Walker.

– Eh bien, Tate dit qu'il fréquentait Kya – il l'appelle Kya – quand ils étaient gamins.

– Tu m'en diras tant.

– Non, pas comme tu l'entends. C'étaient rien que des gosses. Il lui a appris à lire, comme un père.

– C'est lui qui te l'a raconté ?

– Oui. Il était chez Jumping. J'ai demandé au vieux s'il savait où et comment je pouvais poser quelques questions à la Fille des marais. Il m'a répondu qu'il savait jamais quand il la verrait la prochaine fois.

– Jumping a toujours été très chouette avec elle. Ça m'étonnerait qu'il accepte de nous renseigner.

– Eh bien, je lui ai demandé si, par hasard, il savait ce qu'elle faisait la nuit de l'accident. Et il a dit que justement, oui, elle était passée chez lui deux jours après la mort de Chase, et que c'est lui qui lui avait appris la chose. Il affirme qu'elle était à Greenville pour deux jours, y compris la nuit où Chase est mort.

– À Greenville ?

– C'est ce qu'il m'a expliqué, et ensuite Tate, qui était resté planté là sans rien dire pendant tout ce temps, a mis son grain de sel, et il a confirmé qu'elle était à

Greenville, que c'est lui qui lui avait montré comment acheter le billet de car.

– Ça, on peut dire que c'est une nouvelle ! s'exclama le shérif Jackson. Et ça tombe pas mal qu'ils se soient trouvés là tous les deux pour te servir les mêmes salades. Qu'est-ce qu'elle serait allée faire à Greenville ?

– Tate m'a dit que son éditeur – tu sais peut-être qu'elle a écrit un livre sur les coquillages et un autre sur les oiseaux de mer –, eh bien, que son éditeur lui aurait payé le voyage pour qu'elle vienne le rencontrer.

– J'ai du mal à m'imaginer des gens élégants qui auraient envie de la connaître. Je suppose que ça va être assez facile de vérifier cette info. C'est quoi au juste, cette histoire de lui avoir appris à lire ?

– J'ai demandé à Tate comment il la connaissait. Il m'a répondu qu'il avait l'habitude d'aller pêcher près de chez elle et que, quand il avait découvert qu'elle savait pas lire, il lui avait appris.

– Hum… hum. Tu y crois ?

– En tout cas, ça change tout. Elle a un alibi maintenant, et un solide, reprit Joe. Moi je dirais qu'être à Greenville la nuit du crime, c'est plutôt un bon alibi.

– Oui, apparemment, mais tu sais ce qu'on dit sur les bons alibis. Et puis on a aussi ce crevettier qui raconte qu'il l'a vue se diriger en bateau vers la tour de guet la nuit même où Chase est tombé dans le vide.

– Il a pu se tromper. Il faisait noir. La lune éclaire plus rien passé 2 heures du matin. Elle était peut-être à Greenville, et c'est quelqu'un d'autre qu'il a vu dans un bateau qui ressemblait au sien.

– Bon, comme je t'ai dit, ça doit être facile de vérifier si elle a effectivement fait ce voyage à Greenville. »

La tempête s'apaisa pour se transformer en un mugissement du vent et une bruine persistante ; néanmoins, au lieu de se rendre à pied au restaurant, les deux policiers envoyèrent un coursier leur chercher du poulet et des boulettes de pâte, des haricots beurre, une fricassée de courgettes, du sirop de canne et des biscuits.

Juste après le déjeuner, on frappa à la porte. Mlle Pansy Price l'ouvrit et entra dans le bureau du shérif. Joe et Ed se levèrent. Elle portait un turban scintillant de couleur vieux rose.

« Bonjour, mademoiselle Pansy. » Tous deux inclinèrent la tête.

« Bonjour, Ed, bonjour, Joe. Est-ce que je peux m'asseoir ? Je n'en ai pas pour longtemps. Je crois que j'ai une information capitale concernant l'affaire.

– Oui, bien sûr. Asseyez-vous, je vous en prie. » Les deux hommes reprirent leur chaise aussitôt que Mlle Pansy se fut perchée comme une grosse poule sur la sienne, lissant çà et là quelques plumes, son sac à main posé sur ses genoux comme un œuf de premier choix. Le shérif ne put s'empêcher d'ajouter :

« Et de quelle affaire parlez-vous, mademoiselle Pansy ?

– Oh, je vous en prie, Ed. Vous savez très bien de quoi je parle. Du meurtre de Chase Andrews. Cette affaire-là.

– Personne ne dit que c'est un meurtre, mademoiselle Pansy. D'accord ? Maintenant qu'est-ce que vous êtes venue nous dire ?

– Comme vous le savez, je suis employée chez Kress. » Pas question pour elle de renoncer à son standing en prononçant le nom entier : le bazar Kress. Elle attendit que le shérif opine du chef – même s'ils savaient tous qu'elle travaillait là depuis toujours et qu'elle lui avait vendu des soldats de plomb quand il était gamin – puis elle poursuivit : « Je crois savoir qu'on soupçonne la Fille des marais. Est-ce que je me trompe ?

– Qui vous a dit une chose pareille ?

– Oh beaucoup de gens en sont convaincus, mais Patti Love plus que tous les autres.

– Je vois.

– Eh bien, depuis la vitrine de chez Kress, certains des employés et moi avons vu la Fille des marais monter et descendre du car justement à des moments qui font qu'elle ne pouvait pas être en ville la nuit où Chase est mort. Je peux témoigner des jours et des heures.

– Vraiment ? » Joe et Ed échangèrent un regard. « Dites-nous un peu les dates et les heures en question ? »

Mlle Pansy se redressa sur sa chaise. « Elle est partie par le car de 14 h 30 le 28 octobre et rentrée le 30 à 13 h 16.

– Et vous dites que d'autres aussi l'ont vue ?

– Oui. Je peux vous fournir une liste si vous voulez.

– Ça ne sera pas nécessaire. On passera au bazar si on a besoin de dépositions. Merci, mademoiselle Pansy. » Le shérif se leva, Mlle Pansy et Ed l'imitèrent.

Elle se dirigea vers la porte. « Je vous remercie d'avoir pris le temps de m'écouter. Comme vous le dites si bien, vous savez où me trouver. »

Ils prirent congé.

Joe se rassit. « Eh bien voilà. Ça confirme ce que Tate et Jumping m'avaient raconté. Elle était à Greenville la nuit du 29 au 30. »

Le shérif poussa un long soupir. « Apparemment oui. Mais je suppose que si quelqu'un peut partir pour Greenville dans la journée, il peut aussi en revenir la nuit. Faire ce qu'il a à faire ici. Et repartir en car pour Greenville. On n'est pas plus avancés.

– Peut-être bien, mais ça m'a l'air un peu tiré par les cheveux.

– Va chercher les horaires des cars. On verra si les heures concordent. Si un aller-retour est possible en une nuit. »

Avant que Joe quitte le bureau, Ed poursuivit : « Il est pas impossible qu'elle ait voulu qu'on la voie au grand jour monter ou descendre du car. Quand on y réfléchit, il fallait bien qu'elle fasse quelque chose d'extraordinaire si elle voulait un alibi. Affirmer qu'elle était seule dans sa cabane la nuit où Chase est mort, comme à son habitude, ça serait pas un alibi du tout. Que dalle ! Donc elle a pensé à un truc que beaucoup de gens pourraient l'avoir vue en train de faire. Tous ces témoins dans la rue principale : un alibi imparable ! C'est brillant !

– Oui, je vois ce que tu veux dire. En tout cas, on n'a plus besoin d'user nos semelles. On peut rester ici à siroter notre café et ces dames de la ville viennent nous trouver pour nous proposer leurs marchandises. Moi je vais chercher les horaires des cars. »

Joe revint un quart d'heure plus tard.

« Eh bien tu avais raison, dit-il. Tu vois, il serait possible de rentrer de Greenville à Barkley Cove et de repartir la même nuit. Ça serait même facile.

– Oui. Il y a tout à fait le temps entre les deux pour pousser quelqu'un du haut d'une tour de guet. Moi je crois qu'on va le demander, ce mandat. »

33
La cicatrice

1968

Au cours de l'hiver 1968, Kya, assise devant la table de sa cuisine un matin, passait des couches d'aquarelle orange et rose sur le papier, pour peindre la forme rebondie d'un champignon. Elle avait terminé son livre sur les oiseaux de mer et préparait maintenant un guide des champignons. Elle avait aussi des projets pour un autre encore sur les papillons et les éphémères.

Des haricots cornille, des oignons rouges, et du jambon salé bouillaient dans la vieille marmite sur la cuisinière, qu'elle continuait à préférer à la nouvelle série de casseroles. Particulièrement en hiver. Une pluie légère tambourinait sur le toit. Soudain, elle entendit le grondement d'un véhicule qui avançait péniblement sur le sable dans son chemin. Son moteur faisait plus de bruit que la pluie sur le toit. Prise de panique, elle s'approcha de la fenêtre et aperçut un pick-up rouge qui tentait d'éviter les ornières boueuses.

Sa première idée fut de s'enfuir, mais déjà le véhicule s'arrêtait sous le porche. Elle se baissa sous le rebord de la fenêtre, et vit un homme en uniforme kaki qui mettait pied à terre. Il resta là, la portière ouverte, parcourant les bois du regard, en direction du sentier qui mène à la lagune. Puis, refermant doucement la portière, il se précipita sous la pluie vers la véranda et frappa à la porte.

Elle poussa un juron. Il était sans doute perdu, demanderait son chemin et repartirait, mais elle n'avait aucune envie de lui parler. Elle pouvait rester cachée dans la cuisine en attendant qu'il déguerpisse. Mais elle l'entendit crier : « Ohé ! Il y a quelqu'un ? Bonjour ! »

Agacée mais curieuse, elle traversa le séjour récemment meublé jusqu'à la véranda. L'inconnu, un homme de haute taille aux cheveux noirs, se tenait sur le perron en maintenant la moustiquaire ouverte, à moins de deux mètres d'elle. Son uniforme paraissait assez amidonné pour tenir debout tout seul. Le plastron de sa veste était couvert de médailles rectangulaires et multicolores. Mais Kya fut surtout frappée par une cicatrice irrégulière qui lui zébrait le visage de l'oreille gauche jusqu'au-dessus des lèvres. Elle retint son souffle.

L'espace d'un instant, elle se revit lors de ce dimanche de Pâques environ six mois avant que Ma ne disparaisse pour toujours. Elles chantaient « Rock of Ages » et traversaient le séjour main dans la main pour aller chercher dans la cuisine les œufs qu'elles avaient peints de toutes les couleurs la veille au soir. Les autres enfants étaient partis à la pêche, si bien qu'elles avaient le temps de les cacher avant de mettre le poulet et les biscuits au four. Ses frères et ses sœurs étaient trop âgés pour jouer à chercher les œufs, mais ils n'hésiteraient pas à fouiller dans tous les sens, à faire semblant de ne pas les trouver, puis à brandir chaque trésor découvert au-dessus de leur tête en riant. Ma et Kya étaient en train de sortir de la cuisine avec leur panier d'œufs et les pains au chocolat achetés au bazar, au moment où Pa apparut au coin du couloir.

Il arracha son chapeau de Pâques à Kya et, en l'agitant comme un forcené, il hurla à l'adresse de Ma : « Où est-ce que tu as trouvé du fric pour acheter toutes ces saloperies ? Des chapeaux et des chaussures vernies ? Et puis ces œufs et ces pains au chocolat ? Dis-le-moi un peu. Où ça ?

– Allons, Jake, arrête de crier s'il te plaît. C'est Pâques. J'ai voulu faire plaisir aux enfants. »

Il repoussa Ma avec force.

« Tu es encore allée faire la pute, voilà la vérité, c'est comme ça que tu trouves l'argent ? Tu ferais mieux de me le dire tout de suite. » Il saisit Ma par les deux bras et la secoua si fort que les yeux semblèrent lui sortir de la tête, grands ouverts et fixes. Les œufs tombèrent du panier et roulèrent sur le plancher en un charivari de couleurs pastel.

« Pa, s'il te plaît, arrête ! » s'écria Kya avant de fondre en larmes.

Il leva la main et la gifla violemment. « La ferme, espèce de petite morveuse ! Enlève tout de suite cette robe et ces chaussures ridicules. C'est des fringues de pute ! »

Se tenant le visage, elle se pencha pour ramasser les œufs que Ma avait peints à la main.

« Je t'ai parlé, femme ! D'où est-ce que tu sors cet argent ? » Il décrocha le tisonnier de son support et s'avança vers Ma.

Kya se mit à crier de toutes ses forces et saisit le bras de Pa alors qu'il abattait le tisonnier sur la poitrine de Ma. Pareilles à de petits pois rouges, des taches de sang jaillirent sur sa robe d'été à fleurs. À ce moment-là, elle entendit un pas lourd marteler le couloir, et, relevant les yeux, Kya vit Jodie se jeter sur Pa par-derrière et le plaquer sur le plancher où ils roulèrent ensemble.

Son frère s'interposa entre leurs parents et cria à Kya et à leur mère de déguerpir, ce qu'elles firent aussitôt. Mais avant de sortir, Kya vit Pa brandir à nouveau le tisonnier et frapper Jodie en plein visage, lui déformant grossièrement la mâchoire et faisant jaillir le sang. La scène se rejouait maintenant dans sa tête en un éclair. Son frère s'affaissant sur le sol, parmi des œufs rose tyrien et des pains au chocolat, Ma et elle s'enfuyant à travers les palmiers nains pour aller se cacher dans les broussailles. La robe toute maculée de rouge, Ma continuait à dire que tout allait bien, que les œufs n'allaient pas se casser, et qu'elle pouvait encore faire rôtir le poulet. Kya ne comprenait pas pourquoi elles restaient cachées – elle était sûre que son frère était en train de mourir, qu'il avait besoin de leur aide, mais elle avait trop peur pour bouger. Elles attendirent un long moment, puis revinrent à pas furtifs, en regardant par les fenêtres pour s'assurer que Pa était bien parti.

Jodie gisait tout froid sur le plancher dans une mare de sang, et Kya hurla qu'il était mort. Mais Ma le ranima et le porta sur le canapé pour lui recoudre le visage avec une aiguille. Quand le calme revint, Kya ramassa son chapeau et fila dans les bois où elle le jeta de toutes ses forces dans les hautes herbes.

Elle plongea les yeux dans ceux de l'inconnu qui se tenait sur le perron et prononça : « Jodie. »

Il sourit, déformant sa cicatrice, et répondit : « Kya, j'espérais bien te trouver là. » Ils restèrent longtemps à se dévisager, se cherchant l'un l'autre dans leurs yeux devenus plus vieux. Jodie ne pouvait pas savoir qu'elle n'avait jamais cessé de penser à lui durant toutes ces années, que des centaines de fois il lui avait montré le chemin à travers le marais, qu'il lui avait inlassablement appris ce qu'il savait des hérons et des lucioles. Plus que tous les autres, elle avait sans cesse rêvé de revoir Jodie et Ma. Dans son cœur, la cicatrice et la douleur avaient disparu. Il n'était guère étonnant qu'elle ait enfoui le souvenir de cette scène, guère étonnant que Ma soit partie. Un coup de tisonnier sur la poitrine. Kya revit les marques à demi effacées sur la robe à fleurs comme autant de taches de sang.

Il avait envie de la serrer dans ses bras, mais quand il s'approcha, elle baissa la tête avec une grande pudeur et recula d'un pas. Il se contenta par conséquent d'avancer dans la véranda.

« Entre, dit-elle et elle le conduisit dans le petit séjour envahi de ses spécimens.

– Oh ! s'exclama-t-il. Oui, j'ai vu ton livre, Kya. Je n'étais pas tout à fait sûr que ce soit toi, mais oui, maintenant il est clair que oui. C'est vraiment extraordinaire ! » Il fit le tour de la pièce pour admirer ses collections, découvrant au passage les meubles neufs, jetant un coup d'œil dans le couloir vers les chambres. Ne voulant pas paraître trop curieux, mais remarquant néanmoins chaque détail.

« Tu veux un café, un thé ? » Elle ne savait pas s'il était venu simplement lui rendre visite ou s'il avait l'intention de rester. Que pouvait-il bien vouloir après toutes ces années ?

« Un café, ce serait très bien. Merci. »

Dans la cuisine, il reconnut l'ancien poêle à bois à côté de la cuisinière à gaz et du réfrigérateur flambant neufs. Il passa la main sur la vieille table de cuisine, qu'elle avait conservée en l'état. Toute son histoire se lisait dans sa peinture écaillée. Elle servit le café, et ils s'assirent.

« Alors comme ça, tu es soldat.

– On m'a envoyé deux fois au Vietnam. Je suis encore à l'armée pour quelques mois. Ils m'ont bien traité. Ils m'ont payé des études – génie mécanique, à l'Institut technologique de Géorgie. Le moins que je puisse faire, c'est rester encore un peu. »

La Géorgie, ce n'était pas si loin – il aurait pu venir plus tôt. En tout cas, il était là aujourd'hui.

« Vous êtes tous partis, dit-elle. Pa est resté encore plusieurs mois après toi, mais ensuite, il a disparu lui aussi. Je ne sais pas où, je ne sais même pas s'il est encore en vie.

– Alors tu es restée seule ici tout ce temps ?

– Oui.

– Kya, je n'aurais jamais dû te laisser avec ce monstre. J'en ai souffert, j'ai eu des remords terribles à ce sujet pendant des années. J'ai été lâche, imbécile et lâche. Ces satanées médailles ne veulent rien dire. » Il fit un geste large vers sa poitrine. « Je t'ai laissée, toute petite, seule à survivre dans un marais avec un fou. Je ne m'attends pas à ce que tu puisses me pardonner un jour.

– Jodie, ça n'a pas d'importance. Tu n'étais qu'un gosse toi aussi. Qu'est-ce que tu pouvais faire d'autre ?

– J'aurais pu revenir un peu plus tard. D'abord, j'ai subsisté au jour le jour dans les bas-fonds d'Atlanta. » Il lâcha un petit ricanement. « J'étais parti d'ici avec soixante-quinze cents en poche. De l'argent que Pa avait laissé dans la cuisine, je l'ai pris en sachant que ça te laisserait sans un sou. J'ai fait une série de petits boulots jusqu'à ce que l'armée m'appelle. Après l'entraînement, on m'a envoyé tout droit à la guerre. Quand je suis rentré au pays, tellement de temps avait passé, je me suis dit que tu devais toi aussi avoir tracé ta route. C'est pour ça que je n'ai pas écrit ; je crois que je me suis engagé pour partir une seconde fois comme une sorte de punition. Ce que je méritais pour t'avoir abandonnée. Ensuite, après avoir obtenu mon diplôme d'ingénieur de l'Institut technologique, il y a environ deux mois, j'ai vu ton livre dans une boutique. Catherine Danielle Clark. J'ai eu l'impression que mon cœur allait péter de chagrin et éclater de joie en même temps. Il fallait que je te retrouve et je me suis dit que j'allais commencer par ici, puis partir à ta recherche.

– Eh bien voilà, c'est fait. » Elle sourit pour la première fois. Les yeux de Jodie étaient restés les mêmes. Les visages changent avec les épreuves de la vie, mais les yeux demeurent une fenêtre ouverte sur le passé, et elle y reconnaissait son frère.

« Jodie, je suis désolée que tu te sois inquiété de m'avoir laissée. Je ne t'en ai jamais voulu. On était les victimes, pas les coupables. » Il sourit à son tour. « Merci, Kya. » Les larmes montaient, et ils détournèrent tous les deux la tête.

Elle hésita, puis lui dit : « Tu auras sans doute du mal à le croire, mais pendant un moment, Pa s'est bien comporté avec moi. Il buvait moins, il m'a appris à pêcher, on allait souvent en barque ensemble, dans tout le marais. Et puis un jour, bien sûr, il a recommencé à boire et il m'a laissée me débrouiller toute seule. »

Jodie hocha la tête. « Oui, j'ai vu ce côté-là de lui quelquefois, mais il a toujours recommencé à taquiner la bouteille. Il m'a dit un jour que ça avait quelque chose à voir avec la guerre. J'y suis allé moi aussi et j'ai vu des choses qui peuvent pousser un homme à boire. Mais il n'aurait jamais dû s'en prendre à sa femme et à ses propres enfants.

– Tu sais quelque chose de Ma, ou des autres ? demanda-t-elle. Tu as eu de leurs nouvelles, tu as appris où ils étaient allés ?

– Je ne sais rien de Murph, Mandy ou Missy. Je ne les reconnaîtrais sans doute pas si je les croisais dans la rue. À l'heure qu'il est, je suppose qu'ils se sont envolés aux quatre vents. Mais Ma, eh bien, Kya, c'est une autre des raisons pour lesquelles je voulais te retrouver. D'elle, j'ai eu des nouvelles.

– Des nouvelles ? Quoi ? Dis-moi ! » Des frissons la parcouraient des bras au bout des doigts.

« Kya, elles ne sont pas bonnes. Je ne l'ai appris que la semaine dernière. Ma est morte il y a deux ans. »

Elle se pencha en avant, le visage entre les mains. Des gémissements sourds lui montaient de la gorge. Jodie essaya de l'enlacer, mais elle recula.

Il poursuivit : « Ma avait une sœur, Rosemary, qui a essayé de retrouver notre trace à travers la Croix-Rouge quand Ma est morte, mais rien à faire. Puis il y a quelques mois, ils m'ont identifié grâce à l'armée et mis en contact avec Rosemary. »

La voix brisée, Kya balbutia : « Ma était encore en vie il y a deux ans. Toutes ces années, j'ai attendu de la voir remonter le chemin. » Elle se leva et s'agrippa à l'évier. « Pourquoi elle n'est jamais revenue ? Pourquoi personne ne m'a dit où elle était ? Et maintenant, il est trop tard. »

Jodie s'approcha, et même si elle tenta de se détourner, il la prit dans ses bras.

« Je suis désolé, Kya. Viens t'asseoir. Je vais te dire ce que Rosemary m'a appris. »

Il attendit un instant, puis reprit : « Ma souffrait déjà d'une grave dépression quand elle nous a quittés et qu'elle est partie pour La Nouvelle-Orléans. Elle était mentalement et physiquement très atteinte. Je me souviens un peu de La Nouvelle-Orléans. Je suppose que je devais avoir cinq ans quand on a déménagé. Je me rappelle seulement un joli appartement avec de grandes fenêtres qui donnaient sur un jardin. Mais une fois qu'on est arrivés ici, Pa ne voulait plus que personne ne parle de La Nouvelle-Orléans, de nos grands-parents, ni de rien de tout ça. Alors tous les souvenirs se sont effacés. »

Kya hocha la tête. « Je ne le savais pas. »

Jodie continua : « Rosemary m'a raconté que leurs parents s'étaient opposés au mariage de Ma depuis le début, mais qu'elle était partie pour la Caroline du Nord avec son mari, sans un sou en poche. Au bout d'un moment, Ma s'est mise à écrire à sa sœur pour lui décrire son marasme : sa vie au fond du marais dans une cabane avec un ivrogne qui les battait, elle et ses enfants. Et puis un jour, des années plus tard, Ma a débarqué. Elle portait ses hauts talons en imitation alligator qu'elle adorait. Elle ne s'était ni lavée ni coiffée depuis plusieurs jours.

« Pendant des mois, Ma est restée prostrée, elle ne prononçait pas un seul mot. Elle a repris son ancienne chambre dans la maison de ses parents, et elle se nourrissait à peine. Évidemment, ils ont fait venir des médecins, mais aucun n'a réussi à lui venir en aide. Le père de Ma a contacté le bureau du shérif de Barkley Cove pour demander si ses petits-enfants allaient bien, mais ils lui ont répondu qu'ils n'étaient pas là pour surveiller les gens des marais. »

Kya reniflait de temps à autre.

« Finalement, presque un an plus tard, Ma a fait une terrible crise et confié à Rosemary qu'elle se rappelait maintenant avoir abandonné ses enfants. Sa sœur l'a aidée à écrire une lettre à Pa pour lui demander si elle pouvait venir nous chercher et nous emmener vivre avec elle à La Nouvelle-Orléans. Il a répondu que, si elle revenait ou essayait de nous contacter, il nous battrait à mort. Elle savait qu'il en était capable. »

L'enveloppe bleue. Ma s'était inquiétée d'elle, de tous ses enfants. Ma avait cherché à la revoir. Mais le résultat avait été contraire à toutes ses attentes. Sa lettre l'avait rendu fou furieux, il s'était remis à boire, et Kya l'avait perdu lui aussi. Elle n'avoua pas à Jodie qu'elle avait conservé les cendres de cette lettre dans un petit bocal.

« Rosemary m'a dit que Ma ne s'était jamais fait d'amis, qu'elle ne prenait jamais ses repas en famille, et qu'elle n'avait de relations avec personne. Elle ne s'autorisait aucune vie, aucun plaisir. Au bout d'un moment, elle a complètement retrouvé l'usage de la parole, mais elle ne parlait que de ses enfants. Rosemary a ajouté que Ma nous avait aimés toute sa vie mais qu'elle était prise dans un dilemme terrible. Elle était convaincue qu'il nous ferait du mal si elle revenait et en même temps qu'on se sentirait abandonnés si elle ne le faisait pas. Elle ne nous avait pas quittés par caprice, on l'avait rendue folle et elle ne savait même plus pourquoi elle était partie.

– Comment elle est morte ?

– Elle avait une leucémie. On aurait pu la soigner mais elle refusait tout traitement. Elle s'est affaiblie progressivement et s'est éteinte il y a deux ans. Rosemary a dit qu'elle était morte un peu comme elle avait vécu. Dans le noir, dans le silence. »

Jodie et Kya demeurèrent immobiles. Kya songea au poème de Galway Kinnell que Ma avait souligné dans son recueil :

… je suis soulagé
De voir tout terminé
N'avais plus que pitié
Pour cet élan de vie
Adieu, adieu, ma mie.

Jodie se releva. « Accompagne-moi, Kya, je veux te montrer quelque chose. » Il la conduisit à son pick-up et ils montèrent à l'arrière.

Soigneusement, il souleva une bâche et ouvrit une grande caisse en carton, puis, l'un après l'autre, il en sortit et déballa des tableaux. Il les appuya contre le plateau du camion. L'un d'eux représentait trois fillettes : Kya et ses sœurs, accroupies au bord de la lagune, observant des libellules. Sur un autre, on voyait Jodie et leur frère qui soulevaient fièrement une ligne de poissons.

« Je les ai apportés au cas où tu serais encore là. C'est Rosemary qui me les a envoyés. Elle m'a dit que pendant des années, jour et nuit, Ma avait passé son temps à nous peindre. »

Sur un autre tableau, les cinq enfants paraissaient fixer l'artiste. Kya plongea les yeux dans ceux de ses frères et sœurs, qui semblaient lui rendre son regard.

Dans un murmure, elle demanda : « Qui est qui ?

– Comment ça ?

– Personne n'a jamais pris aucune photo. Je ne les connais pas. Qui est qui ?

– Oh… » Il avait du mal à respirer et finit par répondre : « Eh bien, là c'est Missy, l'aînée. Ensuite, Murph. Et Mandy. Bien sûr, ce joli petit garçon, c'est moi. Et ça, c'est toi. »

Il laissa passer quelques instants, puis il reprit : « Regarde un peu celui-ci. »

Sur une toile extraordinairement colorée, deux enfants étaient accroupis dans un tourbillon d'herbes vertes et de fleurs sauvages. La fillette était toute petite, trois ans environ, ses cheveux noirs et raides lui tombaient sur les épaules. Le garçon, un peu plus âgé, avec des boucles dorées, montrait du doigt un monarque, les ailes noir et jaune du papillon ouvertes devant une marguerite. Il avait la main posée sur le bras de la petite fille.

« Je crois que c'est Tate Walker, dit Jodie. Et toi.

– Je pense que tu as raison. Ça lui ressemble. Mais pourquoi Ma aurait-elle peint Tate ?

– Il venait ici assez souvent, pour pêcher avec moi. Il passait son temps à te montrer des insectes et d'autres trucs.

– Pourquoi je ne m'en souviens pas ?

– Tu étais trop petite. Un après-midi, Tate était en train d'amarrer son bateau dans notre lagune, pendant que Pa, déjà franchement ivre, tétait sa bouteille. Toi, tu pataugeais dans l'eau et il était censé te surveiller. Soudain, sans aucune raison, il t'a prise par les bras et t'a secouée tellement fort que ta tête a été rejetée en arrière. Puis il t'a lâchée dans la boue en éclatant de rire. Tate a bondi de son bateau et couru vers toi. Il n'avait que sept ou huit ans, mais il s'est mis à crier sur Pa. Bien sûr, l'autre l'a giflé et lui a hurlé dessus de ne pas remettre les pieds chez lui, sinon il le tuerait. À ce moment-là, on s'était déjà tous précipités pour voir ce qui se passait. Ignorant Pa qui pestait et éructait tout ce qu'il savait, Tate t'a relevée et tendue à Ma. Il s'est assuré que tu allais bien avant de s'en aller. On a continué à aller pêcher après ça, mais il n'est jamais revenu chez nous. »

Jusqu'au jour où il m'a montré le chemin de la maison la première fois où j'ai pris le bateau pour aller dans le marais, songea Kya. Elle observa la toile, si colorée, si paisible. De façon inexplicable, l'esprit de Ma avait réussi à tirer de la beauté de sa folie. En regardant ces portraits, tout le monde aurait pensé qu'ils représentaient la plus heureuse des familles, vivant au bord de la mer et jouant au soleil.

Jodie et Kya s'assirent au bord du plateau du pick-up, et continuèrent à regarder tranquillement les toiles.

Il reprit : « Ma était recluse et seule. Dans des circonstances pareilles, les gens se conduisent différemment. »

Kya lâcha un petit grognement. « S'il te plaît, ne me parle pas de solitude. On n'a pas besoin de m'expliquer combien ça peut changer quelqu'un, je l'ai vécu. Je suis la solitude en personne, souffla Kya avec un brin de rancune. Je pardonne à Ma d'être partie. Mais je ne comprends pas pourquoi elle n'est jamais revenue, pourquoi elle m'a abandonnée. Tu ne t'en souviens sans doute pas, mais après son départ, tu m'avais expliqué qu'une renarde laisse parfois ses petits si elle risque de mourir de faim ou dans des conditions de stress extrême. Les petits meurent, et cela se serait sans doute passé de toute façon, mais la renarde continue à vivre pour en mettre au monde d'autres quand la situation sera meilleure, quand elle pourra amener une nouvelle portée à maturité.

– J'ai lu beaucoup de choses à ce sujet depuis. Dans le monde sauvage, là où on entend le chant des écrevisses, ces comportements en apparence impitoyables augmentent en fait le nombre de petits qu'une mère peut porter durant sa vie ; de cette façon, les gènes de l'abandon des rejetons en période de stress passent à la génération suivante. Puis à la suivante. La même chose se produit pour les humains. Certains comportements, qui nous paraissent insensibles aujourd'hui, ont permis la survie des premiers hommes au fond du marais où ils pouvaient se trouver à l'époque. Sans ça, nous ne serions pas là. Nous conservons ces mêmes instincts dans nos gènes, et ils s'expriment dans des circonstances données. Certaines parties de nous continuent à être ce que nous étions alors, ce qu'il nous a fallu faire pour survivre, dans ces temps reculés.

– Il est possible qu'un élan primitif – des gènes anciens, qui ne sont plus d'actualité – ait poussé Ma à nous quitter à cause du stress, de l'horreur et du danger réel qu'il y avait à vivre avec Pa. Mais ça ne rend pas les choses plus justes. Elle aurait dû *choisir* de rester. Tout de même, savoir que ces instincts sont dans notre matériel biologique peut aider à pardonner même à une mère défaillante. Ça peut expliquer qu'elle soit partie, mais je ne vois toujours pas pourquoi elle n'est pas revenue. Pourquoi elle ne m'a même jamais écrit. Elle aurait pu m'envoyer une lettre après l'autre, une année après l'autre, jusqu'à ce que finalement l'une d'elles me parvienne.

– Je suppose que certaines choses ne s'expliquent pas, on peut seulement soit les pardonner, soit refuser de le faire. Je n'ai pas la réponse. Peut-être qu'il n'y en a pas. Je suis désolé de t'avoir apporté cette mauvaise nouvelle.

– J'ai été sans famille, sans nouvelles d'une famille, durant la plus grande partie de ma vie. Aujourd'hui, en quelques minutes, j'ai trouvé un frère et perdu ma mère.

– Je suis navré, Kya.

– Ne le sois pas. En réalité, j'ai perdu Ma il y a des années, et aujourd'hui tu es de retour, Jodie. Je ne peux pas te dire combien je désirais te revoir. C'est l'un des plus heureux et des plus tristes jours de mon existence. » Elle lui effleura le bras du bout des doigts, et il la connaissait déjà suffisamment bien pour savoir que c'était un geste rare.

Ils retournèrent vers la cabane, et il fit le tour de tout ce qu'il y avait de nouveau, les murs fraîchement repeints, les éléments de cuisine façonnés à la main.

« Comment tu t'es débrouillée, Kya ? Avant ton livre, comment tu faisais pour trouver de l'argent et de quoi manger ?

– Oh, c'est une longue histoire bien ennuyeuse. Pour l'essentiel je vendais des moules, des huîtres, et du poisson fumé à Jumping. » Jodie éclata de rire en rejetant la tête en arrière. « Jumping ! Je n'avais pas repensé à lui depuis des années. Il est toujours là ? »

Kya, elle, ne rit pas.

« Jumping a été mon meilleur ami, mon seul ami, pendant des années. Ma seule famille à moins que l'on compte les goélands argentés. »

Jodie redevint sérieux. « Tu n'avais pas de copines à l'école ?

– Je n'y suis allée qu'un seul jour, gloussa-t-elle. Les autres se moquaient de moi, alors je n'y suis jamais retournée. J'ai passé des semaines à me cacher des employés des services sociaux. Ce qui, après toutes les choses que tu m'avais enseignées, n'était pas très difficile. »

Il avait l'air abasourdi. « Mais comment as-tu appris à lire ? Pour écrire ton livre ?

– En fait, c'est Tate Walker qui m'a appris.

– Tu le vois toujours ?

– De temps à autre. » Elle se releva, se tourna vers la cuisinière. « Encore un café ? »

Jodie sentait la solitude qui flottait dans l'air de la cuisine. Elle était là, tapie dans la minuscule provision d'oignons au fond du panier à légumes, dans l'assiette unique qui séchait sur l'égouttoir. Dans le pain de maïs soigneusement emballé dans une serviette en papier, à la façon dont une vieille veuve l'aurait fait.

« J'en ai bu beaucoup, merci. Et si on allait faire un tour dans le marais ? proposa-t-il.

– Oui, bien sûr. Tu ne vas pas le croire, j'ai acheté un nouveau moteur mais c'est toujours le même bateau. »

Le soleil s'était frayé un chemin parmi les nuages et son éclat et sa chaleur étaient surprenants par ce jour d'hiver. Tandis qu'elle conduisait la barque à travers d'étroits chenaux et le miroir des estuaires, il s'extasia devant une souche dont il se souvenait, exactement pareille à autrefois, et devant un barrage de castors construit exactement au même endroit. Ils pouffèrent en arrivant à la lagune où Ma, Kya et ses sœurs avaient fait échouer le bateau dans la boue.

De retour à la cabane, elle prépara un pique-nique, et ils allèrent manger sur la plage en compagnie des oiseaux de mer.

« J'étais si petite quand ils sont tous partis. Parle-moi des autres. » Alors il lui raconta quelques épisodes où son frère aîné, Murph, la portait sur ses épaules à travers bois.

« Tu riais à gorge déployée. Il se mettait à courir et à tourner en rond, avec toi juchée sur son dos. Une fois, tu as ri tellement fort que tu as fait pipi dans ta culotte sur sa nuque.

– Oh ce n'est pas possible ! » Kya se renversa en arrière en s'esclaffant.

« Je te jure que si. Il a râlé pour la forme mais il a continué à courir jusqu'à la lagune où il est entré dans l'eau, toujours avec toi sur les épaules. Nous, on regardait – Ma, Missy, Mandy et moi – et on se fendait la pêche. Ma avait été obligée de s'asseoir par terre, tant elle n'en pouvait plus de rire. »

L'esprit de Kya formait des images pour accompagner ces souvenirs. Des bribes de l'histoire familiale qu'elle ne pensait jamais avoir la chance de retrouver.

Jodie poursuivit : « C'est Missy qui avait commencé à donner à manger aux mouettes et aux goélands.

– Quoi ? Vraiment ? J'avais pensé être la première à en avoir l'idée, après le départ de tout le monde.

– Non, elle les nourrissait tous les jours où on la laissait le faire. Elle leur avait donné des noms. Il y en avait un qu'elle appelait Big Red, je m'en souviens. Tu sais, à cause de cette tache rouge que certains goélands ont sur le bec.

– Ce n'est pas le même oiseau, bien sûr. J'ai moi-même connu plusieurs générations de Big Red. Mais là, celui que tu vois sur la gauche, c'est le Big Red d'aujourd'hui. » Elle essaya de retrouver l'image de la sœur qui lui avait donné l'amour des goélands, mais elle ne put voir que son visage sur le tableau. Ce qui était déjà plus qu'auparavant.

La tache rouge sur le bec du goéland argenté, Kya le savait, était davantage qu'une décoration. C'est seulement quand les oisillons la piquent de leur bec que leurs parents leur donnent la nourriture qu'ils ont pêchée pour eux. Si la tache rouge est obscurcie de telle sorte que les petits ne puissent pas réclamer, le parent ne les nourrit pas et ils meurent. Même dans la nature, l'instinct parental est moins évident que l'on pourrait le croire.

Ils gardèrent le silence un moment, puis Kya soupira : « En fait, je ne me rappelle pas grand-chose.

– Alors, tu as de la chance, n'y change rien. » Et ils se turent à nouveau. Sans chercher à se souvenir.

Elle prépara un dîner du Sud comme Ma l'aurait fait : des haricots cornille avec des oignons rouges, du jambon frit, du pain de maïs avec des morceaux de couenne rissolés, des haricots beurre cuits dans un mélange de lait et de matière grasse. Tourte à la mûre nappée d'une crème épaisse arrosée du bourbon que Jodie avait apporté. Pendant le repas, il lui dit qu'il aimerait rester quelques jours, si c'était possible, et elle répondit qu'il était le bienvenu autant qu'il le voulait.

« Cette terre est à toi maintenant, Kya. Tu l'as gagnée. Je suis en garnison à Fort Benning pendant un certain temps encore, donc je ne peux pas rester longtemps. Ensuite je trouverai probablement du travail à Atlanta pour que nous restions en contact ; je voudrais te voir aussi souvent que je pourrai me libérer. Rien n'a jamais autant compté dans ma vie que de savoir que tout va bien pour toi.

– J'aime l'idée, Jodie. S'il te plaît, viens chaque fois que tu pourras. »

Le lendemain soir, alors qu'ils étaient assis sur la plage, les vagues mourantes venant chatouiller leurs orteils nus, Kya se montra loquace, ce qui n'était guère dans ses habitudes, et Jodie semblait attentif à chaque phrase. D'abord le jour où Tate lui avait montré comment rentrer chez elle quand, petite fille, elle s'était perdue dans le marais. Ou le premier poème que Tate lui avait lu. Elle raconta le jeu des plumes et comment il lui avait appris à lire, expliqua qu'il était chercheur maintenant dans un laboratoire. Il avait été son premier amour mais il l'avait quittée en partant pour l'université, la laissant plantée sur le rivage de sa lagune. Et les choses s'étaient arrêtées là.

« Ça fait combien de temps ? demanda Jodie.

– Il y a environ sept ans, je dirais. Quand il est parti pour Chapel Hill.

– Tu le revois quelquefois ?

– Il est venu s'excuser, me dire qu'il m'aimait toujours. C'est lui qui m'a suggéré de publier mes ouvrages de référence. Ça me fait plaisir de le voir de temps à autre dans le marais, mais je ne suis pas prête à repartir pour un tour. On ne peut pas lui faire confiance.

– Kya, c'était il y a sept ans. Ce n'était qu'un gamin, loin de la maison pour la première fois de sa vie, avec des centaines de jolies filles dans les parages. S'il est revenu, s'est excusé et te dit qu'il t'aime, peut-être devrais-tu te laisser un peu attendrir.

– La plupart des hommes vont d'une femme à l'autre. Les vauriens s'en font même une fierté, ils vous attirent par leurs mensonges. C'est sans doute comme ça que Ma était tombée amoureuse d'un homme comme Pa. Tate n'est pas le seul type qui m'ait plaquée. Chase Andrews m'a même parlé de mariage, mais il en a épousé une autre. Il ne me l'a même pas annoncé, je l'ai lu dans le journal.

– Je suis désolé. Vraiment. Mais, Kya, il n'y a pas que les garçons qui soient volages. Moi-même j'ai été dupé, lâché, piétiné plusieurs fois. Regardons les choses en face, le plus souvent l'amour ne marche pas. Et pourtant, même quand tout rate, il vous relie aux autres et, au bout du compte, c'est tout ce qui reste, ces liens. Regarde-nous : toi et moi, nous nous avons l'un l'autre aujourd'hui, et pense un peu, si j'ai des enfants et que tu en as aussi, eh bien ce sera le début d'un nouveau réseau de liens. Et ainsi de suite. Kya, si tu aimes Tate, prends le risque. »

Elle repensa au tableau de Ma qui la représentait avec Tate quand ils étaient petits, leurs têtes proches l'une de l'autre, entourés de fleurs couleur pastel et de papillons. Après tout, peut-être Ma lui avait-elle adressé un message au bout du compte.

Le troisième matin de la visite de Jodie, ils déballèrent les tableaux de Ma – tous sauf un, qu'il décida de garder – et en accrochèrent plusieurs. Ils donnaient une nouvelle lumière à la cabane, comme si des fenêtres supplémentaires s'étaient ouvertes. Elle recula de quelques pas pour les admirer – c'était un miracle d'avoir des toiles peintes par Ma sur ses murs. Arrachées au désastre.

Puis Kya raccompagna Jodie jusqu'à son pick-up, lui donna le repas froid qu'elle avait préparé pour son voyage. Ils regardaient tous deux du côté des arbres ou du sentier, tout pour que leurs yeux ne se croisent pas.

Finalement, en lui tendant une page de calepin, il lui dit : « Je ferais mieux d'y aller maintenant, mais je te laisse mon adresse et mon numéro de téléphone. »

Elle sentit l'air lui manquer, et dut s'appuyer de sa main gauche sur le camion pour prendre le papier de la droite. Une chose si simple : l'adresse d'un frère sur une feuille. Mais pour elle une chose extraordinaire : une famille qu'elle pouvait joindre. Un numéro qu'elle pouvait appeler et il répondrait. Sa gorge se contracta quand il l'attira à lui, et enfin, après une éternité, elle se laissa aller contre la poitrine de son frère et se mit à pleurer.

« Je pensais ne jamais te revoir. Je croyais que tu étais parti pour toujours.

– Je serai toujours là, je te le promets. Chaque fois que je déménagerai, je t'enverrai ma nouvelle adresse. Si jamais tu as besoin de moi, tu m'appelles ou tu écris, entendu ?

– D'accord. Et reviens me voir dès que tu peux.

– Kya, rapproche-toi de Tate. C'est un bon gars. »

Il agita la main par la vitre du camion tout le long du chemin, et elle ne le quitta pas des yeux, riant et pleurant à la fois. Quand il tourna pour s'engager sur la route, elle continua d'entrevoir son pick-up rouge à travers les trouées de la forêt, là où un foulard blanc avait autrefois voleté, le long bras de Jodie lui faisant signe jusqu'à ce qu'il disparaisse.

34
La fouille de la cabane

1969

« Eh bien voilà, elle a encore décampé », s'exclama Joe, en frappant sur le cadre de la moustiquaire de Kya. Ed demeura sur le perron, rétrécissant son champ de vision à deux mains pour scruter à l'intérieur à travers le filet. Les énormes branches du chêne, d'où pendaient de longs voiles de mousse espagnole, projetaient leur ombre sur les planches usées par le temps et le toit pentu de la cabane. Seuls quelques carrés de ciel gris éclairaient un peu ce matin de fin novembre.

« Bien sûr qu'elle est pas là. Aucune importance ; on a un mandat. On n'a qu'à entrer, je parie que c'est même pas fermé à clé. »

Joe ouvrit la porte, en criant : « Il y a quelqu'un ? C'est la police. » Une fois le seuil franchi, ils restèrent médusés en découvrant la ménagerie qui peuplait les étagères.

« Ed, regarde-moi ça ! Y en a jusque dans la pièce à côté, et tout le long du couloir. On dirait que ça tourne pas rond dans son crâne. Aussi folle qu'une souris à trois têtes.

– Peut-être bien, mais apparemment c'est une spécialiste reconnue du marais. Tu sais bien qu'elle a publié ses livres. Allons, on s'y met. Voilà, j'ai noté les choses qu'on doit chercher. »

Le shérif lut à haute voix ce qui figurait sur sa liste.

« Vêtements en laine rouge qui puissent correspondre aux fibres de la même couleur trouvées sur le blouson de Chase. Journal intime, calendrier, ou notes diverses, quelque chose qui mentionne les endroits où elle est allée et quand ; le coquillage en pendentif ; souches des billets des cars de nuit. Essayons de pas déranger ses affaires. On n'a aucune raison de faire ça. On peut regarder en dessous, autour de chaque chose ; pas question d'abîmer ses trucs.

– OK, d'accord. On dirait un peu un sanctuaire ici. Une partie de moi est baba, l'autre aurait plutôt les chocottes.

– C'est sûr que ça va pas être du gâteau, dit le shérif en regardant soigneusement derrière une rangée de nids d'oiseaux. Je vais commencer par sa chambre. »

Les deux hommes travaillèrent en silence, soulevant les vêtements dans les tiroirs, inspectant chaque placard, déplaçant des bocaux qui contenaient des peaux de serpents et des dents de requins, à la recherche d'indices.

Au bout de dix minutes, Joe appela le shérif : « Viens voir un peu. »

Quand Ed entra dans la véranda, Joe lui dit : « Tu savais que les oiseaux femelles ont qu'un seul ovaire ?

– Qu'est-ce que tu me chantes ?

– Regarde. Ses dessins et ses notes montrent que les oiseaux femelles ont qu'un seul ovaire.

– Bon Dieu, Joe ! On n'est pas là pour prendre une leçon de sciences naturelles. Remets-toi au travail.

– Attends une seconde. Jette un coup d'œil. Ça, c'est une plume de paon mâle, et la note dit qu'au fil des siècles, les plumes des mâles sont devenues de plus en plus grandes pour attirer les femelles, tant et si bien qu'ils sont à peine capables de se soulever de terre. Ils peuvent pratiquement plus voler.

– Mais tu as fini, bon sang ? On a du pain sur la planche.

– Qu'est-ce que tu veux, c'est très intéressant. »

Ed quitta la pièce.

« Au boulot, mon vieux. »

Dix minutes plus tard, Joe l'appela de nouveau. Ed sortit de la petite chambre et, en marchant vers le séjour, il grommela : « Laisse-moi deviner. Tu as fini par trouver une souris empaillée à trois yeux ? »

Joe ne prit pas la peine de répondre, mais quand Ed entra dans la pièce, Joe brandissait un bonnet de laine rouge.

« Où est-ce que tu as trouvé ça ?

– Juste là, suspendu à cette rangée de crochets, au milieu des manteaux, deux trois chapeaux, et quelques autres trucs.

– Pas caché, en somme ?

– Juste sous mon nez, comme je te l'ai dit. »

De sa poche, Ed tira le sachet en plastique contenant les fibres rouges trouvées sur le blouson en jean de Chase la nuit où il était mort, et l'approcha du bonnet rouge.

« On dirait que c'est exactement les mêmes. Même couleur, même taille, même épaisseur, déclara Joe alors que les deux hommes se penchaient sur le bonnet et l'échantillon.

– C'est vrai. Il y a les mêmes brins de laine beige mélangés avec les rouges.

– Bon sang, cette fois on dirait qu'on touche au but !

– Il va falloir qu'on envoie le bonnet au laboratoire, bien sûr. Mais si ces fibres correspondent, on convoquera la fille pour lui poser quelques questions. Mets le bonnet dans un sac en plastique, avec une étiquette dessus. »

Après quatre heures de fouille, les hommes se rejoignirent dans la cuisine.

S'étirant le dos, Ed soupira : « Je suppose que, s'il y avait autre chose, on l'aurait déjà trouvé. On peut toujours revenir. On plie bagage pour aujourd'hui. »

Évitant les ornières sur la route du retour, Joe dit : « À mon humble avis, si elle était coupable, elle aurait caché le bonnet rouge. Elle l'aurait pas juste laissé traîner comme ça.

– Mais elle se doutait sans doute pas que des fibres du bonnet seraient tombées sur le blouson. Ou que le laboratoire pourrait les identifier. Comment veux-tu qu'elle ait deviné une chose pareille ?

– C'est possible qu'elle y ait pas pensé, mais à mon avis, elle a pas mal de trucs qui lui trottent dans la tête. Ces mâles qui paradent, qui se bagarrent pour une femelle, et qui peuvent même pas voler. Je sais pas bien ce que tout ça veut dire mais, au bout du compte, ça donne pas mal à réfléchir. »

35
La boussole

1969

Un après-midi de juillet 1969, plus de sept mois après la visite de Jodie, *Les Oiseaux de la côte Est* de Catherine Danielle Clark – son deuxième livre, un volume magnifique et d'une grande précision – fut déposé dans sa boîte à lettres. Elle fit courir ses doigts sur l'étonnante jaquette – un goéland peint par elle-même. En souriant, elle dit : « Salut, Big Red, tu as finalement réussi à avoir ton portrait en première page ! »

Son nouvel ouvrage en main, Kya partit sans un bruit vers la clairière proche de sa cabane pour aller repérer des champignons à l'ombre des grands chênes. L'humus était frais sous ses pieds tandis qu'elle s'approchait d'un groupe de spécimens vénéneux d'un jaune flamboyant. À mi-chemin, elle marqua une pause. Là, sur la vieille souche où Tate lui offrait autrefois des plumes, était posé un carton de lait, rouge et blanc, exactement pareil à celui qu'elle avait trouvé au même endroit si longtemps auparavant. De manière imprévisible, elle éclata de rire.

À l'intérieur du carton était emballée dans du papier de soie une vieille boussole de l'armée dans son boîtier en laiton, que les années avaient ternie et rendue gris-vert. En la voyant, elle respira un grand coup. Elle n'avait jamais eu besoin d'une boussole parce qu'elle avait un sens naturel de l'orientation. Mais quand le ciel était couvert, que le soleil jouait à cache-cache, cette boussole la guiderait.

Un petit billet plié disait : *Kya chérie, Cette boussole appartenait à mon grand-père, elle date de la Première Guerre mondiale. Il me l'a donnée quand j'étais petit, mais je ne m'en suis jamais servi, et j'ai pensé que toi, tu pourrais en faire bon usage. Avec amour, Tate. P-S : Je suis très heureux que tu puisses lire ces lignes !*

Kya relut les mots « chérie » et « amour ». Tate. Le garçon du bateau aux cheveux dorés, qui lui montrait le chemin de sa maison avant une tempête, qui lui offrait des plumes déposées sur une vieille souche d'arbre, qui lui avait appris à lire ; l'adolescent tendre qui avait su lui parler de son premier cycle de femme et éveillé ses premiers désirs sexuels ; le jeune chercheur qui l'avait encouragée à publier ses livres.

Bien qu'elle lui ait offert son ouvrage sur les coquillages, elle avait continué à se cacher dans les broussailles quand elle l'apercevait dans le marais et à s'éloigner sans être vue. Les signaux malhonnêtes émis par les lucioles – tout ce qu'elle savait de l'amour.

Même Jodie lui avait conseillé de donner une nouvelle chance à Tate. Mais chaque fois qu'elle le voyait ou pensait à lui, son cœur balançait entre l'amour d'autrefois et la douleur de l'abandon. Elle aurait voulu qu'il choisisse un côté ou un autre.

Quelques jours plus tard, elle poussait sa barque au fil des estuaires dans le brouillard matinal, la boussole glissée dans son sac à dos, même s'il n'était pas très probable qu'elle en ait besoin. Elle avait l'intention de dessiner des fleurs sauvages qui poussaient sur une langue de sable boisée qui s'avançait dans la mer, mais une partie d'elle-même scrutait les alentours pour entrevoir le bateau de Tate.

Le brouillard s'obstina et s'attarda, enroulant ses volutes autour des souches et des branches basses. Aucun souffle de vent ; même les oiseaux étaient silencieux tandis qu'elle s'avançait dans le chenal. Tout proche, elle entendit le martèlement lent et régulier d'une rame qui heurtait le plat-bord, puis un bateau émergea tel un fantôme de la brume.

Les couleurs, jusque-là atténuées par la pénombre, prirent forme sous la lumière. Des cheveux d'or sous une casquette rouge. Comme sorti d'un rêve, Tate se tenait à l'avant de son vieux bateau de pêche qui glissait sur le chenal. Kya coupa le moteur et rama à reculons vers les buissons pour le voir passer. Toujours à reculons pour le voir passer.

Plus tard, campée sur la plage au coucher du soleil, apaisée, le cœur en place, Kya récita :

Les couchers de soleil
ne sont pas simple affaire.
Le crépuscule sombre
réfracte leur lumière,
mais elle n'est jamais vraie.
Le soir masque les traces
Il voile les mensonges.
Il nous trompe et tant pis
Nous aimons ses couleurs
Et n'apprenons jamais
Même en voyant ses feux
Que quand le soleil dort
Il déserte la Terre.
Ses couchers sont trompeurs
Ils effacent les traces
Ils voilent les mensonges.

A. H.

36
La renarde prise au piège

1969

Joe entra par la porte ouverte du bureau du shérif. « Ça y est, j'ai le rapport.

– Fais-moi voir. »

Les deux hommes parcoururent les documents rapidement jusqu'à la dernière page.

« Nous y sommes, dit Ed. Ça correspond parfaitement. Les fibres de son bonnet sont bien celles qu'on a trouvées sur le blouson de Chase au pied de la tour. » Le shérif se tapota le poignet avec la liasse de feuilles, puis poursuivit : « Faisons un petit tour d'horizon. Premièrement, le crevettier témoignera qu'il a vu Mlle Clark se diriger en bateau vers la tour de guet juste avant que Chase fasse sa chute mortelle. Son collègue confirmera. Deuxièmement, Patti Love dit que c'est Mlle Clark qui avait fait ce pendentif pour son fils, et il a disparu la nuit où Chase est mort. Troisièmement, des fibres du bonnet de la fille ont été retrouvées sur son blouson. Quatrièmement, le mobile : la femme bernée. Et un alibi que nous pouvons démonter. Je crois que l'affaire est dans le sac.

– Il vaudrait quand même mieux un mobile plus solide, dit Joe. On peut pas dire que se faire plaquer suffise.

– C'est pas non plus comme si on avait fini notre enquête, mais on a assez d'éléments pour la convoquer et lui poser quelques questions. Probablement assez pour l'inculper. On verra bien comment les choses se passent quand elle sera ici.

– C'est bien ça le problème, non ? Comment veux-tu qu'on fasse ? Depuis des années elle réussit à échapper à tout le monde. Les employés des services sociaux, du recensement, qui qu'ils soient, elle s'est toujours montrée plus maligne que tout le monde. Nous y compris. Si on la poursuit dans les buissons du marais, on va se rendre complètement ridicules.

– Ça me fait pas peur. C'est pas parce que personne a réussi à l'attraper que nous, on n'y arrivera pas. Mais ce serait sans doute pas la façon la plus intelligente de s'y prendre. On devrait lui tendre un piège.

– OK, grommela l'adjoint. J'en connais un rayon sur la question. Quand on essaie de prendre au piège un renard, c'est plutôt le piège qui se fait avoir. On peut pas dire qu'on ait l'effet de surprise pour nous. On a été suffisamment de fois cogner sur sa porte pour faire détaler un ours. Et les chiens ? Ça, ce serait peut-être un moyen plus sûr. »

Le shérif garda le silence pendant quelques secondes.

« Pas convaincu. Peut-être que je vieillis et que je me ramollis à mon âge vénérable de cinquante et un ans. Mais poursuivre une femme avec des chiens pour l'interroger, ça me paraît pas joli joli. Passe encore pour des prisonniers en fuite, des gens qui ont déjà été condamnés pour un crime ou un autre. Mais, comme tout un chacun, elle bénéficie de la présomption d'innocence, et je me vois mal lâcher des chiens sur une simple suspecte. Peut-être en dernier recours, mais pas tout de suite.

– OK. Tu penses à quoi comme piège ?

– C'est ce à quoi il va falloir réfléchir. »

Le 15 décembre, tandis que Ed et Joe discutaient de différentes façons d'appréhender Kya, on frappa à la porte. La silhouette d'un homme de haute taille se dessina derrière la vitre dépolie.

« Entrez », cria le shérif.

Tandis que l'homme passait le seuil, Ed lui souhaita la bienvenue : « Ah salut, Rodney ! Qu'est-ce qui nous vaut le plaisir ? »

Rodney Horn, mécanicien en retraite, passait le plus clair de son temps à pêcher avec son copain Denny Smith. Tous le connaissaient comme un homme tranquille et sans histoires. Il ne manquait jamais la messe, mais même à l'église, il portait son éternelle salopette avec une belle chemise fraîchement repassée et amidonnée – aussi raide qu'une planche – par sa femme.

Rodney retira son feutre et le garda posé contre son ventre. Ed lui offrit une chaise, mais le mécanicien secoua la tête.

« J'en ai pas pour longtemps. Juste un truc qui pourrait être utile dans l'affaire Chase Andrews.

– Vous savez quelque chose ? demanda Joe.

– Eh bien, ça fait une paye maintenant. Denny et moi, on était allés pêcher le 30 août de cette année et on a vu quelque chose dans Cypress Cove. Je me suis dit que ça pouvait vous intéresser.

– Allez-y, lui enjoignit le shérif. Mais asseyez-vous, Rodney. On sera tous plus à l'aise si vous êtes assis. »

Rodney accepta la chaise proposée et, au cours des cinq

minutes qui suivirent, leur fit son récit. Après son départ, Ed et Joe se regardèrent.

« Eh bien, on le tient, notre mobile, dit Joe.

– Amenons-la ici. »

37

Requins gris

1969

À quelques jours de Noël et plus tôt encore que d'ordinaire, Kya se dirigeait paisiblement vers la boutique de Jumping. Depuis qu'elle avait vu le shérif et son adjoint fureter dans les parages et tenter de la surprendre chez elle – de vains efforts qu'elle avait observés à l'abri des palmiers nains –, elle avait pris l'habitude de se ravitailler en essence et de faire ses courses avant l'aube, quand il n'y avait dans le coin que des pêcheurs. Ce matin-là, des nuages filaient à toute allure au-dessus d'une mer agitée, et à l'est, une tornade – enroulée en spirale comme un fouet – menaçait du fond de l'horizon. Il allait falloir qu'elle se dépêche et qu'elle rentre chez elle avant que les éléments ne se déchaînent. À cinq cents mètres de distance, elle aperçut le ponton noyé dans le brouillard. Elle ralentit encore et fouilla les environs du regard à la recherche d'autres bateaux dans toute cette humidité stagnante.

Finalement, quand elle ne fut plus qu'à une quarantaine de mètres, elle distingua la silhouette de Jumping sur sa vieille chaise, adossé au mur. Elle lui fit un signe de la main. Lui non. Il ne se leva pas. Il se contenta de remuer imperceptiblement la tête, un peu comme un murmure. Elle diminua les gaz.

Elle agita de nouveau la main. Jumping la regardait fixement mais ne bougeait toujours pas.

D'un brusque mouvement, elle fit demi-tour vers la mer. Mais elle aperçut aussitôt, émergeant du brouillard, un grand bateau, le shérif à la barre. Deux autres embarcations l'escortaient. Et juste derrière eux, la tornade.

En accélérant, elle se faufila entre les bateaux, sa coque heurtant les vagues bouillonnantes tandis qu'elle se précipitait vers le large. Elle aurait voulu couper droit vers le marais, mais le shérif était trop près ; il l'aurait attrapée avant qu'elle n'atteigne son but.

Les hautes vagues n'étaient déjà plus parallèles, elles s'agitaient dans le plus grand désordre. La mer se fit plus mauvaise encore alors que les premiers tourbillons de la tornade l'engloutissaient. Quelques secondes plus tard, un torrent de pluie s'abattait sur elle. Complètement trempée, elle était aveuglée par les longues mèches de ses cheveux qui lui couvraient le visage. Elle vira vent debout afin de ne pas chavirer, mais la vague envahit tout l'avant de la barque.

Sachant que leurs bateaux étaient plus rapides, elle fonça droit devant. Elle pouvait peut-être les semer dans cette purée de pois ou plonger dans la mer et s'enfuir à la nage. Elle se représenta à toute allure chaque détail de ce saut, qui semblait être sa meilleure chance de salut. Si près de la plage, il y aurait un contre-courant, qui la pousserait sous l'eau, beaucoup plus vite qu'ils ne l'auraient crue capable de nager. Elle remonterait à la surface pour respirer de temps en temps, avant de mettre pied à terre et d'aller se cacher dans les broussailles du rivage.

Derrière elle, les moteurs emballés grondaient plus fort que le vent. Ils gagnaient du terrain. Comment pouvait-elle s'arrêter là ? Elle n'avait jamais abandonné la partie. Il fallait qu'elle saute maintenant. Mais soudain, comme des requins gris, ils refermèrent le cercle. Un des bateaux la doubla de trop près, et elle heurta sa coque. Rejetée contre le moteur hors-bord, elle ressentit une violente secousse à la nuque. Le shérif tendit la main et saisit le plat-bord, alors que tous étaient maintenant ballottés de concert par les remous des sillages. Deux hommes bondirent dans sa barque et l'adjoint au shérif déclara : « Mademoiselle Catherine Clark, vous êtes en état d'arrestation pour le meurtre de M. Chase Andrews. Vous avez le droit de garder le silence… »

Elle n'entendit pas le reste. Personne ne l'entend jamais.

38
Sunday Justice

1970

Kya cligna des paupières et les ferma pour se protéger de la vive lumière qui jaillissait des lustres et des fenêtres aussi hautes que le plafond. Pendant deux mois, elle avait vécu dans l'obscurité, et maintenant en ouvrant de nouveau les yeux, elle capta une douce image des confins du marais. Des chênes dont les énormes troncs protégeaient des fougères luxuriantes et des buissons de houx. Elle tenta de conserver une seconde de plus la vision vitale de cette végétation mais on la conduisit fermement jusqu'à une longue table et des chaises, sur l'une desquelles était installé son avocat, Tom Milton. On lui avait passé des menottes par-devant, ce qui forçait ses mains à garder une étrange position de prière. Vêtue d'un pantalon noir et d'un chemisier blanc tout simples, une tresse unique tombant entre ses omoplates, elle ne se retourna pas pour regarder le public. Pourtant, elle sentait la chaleur et le mouvement des gens qui se pressaient dans la salle du tribunal pour assister à son procès pour meurtre. Elle devinait les épaules et les têtes qui s'agitaient pour essayer de l'entrevoir. Pour apercevoir ses mains menottées. Une odeur de transpiration, de tabac refroidi et de parfum bon marché lui donnait la nausée. Les quintes de toux s'apaisèrent, mais le tumulte enfla alors qu'elle s'approchait de son siège. Tous les sons lui paraissaient lointains, parce qu'elle entendait surtout sa propre respiration irrégulière. Elle fixait le plancher, du pin massif parfaitement ciré, quand on lui retira les menottes, avant qu'elle ne s'affale sur sa chaise. Il était 9 h 30 du matin, le 25 février 1970.

Tom Milton se pencha vers elle et murmura que tout allait bien se passer. Elle ne répondit pas mais le regarda longuement pour s'assurer qu'il disait vrai, désespérément à la recherche de quelque chose en quoi croire. Non qu'elle n'ait pas confiance en lui, mais pour la première fois de sa vie, elle se trouvait sous la coupe de quelqu'un d'autre. De haute taille pour ses soixante et onze ans, son épaisse chevelure blanche et ses costumes de lin froissés lui donnaient l'élégance un peu convenue d'un politicien de campagne. Il avait des gestes lents et parlait d'une voix douce, arborant en permanence un sourire bienveillant.

Le juge Sims avait désigné un jeune avocat pour défendre Mlle Clark, étant donné qu'elle n'avait rien fait pour en trouver un elle-même, mais quand Tom Milton apprit cela, il reprit du service et demanda à la représenter gracieusement. Comme tous les autres, il avait entendu parler de la Fille des marais et, au fil des ans, l'avait parfois croisée, soit dans son bateau, glissant au fil de l'eau comme si elle ne faisait qu'un avec les courants, soit se précipitant hors de l'épicerie comme un raton laveur s'éloigne d'une poubelle.

La première fois qu'il avait rendu visite à Kya en prison deux mois plus tôt, on l'avait conduit dans une pièce exiguë et sombre, où elle était assise devant une table. Elle n'avait pas levé les yeux à son entrée. Il s'était présenté, expliquant qu'il allait être son avocat, mais elle avait continué à regarder par terre sans un mot. Il avait alors ressenti une envie très forte de tendre la main pour tapoter la sienne, mais quelque chose – peut-être sa façon de se tenir très droite ou de vous fixer sans la moindre expression – la protégea de ce contact. Il déplaça la tête plusieurs fois pour tenter de capter son regard, tout en lui expliquant le déroulement des futures audiences, tout ce à quoi elle devait s'attendre, puis il lui posa quelques questions. Mais elle ne répondit pas, demeura immobile et ne croisa toujours pas son regard. Quand ils la conduisirent hors du parloir, elle tourna la tête et jeta un coup d'œil à travers une petite fenêtre par laquelle elle réussit à apercevoir le ciel. Les oiseaux de mer criaillaient au-dessus du port, et on aurait dit que Kya contemplait leur chant.

Lors de sa visite suivante, l'avocat fouilla dans un sac en papier marron et fit glisser vers elle un bel ouvrage à la couverture en papier glacé, *Les Coquillages les plus rares du monde*. À l'intérieur, on découvrait des peintures à la gouache en taille réelle de coquillages provenant des plages les plus lointaines. La bouche de Kya s'entrouvrit, elle tourna lentement les pages, hochant la tête devant certains spécimens. Il la laissa prendre son temps. Puis il recommença à parler, et cette fois elle le regarda dans les yeux. Avec patience et gentillesse, il lui expliqua comment se déroulait un procès et lui dessina même un plan de la salle du tribunal qui montrait le box du jury, le fauteuil du juge, et les sièges sur lesquels les avocats et elle-même seraient assis. Il ajouta ensuite un croquis sommaire de l'huissier de justice, du juge, du greffier, et expliqua le rôle de chacun.

Tout comme lors de leur première rencontre, il tenta de lui rappeler les éléments à charge et de lui demander où elle se trouvait la nuit de la mort de Chase, mais elle rentrait dans sa coquille chaque fois qu'il évoquait un détail. Plus tard, quand il se releva pour s'en aller, elle repoussa le livre vers lui sur la table, mais il refusa de le reprendre : « Non, vous pouvez le garder. C'est un cadeau. »

Elle se mordilla les lèvres et cligna des paupières.

Et ce jour-là, dans la salle du tribunal pour la première fois, il essaya de la distraire de l'agitation ambiante en pointant les différents éléments de son dessin. Mais toute tentative de diversion était inutile. À 9 h 45, la galerie était emplie d'habitants de Barkley Cove serrés sur les bancs et on entendait des commentaires bien sentis sur les preuves existantes, et la peine de mort. Un petit balcon situé à l'arrière accueillait vingt personnes de plus et, bien que rien ne l'indique, chacun comprenait que les gens de couleur n'avaient droit qu'au balcon. Ce matin-là s'y trouvaient surtout des Blancs, seuls quelques Noirs étaient présents, parce qu'il s'agissait d'une affaire de Blancs d'un bout à l'autre. Dans une section à part sur le devant étaient installés plusieurs journalistes de l'*Atlanta Constitution* et du *Raleigh Herald*. Ceux qui n'avaient pas trouvé où s'asseoir se pressaient contre le mur du fond et sur les côtés près des hautes fenêtres. S'agitant, marmonnant, échangeant des commérages. La Fille des marais accusée de meurtre : on ne pouvait pas demander mieux. Sunday Justice, le chat du tribunal – avec son dos noir, sa tête blanche ornée d'un masque noir autour de ses yeux verts –, paressait dans une flaque de soleil sur le large rebord d'une fenêtre. Il était là depuis des années, débarrassait la cave des rats et le tribunal des souris, ce qui lui valait sa place. Parce que Barkley Cove était le premier village à avoir été bâti dans cette contrée marécageuse de la côte déchiquetée de Caroline du Nord, la Couronne en avait fait le siège du gouvernement local et édifié le tribunal original en 1754. Plus tard, même si d'autres villes telles que Sea Oaks s'étaient développées et avaient désormais une population plus importante, Barkley Cove avait conservé son statut.

La foudre avait frappé le bâtiment d'origine en 1912 et réduit en cendres sa structure en bois. Reconstruit l'année suivante sur la même place au bout de la rue principale, c'était un édifice en brique de deux étages, doté de fenêtres de quatre mètres de hauteur bordées de granit. Dans les années soixante, des herbes sauvages et des palmiers nains, et même quelques roseaux, s'étaient échappés du marais et avaient envahi les jardins autrefois bien entretenus. Une lagune constellée de nénuphars débordait au printemps et, au fil des ans, avait fait disparaître une partie du trottoir.

À l'inverse, le tribunal lui-même, une réplique de l'original, était imposant. Le fauteuil surélevé du juge, façonné dans de l'acajou sombre et orné du sceau de l'État gravé en couleurs, trônait sous de nombreux drapeaux, y compris celui de la Confédération. La barrière du box du jury, également en acajou, était marquetée de cèdre rouge, et les fenêtres de ce côté de la salle donnaient sur la mer.

Tandis que les officiels entraient dans la salle, Tom lui montra de nouveau ses différents croquis et expliqua qui était qui. « Voici l'huissier de justice, Hank Jones », dit-il alors qu'un grand homme efflanqué, d'une soixantaine d'années, dégarni jusqu'à hauteur des oreilles, ce qui rendait son crâne exactement à moitié chauve, s'avançait vers le devant de la salle. Il portait un uniforme gris et une large ceinture à laquelle étaient suspendus une radio, une torche électrique, un trousseau de clés impressionnant et un revolver à six coups dans son étui.

M. Jones s'adressa à la foule : « Désolé, tout le monde, mais vous connaissez les règles du capitaine des pompiers. Si vous n'avez pas de siège, vous devez sortir. »

« La personne que vous voyez là-bas, c'est la greffière, Mlle Henrietta Jones, la fille de l'huissier de justice », expliqua Tom quand une jeune femme, aussi grande et mince que son père, entra discrètement et prit place à un pupitre près du fauteuil du juge. Déjà assis, le procureur, M. Eric Chastain, sortit des blocs-notes de son attaché-case. Ce géant roux au torse imposant portait invariablement des costumes bleus et de larges cravates aux couleurs vives qu'il achetait chez Sears & Roebuck à Asheville.

L'huissier de justice annonça : « Levez-vous. La séance est ouverte. Sous la présidence de l'honorable juge Harold Sims. » Le silence se fit aussitôt. Une porte s'ouvrit et le juge Sims entra en faisant signe à tous de s'asseoir et en demandant à l'avocat de la défense et au procureur d'approcher. C'était un homme à l'ossature solide, doté d'un visage rond et de favoris blancs en bataille. Il habitait Sea Oaks, mais depuis neuf ans il était en charge des procès qui se tenaient à Barkley Cove. On le considérait généralement comme un homme posé, pragmatique, et juste. Sa voix résonna dans toute la salle :

« Monsieur Milton, votre requête visant à faire se tenir ce procès dans un autre comté au motif que Mlle Clark ne pourrait être jugée équitablement à cause des préjugés dont elle fait l'objet dans cette communauté est rejetée. Je reconnais qu'elle a vécu dans des circonstances inhabituelles et qu'elle a été sujette à certains préjugés, mais je ne vois aucune preuve qu'elle en ait subi davantage que la plupart des gens que l'on juge dans de petites villes à travers le pays. De même d'ailleurs que dans certaines grandes villes. Le procès va donc se dérouler ici et maintenant. » Des hochements de tête approbateurs parcoururent la salle tandis que procureur et avocat retournaient à leur place. Il continua :

« Catherine Danielle Clark du comté de Barkley, Caroline du Nord, vous êtes accusée du meurtre avec préméditation de M. Chase Andrews, autrefois résident de Barkley Cove. En pareil cas, l'État est autorisé à réclamer la peine de mort. Le procureur a annoncé qu'il le ferait si votre culpabilité est démontrée. » Un murmure s'éleva dans la salle.

Tom se rapprocha légèrement de Kya et elle accepta cette attention réconfortante.

« Nous allons commencer par désigner le jury. » Le juge Sims se tourna vers les deux premiers rangs où se tenaient les jurés pressentis. Tandis qu'il lisait une liste de règles et de conditions, Sunday Justice bondit avec fracas du rebord de la fenêtre et, d'un mouvement fluide, sauta sur le bureau. Distraitement, le juge se mit à caresser la tête du chat en poursuivant :

« En pareil cas, l'État de Caroline du Nord autorise un juré à être exempté si lui ou elle est moralement opposé à la peine de mort. Levez la main si vous refusez ou ne pourriez pas la prononcer au cas où la culpabilité serait avérée. » Aucune main ne se leva.

« Peine de mort » étaient les seuls mots que Kya avait entendus. Le juge reprit :

« Une autre raison légitime d'être exempté est d'avoir maintenant, ou d'avoir entretenu dans le passé, une relation proche avec Mlle Clark ou M. Andrews de nature à altérer votre objectivité dans cette affaire. Faites-moi savoir si pareille réserve vous correspond. »

Du milieu du second rang, Mme Sally Culpepper leva la main et déclina son identité. Ses cheveux étaient tirés en un petit chignon sévère, et son chapeau, son tailleur et ses chaussures étaient tous du même marron terne.

« Entendu, Sally, dites-moi ce qui vous préoccupe, dit le juge.

– Comme vous le savez, j'ai été employée des services sociaux dans ce comté pendant près de vingt-cinq ans. Le dossier de Mlle Clark m'avait été confié, et j'ai été en relation avec elle, ou du moins j'ai essayé. »

Kya ne parvenait pas à voir Mme Culpepper, non plus d'ailleurs qu'aucun autre membre de l'assistance dans la galerie principale, sans se retourner, ce que bien sûr elle n'aurait fait pour rien au monde. Mais elle se rappelait clairement la dernière fois que Mme Culpepper était restée assise dans la voiture tandis que l'homme au feutre mou partait à sa recherche. Kya s'était appliquée à ne pas mener la vie trop dure au vieil homme, elle s'était enfuie à travers les ronciers en faisant suffisamment de bruit pour lui donner un indice, puis elle avait fait demi-tour et s'était cachée juste à côté des buissons qui bordaient la voiture. Mais Feutre Mou était parti dans la direction opposée en direction de la plage.

Tapie dans les buissons, Kya avait tapoté avec une branche de houx contre la portière. Mme Culpepper avait regardé par la vitre et avait croisé son regard. Elle avait eu l'impression à ce moment-là que l'employée des services sociaux lui adressait un petit sourire. En tout cas, elle n'avait rien fait pour dénoncer sa présence quand Feutre Mou était reparu en lâchant une bordée de jurons, avant qu'ils ne s'éloignent pour de bon sur la route.

Mme Culpepper dit au juge : « Eh bien, étant donné que j'ai été en contact avec elle, je ne sais pas si cela signifie que je devrais être dispensée.

– Merci, Sally, répondit le juge. Certains d'entre vous ont peut-être rencontré Mlle Clark dans les boutiques, ou de façon plus officielle, comme c'est le cas de Mme Culpepper des services sociaux. La question est la suivante : vous sentez-vous capables d'écouter les témoignages que nous recevrons ici et de décider si elle est coupable ou innocente à partir des preuves fournies, et non pas des expériences ou des sentiments passés ?

– Oui, je suis sûre que je peux faire ça, monsieur le juge.

– Je vous remercie, Sally, vous pouvez siéger. »

À 11 h 30, sept femmes et cinq hommes prirent place dans le box du jury. De sa place, Kya les entrevoyait et pouvait même jeter des coups d'œil furtifs à leur visage. Elle reconnaissait la plupart d'entre eux pour les avoir vus à Barkley Cove, même si elle ne savait pas tous leurs noms. Mme Culpepper s'assit au milieu d'eux d'un air déterminé et sa présence rassura un peu Kya. Mais juste à côté d'elle se trouvait Teresa White, la femme du pasteur méthodiste, une blonde qui, des années auparavant, s'était précipitée hors du magasin de chaussures pour éloigner sa fille de Kya qui attendait sur le trottoir après avoir déjeuné au restaurant avec Pa – la seule et unique fois d'ailleurs. Mme White, qui avait dit à sa fille que Kya était sale, faisait maintenant partie du jury.

Le juge annonça une pause pour le repas jusqu'à 13 heures. Le restaurant livrerait du thon, de la salade de poulet et des sandwiches au jambon pour les jurés, qui déjeuneraient dans la salle des délibérations. Afin d'être juste envers les deux établissements de la ville, la brasserie Dog-Gone fournirait aussi des hot-dogs, du chili con carne et des pains aux crevettes un jour sur deux. Ils apportaient toujours aussi quelque chose pour le chat. Sunday Justice avait une nette préférence pour les crevettes.

39

Rencontre fortuite

1969

Par un matin du mois d'août en 1969, le brouillard se levait alors que Kya se dirigeait vers une presqu'île éloignée que les gens du cru appelaient Cypress Cove, où elle avait repéré un jour des champignons vénéneux exceptionnels. Août, c'était tard pour les champignons, mais comme cette crique était fraîche et humide, elle pourrait peut-être encore trouver ces espèces rares. Plus d'un mois s'était écoulé depuis que Tate lui avait laissé la boussole sur la souche aux plumes, et bien qu'elle l'ait aperçu de loin dans le marais, elle ne s'était pas suffisamment approchée pour le remercier du cadeau. Elle n'avait jamais non plus utilisé la boussole, même si elle était soigneusement rangée dans l'une des nombreuses poches de son sac à dos.

Des arbres au tronc moussu encerclaient le rivage, et leurs branches basses formaient une grotte où elle poussa sa barque pour fouiller les fourrés à la recherche de ces petits champignons orange au pied mince. Finalement, elle les découvrit qui luisaient dans l'ombre, vaillamment accrochés au flanc d'une vieille souche, et après avoir amarré, elle s'assit en tailleur dans la crique pour les dessiner.

Soudain, elle entendit un pas résonner sur l'humus, puis une voix :

« Pour une surprise, c'est une surprise. Ma Fille des marais. »

Elle pivota sur elle-même et, en se relevant, elle se retrouva face à Chase.

« Salut, Kya », dit-il. Elle jeta un regard alentour. Comment était-il arrivé là ? Elle n'avait entendu aucun bateau. Il devina sa question. « J'étais en train de pêcher, je t'ai vue passer, et j'ai débarqué de l'autre côté.

– S'il te plaît, va-t'en », dit-elle en remisant son bloc et ses crayons dans son sac à dos.

Mais il posa la main sur son bras.

– Allons, Kya. Je suis désolé de la façon dont les choses se sont passées. » Quand il se pencha en avant, elle sentit son haleine chargée du bourbon qu'il avait pris au petit-déjeuner.

« Ne me touche pas !

– Eh, je t'ai dit que j'étais désolé. Tu savais bien qu'on ne pouvait pas se marier. Tu n'aurais jamais pu vivre près de la ville. Mais j'ai toujours beaucoup tenu à toi ; je te suis resté très attaché.

– Attaché ! Qu'est-ce que ça veut dire ? Laisse-moi tranquille. »

Kya glissa son sac à dos sous son coude et fit un pas vers le bateau, mais il la rattrapa en la saisissant fermement par le bras.

« Kya, personne ne comptera jamais autant pour moi, jamais. Et je sais que tu m'aimes. »

Elle dégagea son bras.

« Tu te trompes ! Je ne suis même pas sûre de t'avoir aimé un jour. Mais toi, tu m'as parlé de mariage, tu te rappelles ? Tu me disais que tu allais construire une maison pour toi et moi. À la place, j'ai découvert dans le journal que tu étais fiancé à quelqu'un d'autre. Pourquoi tu as fait ça ? Pourquoi, Chase !

– Allons, Kya. C'était impossible, tu savais très bien que ça ne marcherait pas. Tout allait si bien entre nous, tu ne trouves pas ? Et si on reprenait là où on s'est arrêtés ? » Il tendit les mains vers les épaules de Kya et l'attira à lui.

« Lâche-moi ! » Elle se tortilla, essaya de se libérer, mais il la tenait à deux mains, lui faisant même mal au bras. Il plaqua sa bouche contre la sienne et l'embrassa. Elle releva les bras et, d'un coup, écarta ses mains. Elle rejeta la tête en arrière et siffla de rage : « Je t'interdis !

– Voilà bien ma panthère ! Plus sauvage que jamais. » La maintenant par les épaules, il passa une jambe derrière ses genoux, et lui fit perdre l'équilibre. Sa tête heurta violemment la terre.

« Je sais bien que tu as envie de moi, dit-il, en ricanant.

– Non, arrête tout de suite ! » cria-t-elle. À quatre pattes, il appuya un genou contre son ventre, ce qui lui coupa le souffle, tout en ouvrant la fermeture Éclair de sa braguette pour baisser son jean.

Elle se redressa, et le repoussa des deux mains. Soudain, il lui assena au visage un coup de poing qui résonna à l'intérieur de son crâne. Son cou partit en arrière, elle fut à nouveau précipitée sur le sol. Exactement comme quand Pa battait Ma. Elle resta hébétée pendant quelques secondes, luttant contre la douleur qui cognait ; puis elle se retourna et se tortilla pour tenter de lui échapper, mais il était trop fort. Lui maintenant d'une main les deux bras au-dessus de la tête, il ouvrit son short et arracha sa culotte tandis qu'elle tentait de le cribler de coups de pied. Elle cria, mais personne n'était là pour l'entendre. Martelant le sol, elle essaya de se dégager, mais il la prit solidement par la taille et la retourna sur le ventre. Plaqua son visage meurtri contre la terre puis glissa la main sous son ventre et la força à relever le pelvis tandis qu'il s'agenouillait derrière elle.

« Pas question que tu m'échappes cette fois. Que ça te plaise ou non, tu es à moi. »

Puisant au fond d'elle une force primitive, elle poussa des genoux et des bras et réussit à se redresser, tout en lui décochant un coup de coude à la mâchoire. Tandis que la tête de Chase volait sur le côté, elle le frappa de ses poings jusqu'à ce qu'il perde l'équilibre et retombe les quatre fers en l'air dans la poussière. Puis, visant soigneusement, elle lui donna un coup de pied à l'entrejambe, de toutes ses forces.

Il se plia en deux et roula sur le flanc, se tenant les testicules et se tordant de douleur. Pour faire bonne mesure, elle lui donna aussi un coup de pied dans le dos, sachant exactement où se trouvaient ses reins. Plusieurs même. Aussi fort qu'elle le put.

Relevant son short, elle saisit son sac à dos et se précipita vers son bateau. Tirant sur le cordon de démarrage, elle jeta un regard en arrière alors qu'il se remettait à quatre pattes en gémissant. Elle poussa plusieurs jurons jusqu'à ce que le moteur démarre. S'attendant à ce qu'il se lance à sa poursuite d'une seconde à l'autre, d'un coup de barre, elle s'éloigna à toute allure de la rive au moment même où il se remettait debout. Les mains tremblantes, elle remonta sa fermeture Éclair et se tint l'épaule d'une main. Les yeux fous, elle se tourna vers le large et aperçut une autre barque non loin de là, avec deux hommes qui la regardaient fixement.

40
Cypress Cove

1970

Après le déjeuner, le juge Sims demanda au procureur : « Eric, êtes-vous prêt à appeler votre premier témoin ?

– Oui, monsieur le juge. »

Au cours de précédents procès pour homicide, Eric avait eu coutume de faire d'abord déposer le coroner parce que son témoignage mettait en lumière des éléments matériels comme l'arme, le moment et le lieu du crime, et des photographies de la scène, qui tous produisaient une forte impression sur les jurés. Mais dans le cas présent, il n'y avait précisément pas d'arme, pas d'empreintes digitales, aucune trace de pas, et le procureur décida donc de commencer par le mobile.

« Monsieur le juge, l'accusation appelle à la barre M. Rodney Horn. »

Toute l'assemblée regarda Rodney Horn s'avancer et jurer de dire la vérité. Kya reconnut son visage bien qu'elle ne l'ait vu que pendant quelques secondes. Elle se détourna. Mécanicien en retraite, c'était l'un de ces types qui passaient leur temps à pêcher, à chasser, ou à jouer au poker au Swamp Guinea. Capable d'avaler autant d'alcool qu'une baleine de l'eau de mer. Ce jour-là, comme toujours, il portait sa salopette en jean avec une chemise à carreaux propre, si amidonnée que le col paraissait au garde-à-vous. Il tenait sa casquette de pêcheur dans sa main gauche pendant qu'on lui faisait prêter serment avec la droite, et il s'assit dans le box des témoins en la reposant sur son genou.

Eric s'approcha de la barre sans se presser.

« Bonjour, Rodney.

– Bonjour, Eric.

– Rodney, je crois savoir que vous étiez parti pêcher avec un ami près de Cypress Cove le matin du 30 août 1969 ? Est-ce exact ?

– Tout à fait correct. Moi et Denny, on était allés pêcher là-bas. On y était même depuis l'aube.

– Pour les minutes du procès, c'est bien de Denny Smith qu'il s'agit ?

– Oui, Denny et moi.

– Entendu. Je voudrais que vous disiez à la Cour ce que vous avez vu ce matin-là.

– Eh bien, comme je l'ai dit, on était là depuis l'aube, il était près de 11 heures, je crois, et on n'avait pas eu une touche depuis un bon bout de temps, alors on était sur le point de plier bagage et de rentrer, quand on a entendu du chahut derrière les arbres de l'autre côté de la pointe. Dans les bois.

– Quelle sorte de chahut ?

– Eh bien, il y avait des voix, comme étouffées d'abord, puis plus fortes. Un homme et une femme. Mais on les voyait pas, on les entendait seulement, et on avait l'impression qu'ils se disputaient.

– Ensuite, que s'est-il passé ?

– La femme a commencé à crier, alors on s'est rapprochés pour mieux voir. Et on s'est rendu compte qu'elle était dans de sales draps.

– Qu'est-ce que vous avez vu ?

– Quand on s'est approchés, on a vu que la femme était debout juste devant le gars et qu'elle était en train de lui balancer un coup de pied dans les… » Rodney regarda le juge.

Le juge Sims intervint : « Où lui a-t-elle donné ce coup de pied ? Vous pouvez le dire.

– En plein dans les couilles et il s'est couché sur le côté, en gémissant comme un beau diable. Alors elle l'a frappé encore et encore dans les reins. Aussi folle qu'une mule qui aurait avalé un bourdon.

– Avez-vous reconnu cette femme ? Est-ce qu'elle est dans cette salle aujourd'hui ?

– Pour sûr qu'on l'a reconnue. C'est elle, là, l'accusée. Celle que les gens appellent la Fille des marais. »

Le juge Sims se pencha vers le témoin.

– Monsieur Horn, la prévenue se nomme Mlle Clark, c'est comme cela qu'il faut l'appeler.

– D'accord, entendu. C'était Mlle Clark qu'on a vue. »

Eric reprit : « Avez-vous reconnu l'homme qu'elle frappait ?

– Eh bien d'abord on l'a pas bien vu parce qu'il se tortillait comme un ver par terre. Mais quelques minutes après, il s'est relevé et on a reconnu Chase Andrews. Celui qui jouait quarterback il y a de ça quelques années.

– Ensuite que s'est-il passé ?

– Elle a marché tant bien que mal jusqu'à son bateau, et il faut dire qu'elle était pas très habillée. Elle avait le short sur les chevilles et la culotte aux genoux. Elle essayait de remonter son short et de courir en même temps. Et pendant tout ce temps, elle lui beuglait dessus. Elle est arrivée à son bateau, elle a sauté dedans, et elle est partie comme une flèche, en tirant toujours sur son short. Quand elle est passée devant nous, elle nous a regardés droit dans les yeux. C'est comme ça que je suis sûr de qui c'était.

– Vous avez dit qu'elle lui criait dessus tout le temps où elle courait vers son bateau. Est-ce que vous avez entendu exactement ce qu'elle disait ?

– Oui, c'était clair comme de l'eau de roche, parce qu'on était juste à côté.

– Veuillez dire à la Cour ce que vous l'avez entendue crier.

– Elle braillait : "Oublie-moi, espèce de salopard ! Si tu m'approches encore, je te tuerai !" »

Un murmure enfla dans la salle et ne s'arrêta pas. Le juge Sims dut cogner sur la table avec son maillet. « Ça suffit. Nous en avons assez entendu. »

Eric dit au mécanicien : « Ce sera tout, merci, Rodney. Pas d'autres questions. Le témoin est à vous. »

Tom passa devant Eric et se dirigea vers la barre des témoins.

« Voyons, Rodney, vous avez affirmé que d'abord, quand vous avez entendu ces éclats de voix assourdis, vous ne pouviez pas voir ce qui se passait entre Mlle Clark et M. Andrews. Est-ce exact ?

– Oui, c'est juste. On a pas réussi à les voir avant qu'on se rapproche un peu.

– Et vous avez dit que la femme, que vous avez par la suite identifiée comme Mlle Clark, poussait des cris comme si elle était en danger. Est-ce exact ?

– Ouais.

– Vous n'avez observé aucun échange de baiser ou de comportement à caractère sexuel entre deux adultes consentants. Ce que vous avez entendu, c'était une femme qui criait comme si on l'agressait, comme si elle était en danger. N'est-ce pas exact ?

– Ouais.

– Et donc, n'est-il pas possible de penser que quand Mlle Clark a criblé M. Andrews de coups de pieds, elle se défendait – une femme seule dans les bois – contre un homme sportif et vigoureux ? Un ancien quarterback, qui l'aurait agressée ?

– Ouais, c'est sans doute pas impossible.

– Pas d'autres questions.

– Contre-interrogatoire ?

– Oui, monsieur le juge », répondit Eric, en se levant de son fauteuil.

– Donc, Rodney, si certains actes auxquels vous avez assisté ont été réalisés par deux participants consentants, est-il vrai de dire que l'accusée, Mlle Clark, était très en colère contre le défunt, Chase Andrews ?

– Ben ça, on peut le dire !

– Suffisamment en colère pour crier que s'il l'approchait à nouveau, elle le tuerait. N'est-ce pas exact ?

– Ouais. C'est ce qu'elle a dit.

– Pas d'autre question, monsieur le juge.

41
Un petit troupeau

1969

Kya n'avait pas les mains très sûres à la barre et elle se retournait sans arrêt pour voir si Chase la suivait sur son bateau depuis Cypress Cove. Elle fila aussi vite qu'elle put jusqu'à sa lagune mais eut bien du mal à gravir le perron de sa maison tant ses genoux étaient enflés. Dans la cuisine, elle se laissa tomber sur le plancher, fondit en larmes, palpant ses yeux gonflés et recrachant les saletés qu'elle avait avalées. Puis elle tendit l'oreille au cas où il approcherait.

Elle avait vu le pendentif. Il le portait encore. Comment osait-il ?

« Tu es à moi », avait-il dit. Il avait dû être fou de rage qu'elle le repousse à coups de pied alors qu'il était venu pour elle. Il pourrait bien réapparaître aujourd'hui même. Ou attendre la nuit.

Elle ne pouvait en parler à personne. Jumping insisterait pour qu'ils appellent le shérif, mais la police croiraitelle la parole de la Fille des marais contre celle de Chase Andrews ? Elle n'était pas sûre de ce qu'avaient vu les deux pêcheurs, mais en tout cas, ils ne lui avaient pas porté secours. Ils diraient sans doute qu'elle l'avait bien cherché, parce que, avant de se faire plaquer par Chase, elle avait flirté avec lui pendant des années, ne s'était pas comportée comme il faut. Une vraie poule, diraient-ils.

Au-dehors, le vent mugissait et elle craignait de ne pas entendre son bateau approcher, aussi, oubliant peu à peu ses souffrances, fourra-t-elle des biscuits, du fromage et des fruits secs dans son sac à dos. Baissant la tête pour se protéger d'une violente bourrasque, elle se précipita à travers les broussailles le long des chenaux pour atteindre la hutte de lecture d'autrefois. Cela lui prit trois quarts d'heure et, à chaque bruit, son corps raide et douloureux sursautait, et elle braquait vivement le regard vers les fourrés. La vieille structure de rondins finit par apparaître, enfoncée jusqu'au tiers de sa hauteur dans les hautes herbes et accrochée à la berge du ruisseau. Là, le vent était plus calme. La prairie semblait plus tranquille. Elle n'avait jamais parlé à Chase de sa cachette, mais peut-être la connaissait-il. Elle n'en était pas sûre.

L'odeur de moisi avait disparu. Après que le laboratoire de protection de l'environnement eut engagé Tate, lui et son père avaient retapé la vieille hutte pour qu'il puisse y passer la nuit lors de certaines de ses expéditions. Ils avaient étayé les murs, retapé le toit, et apporté quelques meubles élémentaires – un petit lit avec une couverture, une cuisinière, une table et une chaise. Il y avait des casseroles et des marmites accrochées aux traverses. Puis, complètement déplacé dans ce décor et recouvert de plastique, un microscope était posé sur une table pliante. Dans un coin, il y avait des conserves de haricots et des boîtes de sardines entreposées dans une vieille malle en métal. Rien qui puisse attirer les ours.

Mais à l'intérieur, elle se sentait prisonnière, incapable de voir si Chase approchait, et elle décida de rester au bord du ruisseau, scrutant la prairie de son œil droit. Le gauche était si enflé qu'elle ne pouvait pas l'ouvrir.

En aval du ruisseau, un troupeau de cinq biches l'ignorèrent et poursuivirent leur chemin sur la berge en mordillant des feuilles. Si seulement elle avait pu se joindre à elles, appartenir à cette famille ! Kya avait appris que la question était moins de comprendre que le troupeau serait incomplet s'il manquait un de ses membres, que de savoir que chaque biche se sentirait incomplète sans son troupeau. L'une d'elles releva la tête, ses yeux noirs fixant en direction du nord entre les arbres, en tapotant le sol de son sabot droit puis du gauche. Les autres l'imitèrent puis émirent un sifflement d'alerte. Aussitôt, de son œil valide, Kya fouilla la forêt à la recherche de signes d'approche de Chase ou de quelque autre prédateur. Mais tout était paisible. Peut-être la brise les avait-elle surprises. Elles cessèrent de marteler la terre, mais s'éloignèrent lentement dans les hautes herbes, laissant Kya seule et inquiète.

Elle scruta de nouveau la prairie pour détecter la présence d'intrus, mais la tension de l'écoute et du guet pompait toute son énergie, et elle se résolut à rentrer dans la cabane. Tira du fromage tout suintant de son sac. Puis se laissa tomber sur le sol, et mangea comme un automate, en palpant sa joue tuméfiée. Elle avait le visage, les bras et les jambes écorchés et maculés de terre et de sang. Ses genoux la démangeaient et tremblaient. Elle se remit à sangloter, luttant contre un sentiment de honte, et recracha subitement le fromage en un jet liquide et grumeleux.

Elle n'avait qu'elle-même à blâmer. Qu'espérait-elle à frayer comme ça avec un garçon sans personne pour la protéger ? Un désir naturel l'avait poussée sans être mariée vers un motel bon marché, mais elle restait insatisfaite. Le sexe sous des néons clignotants, qui ne lui avait laissé pour souvenir que des traînées de sang sur les draps, pareilles aux traces d'un animal.

Chase s'était probablement vanté de ses prouesses devant tout le monde. Il n'était pas étonnant que les gens l'évitent. Elle était indigne, répugnante.

Alors qu'une demi-lune apparaissait entre les nuages qui défilaient, elle guetta par la petite fenêtre des silhouettes d'hommes, tapis en embuscade. Finalement, elle se glissa dans le lit de Tate et s'endormit. Elle se réveilla souvent, guettant les bruits de pas, la tête enfouie sous l'étoffe moelleuse de la couverture.

Encore quelques miettes de fromage pour le petit-déjeuner. Son visage était couvert d'ecchymoses qui allaient du vert au violet, elle avait l'œil aussi gonflé qu'un œuf dur, le cou tout raide. À certains endroits, sa lèvre supérieure était déformée de façon grotesque. Aussi monstrueuse que Ma, craignant de rentrer chez elle. Kya entrevit avec une clarté soudaine ce que Ma avait enduré et pourquoi elle s'était enfuie. « Ma, Ma, murmura-t-elle. Je sais maintenant. Je comprends enfin pourquoi il te fallait partir et ne jamais revenir. Je regrette de ne pas avoir compris plus tôt, de n'avoir pas pu t'aider. » Kya baissa la tête et se mit à sangloter, puis elle la releva et dit encore : « Jamais je ne passerai comme ça une vie entière à me demander où et quand le prochain coup m'atteindra. »

Elle rentra ce même après-midi, mais bien qu'elle ait faim et que ses placards soient vides, elle ne se rendit pas chez Jumping. Chase aurait pu l'apercevoir là-bas. De plus, elle ne voulait pas que qui que ce soit, Jumping moins que tout autre, voie son visage de femme battue.

Après un repas frugal de pain dur et de poissons fumés, elle s'assit au bord de son lit dans la véranda, guettant à travers la moustiquaire. À ce moment précis, elle remarqua la présence d'une mante religieuse femelle qui s'avançait sur une branche tout près de son visage. L'insecte capturait des éphémères à l'aide de ses pattes avant articulées, puis les dévorait, leurs ailes battant encore entre ses mandibules. Un mâle, tête haute et aussi fier qu'un poney, s'approcha en paradant pour la courtiser. Elle parut intéressée, ses antennes s'agitant comme des baguettes magiques. Il est possible que son étreinte ait été trop brutale ou trop tendre, Kya n'aurait su le dire, mais alors qu'il avançait son organe copulatoire pour fertiliser les œufs, la femelle tourna vers lui son long cou élégant et lui arracha la tête d'un coup. Il était si occupé à forniquer qu'il ne le remarqua pas. Ce qu'il restait de son cou tressautait dans tous les sens tandis qu'il continuait son affaire, et elle lui grignota peu à peu le thorax, puis les ailes. Mais alors que la dernière de ses pattes allait disparaître entre les mandibules de sa compagne, son corps sans tête et sans cœur copulait encore sur un rythme parfait.

Les lucioles femelles attirent les mâles d'autres espèces par des signaux trompeurs et les mangent ; les mantes religieuses femelles dévorent leurs propres compagnons. Les insectes femelles, se dit Kya, savent y faire avec leurs amants.

Au bout de quelques jours, elle prit son bateau pour s'enfoncer dans le marais, explorant des lieux que Chase ne devait pas connaître, mais elle restait nerveuse, en alerte, ce qui lui rendait difficile de peindre. Autour d'une mince fente son œil restait gonflé, et les hideuses couleurs de son ecchymose avaient gagné la moitié de son visage. Elle restait percluse de douleurs.

Au moindre piaillement d'un tamia, elle se retournait, et tendait l'oreille au croassement des corneilles – une langue d'avant les mots, quand la communication était encore simple et claire – et, où qu'elle aille, elle avait déjà en tête un chemin pour s'enfuir.

42
Une cellule

1970

De sombres rayons de lumière s'engouffraient par la minuscule fenêtre de la cellule de Kya. Elle fixait de petits papillons de poussière, qui dansaient en silence dans une seule direction comme s'ils suivaient un guide rêveur. En atteignant l'ombre, ils disparaissaient. Sans le soleil, ils n'étaient rien.

Elle tira la caisse en bois, sa seule table, sous la fenêtre qui se trouvait à plus de deux mètres du sol. Vêtue d'une combinaison grise sur le dos de laquelle on pouvait lire PRISONNIER DU COMTÉ, elle monta sur la caisse et regarda la mer, à peine visible à travers la vitre épaisse et les barreaux. Des vagues claquaient et se brisaient, et des pélicans, la tête penchée pour repérer leurs proies, rasaient les flots. En tirant sur son cou, elle pouvait apercevoir loin sur la droite la végétation dense de la lisière du marais. Hier, elle avait vu un aigle descendre en piqué et fondre sur un poisson.

La prison du comté était composée de six cellules de moins de quatre mètres sur quatre dans un bloc en ciment d'un étage qui s'élevait derrière le bureau du shérif aux confins de la ville. Les cellules s'alignaient sur toute la longueur du bâtiment mais d'un seul côté, pour que les prisonniers ne puissent pas se voir. Trois des quatre murs humides étaient en parpaing ; le quatrième, composé de barreaux entre lesquels était ménagée une porte verrouillée. Chaque cellule était dotée d'un lit en bois avec un matelas en coton bosselé, un oreiller en plume, des draps, une couverture de laine grise, d'un lavabo, d'une caisse en bois en guise de table, et de toilettes. Au-dessus du lavabo était accroché non pas un miroir mais un tableau de Jésus, encadré et offert par l'Association des dames baptistes. La seule faveur qu'on lui avait accordée, en tant que première femme jamais détenue – si l'on excepte celles qu'on enfermait pour une nuit –, était un rideau en plastique qu'elle pouvait tirer autour du lavabo et des toilettes. Pendant deux mois avant le procès, elle avait été maintenue dans cette cellule sans possibilité de libération sous caution à cause de sa tentative échouée d'échapper au shérif sur son bateau. Kya se demanda qui avait commencé à utiliser le mot « cellule » à la place de « cage ». Il devait y avoir eu un moment dans l'histoire où la simple humanité avait exigé ce changement. Ses bras étaient couverts d'estafilades rouges parce qu'elle se grattait sans arrêt. Durant d'interminables minutes, assise sur le lit, elle observait ses cheveux, tirant doucement sur ses mèches comme les oiseaux de mer lissent leurs plumes.

Debout sur la caisse, se dévissant le cou pour apercevoir le marais, elle se rappela un poème d'Amanda Hamilton :

Mouette blessée à Brandon Beach
Tu dansais dans le ciel, âme aux ailes d'argent,
Et tu éveillais l'aube de tes cris perçants.
Tu suivais les bateaux, affrontais l'océan

Avant de capturer et de m'offrir le vent.
Tu te brisas une aile, elle traînait à terre
Griffant le sable blanc aux rives de la mer.
Quand les plumes se brisent, on ne peut plus voler,
Mais l'instant de la mort n'est pas encore fixé.
Quand tu as disparu, je ne saurais dire où,
La marque de ton aile est restée parmi nous
Un cœur brisé hélas ne saura plus voler
Mais l'instant de la mort n'est pas encore fixé.

Bien que les prisonniers ne puissent pas se voir, elle savait que les seuls autres détenus – deux hommes au bout de la rangée – passaient le plus clair de la journée et de la soirée à bavarder. Ils purgeaient chacun une peine de trente jours pour avoir provoqué une bagarre à la brasserie Dog-Gone, qui s'était terminée par quelques miroirs et divers os brisés, pour savoir qui cracherait le plus loin. La plupart du temps, ils restaient étendus sur leur lit, s'interpellant d'une cellule à l'autre, tels des clochards vivant dans leurs tonneaux. L'essentiel de ces conversations tournait autour des commérages recueillis de la bouche de leurs visiteurs au sujet de l'affaire Kya. En particulier les chances qu'on applique la peine de mort, qui n'avait pas été prononcée dans ce comté depuis vingt ans, et jamais à l'encontre d'une femme.

Kya entendait chaque mot. Mourir lui était égal. La menace que soit mis fin à cette vie de fantôme ne l'effrayait pas. Mais l'idée d'être exécutée de la main de quelqu'un, selon un rite planifié et orchestré, lui était si impensable que sa respiration s'arrêtait.

Le sommeil l'évitait, il se glissait au bord de sa conscience avant de s'enfuir précipitamment. Son esprit plongeait du haut des remparts d'un repos soudain – brefs instants de bonheur – puis son corps se mettait à trembler et la réveillait. Elle descendit de la caisse et s'assit sur le lit, les genoux repliés sous le menton. On l'avait ramenée là après le tribunal, et il devait donc être environ 18 heures. Une heure seulement s'était écoulée. Peut-être moins encore.

43
Un microscope

1969

Début septembre, plus d'une semaine après l'agression de Chase, elle marchait sur la plage. Le vent agitait une lettre qu'elle tenait à la main et qu'elle devait plaquer contre sa poitrine. Son éditeur l'avait invitée à le rencontrer à Greenville ; il disait savoir qu'elle ne venait pas souvent en ville, mais il voulait vraiment faire sa connaissance et tous ses frais seraient pris en charge.

Il faisait clair et très chaud, et elle prit son bateau pour aller sillonner le marais. Au bout d'un étroit estuaire, au détour d'une boucle herbue, elle aperçut Tate, accroupi sur un large banc de sable, prélevant des échantillons d'eau dans de petites éprouvettes. Son embarcation, véritable yacht équipé pour la recherche, était amarrée à un tronc d'arbre et dérivait jusqu'au milieu du chenal, bloquant le passage. Elle tira avec force sur la barre. Certaines des enflures et des ecchymoses de son visage s'étaient estompées, mais un affreux coquart vert et violet lui encerclait encore l'œil. Elle fut prise de panique. Elle ne voulait pas que Tate voie son visage boursouflé et elle tenta de faire demi-tour rapidement.

Mais il leva les yeux et lui adressa un signe de la main. « Approche, Kya. J'ai un nouveau microscope à te montrer. »

Elle réagit de la même façon qu'au moment où l'employée des services sociaux lui avait parlé d'une tourte au poulet. Elle ralentit mais ne répondit pas.

« Allez viens. Tu ne peux pas imaginer comme il est puissant. On voit même les pseudopodes des amibes. »

Elle n'avait jamais observé d'amibes, encore moins les détails de leurs corps. Mais revoir Tate l'apaisait, lui procurait un calme intérieur. Décidant qu'elle réussirait à lui cacher son visage tuméfié, elle tira son bateau sur le rivage et marcha vers lui dans l'eau peu profonde. Elle portait un short en jean et un T-shirt blanc, ses cheveux étaient lâchés. Debout à l'arrière du bateau, perché sur l'échelle, il lui tendit la main et elle la prit, en détournant la tête.

La couleur beige pâle du bateau se fondait dans le marais, et Kya n'avait jamais rien vu d'aussi beau que le pont en teck et la barre en cuivre. « Viens voir en bas », dit-il, en descendant vers la cabine. Elle balaya du regard le pupitre du capitaine, la petite cuisine mieux équipée que la sienne, et le séjour qui avait été converti en laboratoire, doté de multiples microscopes et de présentoirs d'éprouvettes. D'autres instruments bourdonnaient et clignotaient.

Tate régla le plus grand des microscopes et glissa une plaque sous le viseur.

« Regarde, rien qu'une minute. » Il posa une goutte d'eau du marais sur la plaque, la recouvrit avec une autre, et effectua la mise au point. Il se releva. « Jette un coup d'œil. »

Kya se pencha doucement, comme pour embrasser un bébé. La lampe du microscope se réfléchissait dans ses pupilles noires, et elle eut le souffle coupé alors qu'apparaissait à sa vue un carnaval de personnages costumés qui paradaient en faisant leurs pirouettes. Des chapeaux inimaginables surmontaient des corps bigarrés et époustouflants qui semblaient réclamer plus de vie encore ; on aurait cru qu'ils caracolaient sous le chapiteau d'un cirque, et non pas dans une goutte d'eau.

Elle posa la main sur son cœur : « Je ne savais pas que les amibes étaient si nombreuses et aussi belles », s'exclama-t-elle en continuant à observer. Il identifia pour elle certaines espèces rares, puis recula d'un pas pour regarder Kya. *Elle sent pulser la vie*, pensa-t-il, *parce qu'elle est en lien direct avec sa planète.*

Il lui montra d'autres plaques.

Elle murmura : « C'est comme si on n'avait jamais vu les étoiles et que soudain on les découvre.

– Est-ce que tu voudrais du café ? » demanda-t-il gentiment.

Elle releva la tête. « Non, non, merci. » Puis elle s'éloigna des microscopes et se dirigea vers le coin cuisine. Maladroitement, elle continuait à essayer de cacher son coquart.

Tate était habitué à voir Kya sur ses gardes, mais elle se conduisait là de façon plus distante et plus étrange que jamais. Pourquoi détournait-elle constamment la tête ?

« Allons, Kya. Juste une petite tasse. » Il était déjà dans la cuisine et versait de l'eau dans une machine de laquelle s'écoula bientôt un café serré. Elle se tenait près de l'échelle qui conduisait au pont, et il lui tendit une tasse en lui faisant signe de remonter. Il l'invita à s'asseoir sur une banquette confortable, mais elle resta debout à l'avant. Pareille à une chatte, elle gardait un œil sur la sortie. Un banc de sable d'une blancheur étincelante s'incurvait sous leurs yeux jusqu'à l'abri des chênes.

« Kya… » Il avait commencé à lui poser une question, et quand elle lui fit face, il découvrit les ecchymoses à demi effacées qui lui marquaient la joue.

« Que t'es-tu fait au visage ? » Il s'avança vers elle, tendit la main pour lui toucher la joue. Elle recula.

« Rien. Je me suis cognée dans une porte au milieu de la nuit. » Il devina qu'elle mentait à la façon dont elle se couvrit précipitamment la bouche de sa main. Quelqu'un l'avait frappée. Chase peut-être ? Est-ce qu'elle le voyait toujours maintenant qu'il était marié ? Tate serra les mâchoires. Kya fit le geste de reposer sa tasse, comme si elle s'apprêtait à partir.

Il s'efforça de rester calme. « Tu as commencé un nouveau livre ?

– J'ai presque fini celui des champignons. Mon éditeur va venir à Greenville à un moment ou un autre fin octobre et il veut qu'on se voie. Mais moi, je ne suis pas sûre.

– Tu devrais y aller. Ce serait bien de le rencontrer. Il y a un car qui part de Barkley tous les jours, et un autre de nuit. Ça n'est pas si loin. Une heure vingt, à peu près.

– Je ne sais même pas où on achète les billets.

– Le chauffeur te dira tout. Va faire un tour à l'arrêt des cars dans la rue principale ; il te dira comment faire. Je crois que Jumping a les horaires affichés dans sa boutique. » Il faillit lui dire qu'il avait pris ce même car plusieurs fois pour revenir de Chapel Hill, mais pensa qu'il valait mieux ne pas lui rappeler ces jours de juillet où elle l'avait attendu sur une plage.

Ils restèrent silencieux pendant un moment, sirotant leur café, écoutant deux éperviers qui sifflaient contre le flanc d'un nuage.

Il hésitait à lui proposer encore du café, sachant qu'elle risquait de refuser et d'en profiter pour décamper. Alors, il lui posa des questions sur son ouvrage consacré aux champignons, et lui parla des protozoaires qu'il étudiait. Tout ce qui lui passait par la tête pour la garder auprès de lui.

La lumière de l'après-midi faiblissait et un vent frais se leva. Reposant encore une fois la tasse, elle annonça : « Il faut que j'y aille.

– Je me disais que je pourrais ouvrir une bouteille. Tu voudrais un verre de vin ?

– Non, merci.

– Attends encore une seconde, dit Tate en retournant dans la cuisine pour y prendre un sac de pain rassis et de biscuits. S'il te plaît, salue les mouettes et les goélands de ma part.

– Merci. » Elle redescendit les barreaux de l'échelle.

Tandis qu'elle se dirigeait vers son bateau, il cria : « Kya, il commence à faire frisquet, tu ne veux pas une veste ou quelque chose ?

– Non, ça va.

– Tiens, prends au moins mon bonnet », et il lui lança un bonnet de ski rouge. Elle l'attrapa au vol mais le lui relança. Il le jeta à nouveau, plus loin, et elle courut sur le banc de sable, se pencha pour le ramasser. En riant, elle sauta à bord de sa barque, fit démarrer le moteur et, en passant à côté de Tate, fit une fois de plus voler le bonnet sur le pont de son bateau. Il sourit et elle s'esclaffa. Puis ils cessèrent de rire et se contentèrent de se regarder tandis qu'ils continuaient à faire des passes avec le bonnet jusqu'à ce que Kya ait atteint le coude de la rivière. Elle se laissa tomber sur le banc à l'avant, et porta la main à sa bouche. « Non, dit-elle à haute voix.

Je ne peux pas tomber amoureuse de lui à nouveau. Je ne veux plus jamais avoir aussi mal. »

Tate demeura à l'arrière de son bateau. Serrant les poings à l'idée que quelqu'un avait pu la frapper.

Elle longea la côte à la limite des vagues en direction du sud. Cet itinéraire la conduirait à passer devant sa plage avant d'atteindre le chenal qui la ramènerait jusqu'à sa cabane à travers le marais. D'ordinaire, elle ne s'arrêtait pas sur cette grève, mais poursuivait à travers le labyrinthe des canaux jusqu'à sa lagune, et marchait ensuite jusqu'au rivage.

Mais alors qu'elle passait devant la plage, les oiseaux de mer aperçurent et entourèrent le bateau. Big Red se posa à l'avant, dodelinant de la tête. Elle éclata de rire. « D'accord, tu as gagné. » Fendant les flots, elle poussa sa barque à l'abri de hauts joncs marins et sauta sur la rive pour distribuer les miettes que Tate lui avait données.

Alors que le soleil peignait des reflets d'or rose sur l'eau, elle s'assit sur le sable, et mouettes et goélands se posèrent autour d'elle. Soudain, elle entendit un moteur et vit le hors-bord de Chase qui filait en direction de son chenal ; il ne pouvait pas repérer son bateau caché derrière les buissons, mais elle était bien en vue sur la plage. Aussitôt, elle s'aplatit à terre, tournant la tête sur le côté pour ne pas le quitter des yeux. Il se tenait à la barre, cheveux repoussés par le vent, une affreuse grimace sur le visage. Mais il ne regarda pas dans cette direction quand il s'engagea dans le chenal en route vers sa cabane.

Quand il eut disparu, elle se redressa. Si elle ne s'était pas arrêtée là pour passer un moment avec les mouettes, il l'aurait surprise à la maison. Elle avait appris à d'innombrables reprises de l'exemple paternel : pareils hommes ne s'avouent jamais vaincus. Kya avait laissé Chase en train de mordre la poussière. Les deux vieux pêcheurs l'avaient probablement vue s'acharner sur lui. Comme aurait dit Pa, il fallait donner une bonne leçon à Kya.

Dès qu'il eut découvert qu'elle n'était pas chez elle, il se dirigea vers sa plage. Elle se précipita vers son bateau, fit démarrer le moteur et fila en direction de Tate. Mais elle ne voulait pas avouer à Tate ce que Chase lui avait fait ; la honte l'emportait sur la raison. Elle ralentit et se laissa porter par les vagues tandis que le soleil commençait à disparaître. Elle devrait se cacher et attendre que Chase s'en aille. Si elle ne le voyait pas repartir, elle ne saurait jamais quand elle pourrait rentrer à la maison sans risque.

Elle obliqua vers le chenal, saisie de panique à l'idée d'entendre le moteur de Chase ronfler d'une seconde à l'autre. Laissant le sien tourner au ralenti pour mieux guetter le hors-bord, elle se laissa glisser vers un bras d'eau morte, surplombé par des arbres et d'épais buissons. Elle s'enfonça profondément à l'abri des broussailles, repoussant les branches jusqu'à ce que les feuillages et la nuit tombante la cachent.

Le souffle court, elle tendit l'oreille. Finalement, elle entendit son moteur qui déchirait la douceur du soir. Elle se baissa plus encore à son approche, soudain inquiète qu'il aperçoive l'avant de sa barque. Le ronflement augmenta, et quelques secondes plus tard, le hors-bord passait à toute allure. Elle demeura là pendant une bonne demi-heure jusqu'à ce qu'il fasse complètement nuit, puis reprit le chemin de la maison à la lueur des étoiles.

Elle emporta ses couvertures sur la plage et s'installa en compagnie des oiseaux de mer. Ils ne faisaient guère attention à elle, occupés à lisser leurs ailes déployées avant de se tapir dans le sable comme autant de galets couverts de plumes. Tandis qu'ils roucoulaient doucement et rentraient la tête pour la nuit, elle s'approcha plus près d'eux que jamais. Toutefois, malgré leur murmure et le doux bruissement de leurs plumes, Kya ne put trouver le sommeil. Elle passa son temps à se retourner d'un côté puis de l'autre, se dressant sur son séant chaque fois que le vent imitait un bruit de pas.

À l'aube, les vagues déferlaient sous un vent violent qui lui piqua les joues. Elle resta en compagnie des oiseaux qui sautillaient alentour, s'étirant et se grattant avec leurs pattes. Big Red – les yeux écarquillés et le cou dressé – semblait avoir trouvé quelque chose de très intéressant sous son aile, ce qui en temps normal aurait fait rire Kya. Mais ce jour-là, les oiseaux ne lui procuraient aucune joie. Elle s'avança jusqu'au bord de l'eau. Chase ne s'arrêterait pas là. Vivre seule, c'était une chose, connaître une peur constante, une autre.

Elle s'imagina marcher dans l'eau bouillonnante, et s'avancer vers cet endroit paisible au-delà des vagues, des mèches de ses cheveux accrochées comme des aquarelles noires à l'océan d'un bleu pâle, ses longs doigts et ses bras traînant à la surface à peine éclairée. Tout rêve de fuite – même vers la mort – monte toujours vers la lumière. Le gros lot continuerait à briller, hors de portée, jusqu'à ce qu'elle s'enfonce dans la mer et se couche dans l'abysse de silence. Enfin hors de danger.

Mais l'instant de la mort n'est pas encore fixé.

44
Compagnon de cellule

1970

Kya se tenait au milieu de sa cellule. Voilà qu'elle était en prison. Si ceux qu'elle avait aimés, y compris Jodie et Tate, ne l'avaient pas abandonnée, elle n'en serait pas là. Quand on s'appuie sur quelqu'un, on se retrouve à terre.

Avant d'être arrêtée, elle avait entrevu un chemin qui pouvait la ramener vers Tate : une ouverture de son cœur. L'amour qui remontait tout près de la surface. Mais quand il était venu lui rendre visite en prison à plusieurs reprises, elle avait refusé de le voir. Elle ne savait pas très bien pourquoi mais la prison lui avait fermé le cœur davantage encore. Pourquoi n'avait-elle pas accepté le réconfort qu'il aurait pu lui procurer dans cet endroit ? Il semblait que ce qui se passait aujourd'hui, alors qu'elle était plus fragile que jamais, était une raison suffisante pour faire encore moins confiance aux autres.

Au point le plus vulnérable de sa vie, elle se tournait vers le seul gilet de sauvetage qu'elle connaissait : elle-même.

Se retrouver derrière les barreaux sans possibilité de libération sous caution lui avait fait sentir clairement combien elle était seule. Quand le shérif lui avait proposé de passer un coup de fil, elle avait été brutalement ramenée à la réalité : elle n'avait personne à appeler. Le seul numéro de téléphone au monde qu'elle connaissait était celui de Jodie, et comment pouvait-elle téléphoner à son frère pour lui annoncer qu'elle était en prison, accusée de meurtre ? Après toutes ces années, comment oser l'importuner avec ses problèmes ? Peut-être la honte jouait-elle aussi un rôle dans ce silence.

Ils l'avaient laissée se débrouiller pour survivre et se défendre. Et aujourd'hui elle était là, seule.

Une fois de plus, elle prit en main le magnifique livre sur les coquillages que Tom Milton lui avait offert, de loin le volume le plus précieux qu'elle possédait. Des ouvrages de biologie étaient empilés sur le sol, dont le gardien avait dit que c'était Tate qui les avait apportés, mais elle ne parvenait pas à se concentrer. Les phrases filaient dans toutes les directions, revenaient en boucle au début. Les photographies des coquillages lui demandaient moins d'efforts.

Un pas résonna sur le misérable carrelage et Jacob, un petit homme noir qui faisait office de gardien, apparut devant sa porte. Il portait un gros paquet enveloppé de papier marron.

« Désolé de vous déranger, mademoiselle Clark, vous avez de la visite. Il faut me suivre.

– Qui est-ce ?

– C'est votre avocat, M. Milton. » Des bruits métalliques retentirent quand Jacob déverrouilla la porte avant de lui tendre le paquet. « Et ça, c'est de la part de Jumping. » Elle le posa sur le lit et suivit Jacob dans le couloir jusqu'à une pièce plus petite encore que sa cellule. Tom Milton se leva de sa chaise à son entrée. Kya le salua d'un signe de tête puis regarda par la fenêtre, où un énorme cumulus gonflait ses grosses joues orangées.

« Bonsoir, Kya.

– Monsieur Milton…

– Kya, je vous en prie, appelez-moi Tom. Mais qu'est-il arrivé à votre bras ? Vous vous êtes fait mal ? »

Elle mit vivement le bras dans son dos, cachant les écorchures qu'elle s'était faites.

– Rien que des piqûres de moustique, je pense.

– Je vais en parler au shérif ; il ne devrait pas y avoir de moustiques dans votre… chambre. » Tête baissée, Kya répondit : « Non, s'il vous plaît, ce n'est pas grave. Les insectes ne me dérangent pas.

– C'est entendu, je ne ferai rien contre votre volonté. Kya, je suis venu vous parler des différentes options qui s'offrent à vous.

– Quelles options ?

– Je vais vous expliquer. Il est difficile de savoir de quel côté penche le jury à ce stade. Les choses sont faciles pour le procureur. Rien de solide, évidemment, mais étant donné les préjugés des habitants de cette ville, il faut que vous soyez prête au fait qu'il ne sera pas facile de gagner. Toutefois, il reste la possibilité d'une négociation. Vous savez de quoi je parle ?

– Pas exactement.

– Vous avez plaidé non coupable de meurtre avec préméditation. Si nous perdons, vous risquez gros : la perpétuité ou, comme vous le savez, la peine de mort qu'ils vont essayer d'obtenir. Vous avez la possibilité de plaider coupable pour des chefs d'accusation moins graves, par exemple, homicide involontaire. Si vous étiez prête à dire que, oui, vous êtes allée à la tour de guet cette nuit-là, que vous y avez rencontré Chase, que vous avez eu une dispute, et que, par horrible malchance, il avait reculé et était passé à travers la grille, le procès pourrait prendre fin aussitôt, ce drame se terminerait immédiatement pour vous, et nous pourrions négocier avec le procureur pour revoir la peine à la baisse. Étant donné que vous n'avez jamais été jugée pour quoi que ce soit, il vous condamnerait probablement à dix ans, et vous pourriez être sortie d'ici, disons, six ans. Je sais que ça n'a pas l'air très réjouissant, mais c'est mieux que la perpétuité ou… l'autre solution.

– Non, je ne dirai jamais que je suis coupable. Je n'irai pas en prison.

– Kya, je comprends, mais je vous en prie, prenez le temps d'y réfléchir. Vous ne voulez pas passer toute votre vie dans une cellule et vous ne voulez pas non plus… »

Kya regarda de nouveau par la fenêtre. « C'est tout réfléchi. Je ne resterai pas en prison.

– Eh bien, nous n'avons pas besoin de décider tout de suite. Prenons notre temps. Voyons comment les choses évoluent. Avant que je parte, y a-t-il quelque chose que vous voudriez me dire ?

– Je vous en prie, faites-moi sortir de là. D'une façon ou… de l'autre.

– Je vais faire de mon mieux pour vous tirer d'ici, Kya. Tenez bon. Et aidez-moi, s'il vous plaît. Comme je vous l'ai déjà dit, il faut que vous soyez intensément présente, que vous regardiez vos jurés de temps à autre… »

Mais Kya avait déjà tourné les talons.

Jacob la reconduisit à la cellule, où elle prit le paquet de Jumping, déballé par le surveillant-chef et recollé au petit bonheur. Elle l'ouvrit, puis plia soigneusement le papier pour le conserver. À l'intérieur se trouvait un panier rempli de minuscules bocaux de peinture, un pinceau, du papier, et dans un sac, des muffins au maïs préparés par Mabel. Au fond du panier, il avait disposé des aiguilles de pin, quelques feuilles de chêne, plusieurs coquillages, et de longs roseaux. Kya les respira profondément. Pinça les lèvres. Jumping. Mabel.

Le soleil s'était couché ; il n'y avait plus de papillons de poussière à suivre des yeux.

Plus tard, Jacob vint reprendre le plateau de son repas. « À mon avis, mademoiselle Clark, vous avez pas mangé grand-chose. Pourtant ces côtelettes et ces légumes, ils sont franchement bons. » Elle lui sourit gentiment, puis écouta son pas s'éloigner dans le couloir. Elle attendit d'entendre la lourde porte métallique claquer comme un coup du destin.

Puis elle perçut un bruit sur le carrelage du couloir, juste devant ses barreaux. Elle tourna vivement la tête. Sunday Justice se tenait assis là, fixant les yeux noirs de Kya de ses prunelles vertes.

Son cœur se mit à battre plus fort. Enfermée seule entre ces quatre murs depuis toutes ces semaines, et voilà que ce chat pouvait comme par magie passer entre les barreaux. Être avec elle. Sunday Justice détourna le regard pour s'intéresser à la conversation des détenus à l'autre bout du couloir. Kya craignait par-dessus tout qu'il la laisse et s'en aille vers eux. Mais il se retourna, cligna des paupières avec un air d'ennui profond, et se glissa entre les barreaux. Pour la rejoindre.

Kya respira un grand coup. Puis elle murmura : « Je t'en prie, reste ! »

Prenant tout son temps, il fit le tour de la cellule en reniflant pour inspecter le ciment humide des murs, les tuyaux apparents et le lavabo, manifestement décidé à l'ignorer. Une petite fissure dans la paroi retint particulièrement son attention. Elle lut les pensées de l'animal dans les mouvements de sa queue. Il finit son tour de reconnaissance et s'arrêta devant le petit lit. Puis, comme si de rien n'était, il lui sauta sur les genoux et se mit à tourner sur lui-même, ses grosses pattes blanches trouvant sans doute confortables les coussins de ses cuisses. Kya resta immobile, les bras légèrement soulevés, pour ne pas gêner ses manœuvres. Finalement, il s'installa comme s'il avait dormi là depuis toujours. Il la regarda. Elle lui caressa doucement la tête, puis lui gratta le cou. Un ronronnement monta de sa gorge comme une vague puissante. Elle ferma les yeux de plaisir en se voyant si facilement acceptée. Un changement important dans une vie entière passée à attendre.

Craignant de bouger, elle se tint aussi raide que possible, jusqu'à en avoir des crampes dans les jambes, puis bougea légèrement pour étirer ses muscles. Sunday Justice, sans ouvrir les paupières, se laissa glisser de ses genoux et se pelotonna tout près d'elle. Elle s'allongea tout habillée, et ils se blottirent l'un contre l'autre. Elle le regarda dormir, puis trouva le sommeil à son tour. Pas d'un seul coup, non, une lente descente vers la paix et l'oubli.

Une fois au cours de la nuit, elle ouvrit les yeux et vit qu'il dormait sur le dos, les pattes avant étendues d'un côté, celles de derrière de l'autre. Et quand elle se réveilla à l'aube, il était parti. La gorge serrée, elle laissa échapper un long gémissement.

Plus tard, Jacob vint se camper devant sa cellule, tenant le plateau du petit-déjeuner d'une main et déverrouillant la porte de l'autre.

« Je vous ai apporté de la bouillie d'avoine, mademoiselle Clark. »

Elle prit le plateau.

« Vous savez, Jacob, le chat noir et blanc qui dort dans la salle d'audiences. Il est venu me voir hier soir.

– Oh je suis vraiment désolé ! C'est Sunday Justice. Des fois, il se faufile entre mes jambes et je le vois pas à cause des plateaux. Et il finit par se retrouver coincé avec vous tous. » Suffisamment de tact pour ne pas prononcer le mot « enfermé ».

« Au contraire. Ça me fait plaisir de l'avoir avec moi. S'il vous plaît, vous voulez bien le laisser passer si vous le voyez après le repas du soir ? Ou à n'importe quel moment, d'ailleurs. »

Il la regarda d'un air bienveillant. « Bien sûr que je peux. Je vais le faire, mademoiselle Clark ; vous pouvez compter sur moi. Je comprends bien que ça vous fait de la compagnie.

– Merci, Jacob. »

Ce même soir, Jacob revint. « Voilà votre repas, mademoiselle Clark. Poulet frit, purée de patates avec de la sauce, livrés par le restaurant. J'espère bien que cette fois vous allez manger quelque chose. »

Kya se leva et regarda entre les pieds du gardien. Elle prit le plateau. « Merci, Jacob. Vous avez vu le chat ?

– Ben non. Pas cette fois. Mais je vais ouvrir l'œil. »

Kya hocha la tête. Elle s'assit sur le lit, le seul endroit où s'asseoir, en fixant son assiette. Dans cette prison, on lui servait les meilleurs plats de sa vie. Elle piqua sa fourchette dans le poulet, repoussa la purée.

Maintenant qu'elle avait à manger, elle avait perdu l'appétit.

Puis, elle entendit tourner le verrou et s'ouvrir la lourde porte métallique.

Au bout du couloir, elle entendit Jacob dire : « Vous y voilà, monsieur Sunday Justice. »

Retenant son souffle, Kya fixa le carrelage juste devant sa cellule et, quelques secondes plus tard, Sunday Justice fit son apparition. Ses taches paraissaient étonnamment distinctes et estompées à la fois. Aucune hésitation désormais, il entra dans la cellule et s'approcha. Kya posant l'assiette sur le sol, il s'attaqua au poulet – sortant carrément le pilon de l'assiette – et lapa la sauce. Elle l'observa en souriant durant toute l'opération, puis essuya le carrelage avec un mouchoir en papier.

Il bondit sur le lit, et ils sombrèrent de concert dans un doux sommeil.

Le lendemain, Jacob vint se camper devant sa porte :

« Mademoiselle Clark, vous avez encore de la visite.

– Qui est-ce ?

– C'est encore M. Tate. Ça fait plusieurs fois qu'il vient, mademoiselle Clark, soit il apporte quelque chose, soit il demande à vous parler. Vous êtes sûre que vous voulez pas le voir, mademoiselle Clark ? On est samedi, pas de tribunal aujourd'hui, rien à faire durant cette satanée journée.

– D'accord, Jacob. »

Il la conduisit jusqu'à la pièce où elle s'était entretenue avec Tom Milton. Quand elle passa la porte, Tate se leva et se précipita vers elle. Il avait un pâle sourire aux lèvres mais dans ses yeux elle lut sa tristesse de la savoir là.

« Kya, tu as l'air d'aller bien. Je me suis fait tellement de souci. Merci d'avoir accepté de me voir. Assieds-toi. » Ils prirent place face à face tandis que Jacob s'installait dans un coin avec son journal et se plongeait dans sa lecture avec une attention soutenue.

« Salut, Tate, je te remercie pour les livres que tu as apportés. »

En apparence, elle était sereine, mais à l'intérieur elle se sentait brisée.

« Qu'est-ce que je peux faire d'autre pour toi ?

– Tu peux peut-être donner à manger aux mouettes et aux goélands si tu passes par chez moi. »

Il sourit. « Oui, je m'en occupe. J'y vais un jour sur deux environ. » Il en parlait avec légèreté mais, en fait, il était allé en voiture ou en bateau jusque chez elle à chaque lever du jour et à chaque crépuscule pour les nourrir.

« Je te remercie.

– J'étais dans la salle, Kya, juste derrière toi, mais tu ne t'es jamais retournée, et je ne sais pas si tu t'en es rendu compte. En tout cas, j'y serai tous les jours. »

Elle regarda par la fenêtre.

« Tom Milton est un très bon avocat, Kya. Sans doute le meilleur dans cette partie de l'État. Il va te tirer de là. Tiens bon. » Et comme elle restait muette, il poursuivit : « Et dès que tu seras sortie, on recommencera à explorer les lagunes comme au bon vieux temps.

– Tate, je t'en prie, il faut que tu m'oublies.

– Je ne t'ai jamais oubliée, je ne t'oublierai jamais, Kya.

– Tu sais que je ne suis pas comme les autres. Je ne sais pas m'adapter aux gens. Je ne peux pas faire partie de ton monde. S'il te plaît… Tu ne comprends pas que j'ai peur d'être proche de qui que ce soit à nouveau. Je ne peux pas.

– Je ne te le reproche pas, Kya, mais…

– Tate, écoute-moi. Pendant des années j'ai eu envie de briser ma solitude. Je croyais vraiment que quelqu'un finirait par rester auprès de moi, qu'un jour j'aurais des amis et même une famille. Que je ferais partie d'un groupe. Mais personne n'est resté. Ni toi ni aucun membre de ma famille. Aujourd'hui, j'ai fini par apprendre à l'accepter et à me protéger. Mais je ne peux pas en parler maintenant. Ça me fait plaisir de te voir ici, vraiment. Et peut-être qu'un jour, on pourra être amis, mais je n'arrive pas à penser à l'avenir. Pas ici.

– Entendu. Je comprends. Vraiment, je comprends. » Après une courte pause, il continua : « Les grands ducs ont déjà commencé à hululer. »

Elle hocha la tête, faillit même sourire.

« Oh, et hier en passant chez toi, tu ne vas pas le croire, mais un épervier de Cooper s'est posé juste sur ton perron. »

Cette fois, un franc sourire se dessina sur ses lèvres quand elle repensa à Coop. Un de ses nombreux souvenirs secrets.

« Si, je le crois. »

Dix minutes plus tard, Jacob leur annonça que la visite était terminée et que Tate devait partir. Kya le remercia encore d'être venu.

« Je vais continuer à donner à manger aux oiseaux de mer, Kya. Et je t'apporterai des livres. »

Elle hocha la tête et suivit Jacob.

45
Le bonnet rouge

1970

Le lundi matin, après la visite de Tate, l'huissier de justice conduisit Kya à la salle d'audiences, et elle continua de détourner le regard du public, comme elle l'avait fait auparavant, choisissant de plonger les yeux dans l'ombre des arbres au-dehors. Mais elle entendit un son familier, quelque chose comme un toussotement, et tourna la tête. Assis au premier rang, à côté de Tate, se trouvait Jumping, accompagné de Mabel qui arborait son chapeau du dimanche piqué de roses en soie. Un murmure avait parcouru la salle quand ils étaient entrés avec Tate et avaient pris place dans la zone « réservée aux Blancs ». Mais quand l'huissier de justice en avait fait part au juge Sims, encore dans son bureau, le magistrat lui avait demandé d'annoncer que toute personne, quelles que soient sa couleur de peau ou ses croyances, pouvait s'asseoir où elle voulait dans ce tribunal, et que, si quelqu'un y voyait un inconvénient, il pouvait toujours quitter les lieux. De fait, il s'assurerait lui-même qu'il les quitte.

En apercevant Jumping et Mabel, Kya sentit un petit regain de courage, et elle se redressa imperceptiblement.

Le témoin de l'accusation suivant, le coroner Stewart Cone, avait les cheveux grisonnants, coupés très court, et il portait des lunettes qui lui tombaient sur le nez, ce qui le forçait à relever la tête pour voir à travers les verres. Tandis qu'il répondait aux questions d'Eric, l'esprit de Kya s'envola vers les oiseaux de mer. Au cours de ces longs mois de prison, elle s'était inquiétée pour eux, et pourtant Tate s'était chargé de les nourrir. Ils n'avaient pas été abandonnés. Elle songea à Big Red, à sa façon de sautiller par-dessus ses orteils quand elle leur jetait des miettes.

Le coroner rejeta la tête en arrière pour ajuster ses lunettes, et ce geste ramena Kya vers le tribunal.

« Donc, pour récapituler, vous avez déclaré que le décès de Chase Andrews était survenu entre minuit et 2 heures du matin dans la nuit du 29 au 30 octobre 1969. La mort a été provoquée par des lésions graves au cerveau et à la moelle épinière dues à une chute de plus de vingt mètres à travers la grille ouverte de la tour de guet. Lors de cette chute, sa nuque a heurté une traverse, un fait confirmé par les échantillons de sang et de cheveux prélevés sur le bois. Tous ces détails sont-ils corrects et conformes à votre précieuse expérience en la matière ?

– Oui.

– Maintenant, monsieur Cone, pourquoi diriez-vous qu'un jeune homme intelligent et en bonne santé comme Chase Andrews a pu passer à travers une grille ouverte et faire cette chute mortelle ? Afin d'exclure toute autre hypothèse, avez-vous retrouvé de l'alcool ou quelque autre substance dans son sang, susceptible d'avoir altéré son jugement ?

– Non, absolument pas.

– Tout indique que Chase Andrews s'est heurté la nuque contre cette traverse, et non pas le front. » Eric se tourna vers le jury et avança d'un grand pas. « Mais quand je fais un pas, ma tête se retrouve légèrement en avant du reste de mon corps. Si je devais tomber dans un trou, l'élan et le poids de ma tête me feraient basculer en avant. Exact ? Chase Andrews se serait alors cogné le front, et non pas l'arrière du crâne, contre la traverse, s'il était en train d'avancer. Donc, n'est-il pas vrai, monsieur Cone, qu'à l'évidence, Chase marchait à reculons quand il est tombé ?

– Oui, tout va à l'appui de cette conclusion.

– Donc, nous pouvons aussi supposer que, si Chase Andrews avait le dos tourné à la grille ouverte et avait été poussé par quelqu'un, il serait tombé en arrière, et non pas en avant ? » Sans laisser à Tom le temps d'objecter, Eric s'empressa d'ajouter : « Je ne vous demande pas de déclarer qu'il s'agit d'éléments déterminants et de nature à établir que Chase a bien été poussé à la renverse pour faire cette chute mortelle. Je veux seulement qu'il soit clair que, si quelqu'un avait poussé Chase à la renverse par ce trou, les blessures à la tête causées par la traverse coïncideraient avec celles qu'on a effectivement pu observer. Est-ce exact ?

– Oui.

– Parfait. Monsieur Cone, quand vous avez examiné Chase Andrews à la clinique le matin du 30 octobre, portait-il un coquillage en pendentif ?

– Non. »

Pour lutter contre la nausée qui l'envahissait, Kya se concentra sur Sunday Justice qui faisait sa toilette sur le rebord de la fenêtre. Dans une position impossible, une patte en l'air, il léchait l'intérieur du bout de sa queue. Il semblait complètement absorbé et diverti par cette occupation.

Quelques minutes plus tard, le procureur demandait : « Pouvez-vous affirmer que Chase Andrews portait un blouson en jean la nuit où il est mort ?

– Oui, c'est exact.

– Et selon votre rapport officiel, monsieur Cone, n'est-il pas vrai que vous avez trouvé sur ce même blouson des fibres de laine rouge qui n'appartenaient à aucun vêtement qu'il portait lui-même ?

– Oui. »

Eric souleva le sachet en plastique transparent qui contenait les petits brins de laine. « Ces fibres rouges sont-elles celles qui ont été retrouvées sur le blouson de Chase Andrews ?

– Oui. »

Eric prit un grand sac sur son pupitre. « Et n'est-il pas avéré que les fibres de laine rouge retrouvées sur le blouson de Chase sont les mêmes que celles de ce bonnet rouge ? » Il tendit le sachet au témoin.

« Indiscutablement. Il s'agit bien des échantillons que j'ai étiquetés, et les fibres provenant du bonnet et du blouson sont identiques.

– Où ce bonnet a-t-il été découvert ?

– Le shérif l'a trouvé chez Mlle Clark. » C'était un détail que la foule ignorait encore, et un concert de murmures s'éleva.

« Y a-t-il une preuve qu'elle ait jamais porté ce bonnet ?

– Oui. Des cheveux de Mlle Clark ont été retrouvés à l'intérieur du bonnet. »

En observant Sunday Justice dans ce tribunal, Kya songea que sa famille n'avait jamais eu le moindre animal domestique. Ni chien ni chat. La seule bête qui s'en approchait, c'était une moufette – une créature furtive et insolente, au pelage soyeux – qui avait élu domicile sous la cabane. Ma l'appelait Chanel.

Après l'échec de plusieurs tentatives, ils avaient tous fait connaissance, et Chanel devint très polie, menaçant la famille de son arsenal de guerre seulement quand les enfants devenaient trop bruyants. Elle allait et venait, parfois à quelques pas seulement de ceux qui montaient ou descendaient les marches du perron.

À chaque printemps, elle accompagnait ses petits en expédition dans le bois de chênes et le long des ruisseaux. Ils se précipitaient pour la suivre et se bousculaient dans un chahut de poils noirs et blancs.

Pa, bien sûr, menaçait toujours de se débarrasser d'elle, mais Jodie, témoignant d'une maturité bien supérieure à celle de son père, avait déclaré d'un ton pince-sans-rire : « Une autre moufette ne tardera pas à s'installer, et un tien vaut mieux que deux tu l'auras. » Elle sourit à ce souvenir, repensant à Jodie. Puis elle se ressaisit.

« En résumé, monsieur Cone, la nuit où Chase Andrews a fait cette chute mortelle, la nuit où il est tombé à la renverse par la grille ouverte – ce qui laisse penser que quelqu'un l'avait poussé –, des fibres provenant d'un bonnet rouge découvert par la suite chez Mlle Clark se sont collées sur son blouson. Par ailleurs, des cheveux de Mlle Clark ont été retrouvés à l'intérieur de ce même bonnet.

– Oui.

– Merci, monsieur Cone. Je n'ai pas d'autre question. »

Tom Milton jeta un coup d'œil rapide à Kya, qui contemplait le ciel. La salle semblait physiquement pencher pour l'accusation comme si le plancher avait basculé, et la façon dont Kya paraissait raide et détachée n'arrangeait rien. On aurait dit une statue de glace. Il écarta ses cheveux blancs de son front et s'avança vers le coroner pour le contre-interrogatoire.

« Bonjour, monsieur Cone.

– Bonjour.

– Monsieur Cone, vous avez déclaré que la blessure sur la nuque de Chase Andrews laissait penser qu'il était tombé à la renverse par la trappe. N'est-il pas vrai cependant que, s'il avait reculé de son propre chef et qu'il soit tombé à travers la grille par accident, les résultats observables sur sa nuque auraient été exactement les mêmes ?

– Effectivement.

– Avez-vous constaté des ecchymoses sur sa poitrine ou ses bras qui indiqueraient qu'il ait pu être bousculé ou poussé ?

– Non. Il avait, bien sûr, des marques impressionnantes sur tout le corps, dues à la chute. Pour l'essentiel, sur le dos et derrière les jambes. Aucune qui démontrerait spécifiquement qu'il ait pu être poussé.

– Par conséquent, ne pourrait-on pas affirmer qu'il n'existe absolument aucune preuve que Chase Andrews ait bien été précipité par ce trou ?

– C'est exact. Je n'ai connaissance d'aucun signe démontrant que Chase Andrews ait été poussé.

– Donc, monsieur Cone, suite à l'examen scientifique que vous avez effectué, rien ne prouve qu'il s'agisse d'un meurtre et non pas d'un accident ?

– Effectivement. »

Tom prit son temps, laissa cette réponse faire son chemin dans l'esprit des jurés, puis il poursuivit :

« Maintenant, parlons un peu de ces fibres de laine rouge retrouvées sur le blouson de Chase. Existe-t-il un moyen de déterminer depuis combien de temps ces fibres se trouvaient sur le blouson ?

– Aucun. Nous pouvons établir d'où elles viennent, mais pas à quel moment elles se sont collées là.

– En d'autres termes, ces fibres auraient pu se trouver sur ce blouson depuis un an, ou même quatre ?

– C'est exact.

– Même si le blouson avait été lavé ?

– Oui.

– Il n'y a donc aucune preuve que ces fibres se soient collées sur ce blouson la nuit où Chase est mort ?

– Aucune.

– Nous avons reçu un témoignage selon lequel Mlle Clark connaissait Chase Andrews depuis quatre ans avant sa mort. Vous êtes donc en train de nous dire qu'au cours de ces quatre ans, quand ils se rencontraient et qu'ils portaient ce bonnet et ce blouson, il est possible que les fibres aient été transférées de l'un à l'autre ?

– Pour ce que j'en sais, oui.

– Donc la présence des fibres rouges ne prouve pas que Mlle Clark se trouvait avec Chase Andrews la nuit de sa mort. Avez-vous mis au jour d'autres signes de la présence de Mlle Clark à proximité de Chase Andrews ce soir-là ? Par exemple, des fragments de sa peau sur le corps de la victime, sous ses ongles, ou bien les empreintes de Mlle Clark sur les boutons ou les pressions de son blouson ? Des cheveux sur les vêtements ou le corps de Chase ?

– Non.

– Donc, en résumé, étant donné que les fibres rouges en question pouvaient se trouver sur ce blouson depuis quatre ans, nous n'avons aucune preuve que

Mlle Catherine Clark ait approché Chase Andrews la nuit de sa mort ?

– Si l'on en croit mon examen, c'est exact.

– Je vous remercie. Pas d'autre question. »

Le juge Sims annonça que la pause pour le déjeuner était avancée.

Tom effleura doucement le coude de Kya et lui murmura que ce contre-interrogatoire avait été concluant. Elle hocha doucement la tête pendant que les gens se levaient pour se dégourdir les jambes. Ils restèrent tous sur place assez longtemps cependant pour regarder Kya se faire passer les menottes et être conduite hors de la salle.

Alors que les pas de Jacob résonnaient dans le couloir après qu'il l'eut raccompagnée dans sa cellule, Kya se laissa choir sur son lit. Le jour de son incarcération, on ne lui avait pas permis de garder son sac à dos mais on l'avait autorisée à prendre une partie de son contenu dans un sac en papier marron. Elle fouilla dedans et en tira le bout de papier sur lequel Jodie avait noté son numéro de téléphone et son adresse. Depuis qu'elle était là, elle l'avait regardé presque chaque jour et avait songé à téléphoner à son frère pour lui demander de venir auprès d'elle. Elle savait qu'il le ferait, et Jacob avait dit qu'elle pouvait utiliser le téléphone pour l'appeler. Mais elle n'en avait rien fait. Comment pouvait-elle prononcer les mots : *Viens s'il te plaît ; je suis en prison, accusée de meurtre* ?

Soigneusement, elle replaça le papier dans le sac et en sortit la boussole de la Première Guerre mondiale que Tate lui avait offerte. Elle laissa osciller l'aiguille jusqu'à ce qu'elle trouve le nord pour de bon. Elle la pressa ensuite contre son cœur. Où quelqu'un pouvait-il avoir besoin d'une boussole davantage que dans cet endroit perdu ?

Puis elle murmura les vers d'Emily Dickinson :

Purger le cœur, hélas il faut,
De cet amour qui l'habitait.
En ce bas monde, vain désormais,
Il ne saura nous faire défaut.

46
Le roi du monde

1969

Un doux soleil éclairait d'un bleu pâle la mer et le ciel de septembre tandis que Kya se dirigeait dans son petit bateau jusque chez Jumping pour y consulter l'horaire des cars. L'idée d'un voyage avec des inconnus vers une ville inconnue la décourageait, mais elle voulait rencontrer son éditeur, Robert Foster. Pendant plus de deux ans, ils avaient échangé de courtes lettres – et même parfois quelques longues – avant tout pour discuter de la façon dont il fallait marier les textes et les reproductions artistiques dans ses livres, mais leur correspondance, qui faisait appel à un langage biologique mêlé de descriptions poétiques, était devenue un vrai lien, avec sa langue à part entière. Elle voulait rencontrer celui qui, à l'autre bout de ce fil épistolaire, savait comment la lumière ordinaire est diffractée par des prismes microscopiques dans les plumes des colibris, créant les reflets iridescents de sa gorge flamboyante. Qui savait aussi comment le dire avec des mots aussi étonnants que les couleurs elles-mêmes.

Alors qu'elle montait sur le ponton, Jumping la salua et lui demanda si elle avait besoin d'essence.

« Non merci, pas cette fois. Il faut que je recopie les horaires des cars. Vous en avez un exemplaire, je crois.

– Sûr qu'on en a un. À gauche de la porte. Allez-y. »

Quand elle fut ressortie de la boutique avec les horaires, il lui demanda : « Vous allez en voyage quelque part, mademoiselle Kya ?

– C'est possible. Mon éditeur m'invite à Greenville pour que nous fassions connaissance. Je ne suis pas encore sûre.

– Ben moi, je suis bien tranquille que ça va vous plaire. Même si c'est pas tout près, un petit voyage vous ferait du bien. »

Mais, alors que Kya tournait les talons pour remonter dans son bateau, Jumping se pencha et la regarda de plus près :

« Mademoiselle Kya, qu'est-ce qui est arrivé à votre œil, à votre figure ? On dirait que vous vous êtes fait taper dessus. » Elle détourna vivement la tête. L'ecchymose causée par le coup de poing de Chase, près d'un mois auparavant, s'était transformée en une tache jaune à demi effacée, dont Kya pensait que personne ne la remarquerait.

– Non, je me suis cognée dans une porte à…

– Allez pas me mentir, mademoiselle Kya. Je suis pas tombé de la dernière pluie. Qui est-ce qui vous a tapé dessus comme ça ? » Elle garda le silence. « C'est M. Chase qui vous a fait ça ? À moi, vous pouvez tout dire. D'ailleurs, on bouge pas de là tant que vous m'aurez pas raconté.

– Oui, c'est Chase. » Kya avait peine à croire qu'elle avait effectivement prononcé ces mots. Elle n'aurait jamais pensé qu'elle aurait pu confier ce secret à personne. Elle détourna à nouveau le visage, refoulant ses larmes.

Tous les traits de Jumping se plissèrent de colère. Il garda le silence pendant plusieurs secondes, puis : « Qu'est-ce qu'il vous a fait d'autre ?

– Rien, je vous le jure. Il a essayé, Jumping, mais j'ai réussi à l'en empêcher.

– Ce qu'il lui faudrait à cet homme-là, c'est une bonne volée de coups de fouet avant d'être chassé de la ville.

– Jumping, je vous en prie, il ne faut en parler à personne. Ni au shérif ni à qui que ce soit. On me ferait venir au poste de police pour décrire ce qui s'est passé devant plusieurs hommes. Je ne le supporterai jamais. » Kya enfouit son visage dans ses mains.

« Pourtant, il faut faire quelque chose. Il peut pas agir comme ça et continuer à se balader dans son joli hors-bord comme si de rien n'était. Le roi du monde…

– Jumping, vous savez comment sont les choses. Les gens le défendront. Ils diront que tout ce que je veux, c'est causer des problèmes. Soutirer de l'argent à ses parents ou quelque chose comme ça. Pensez à ce qui se passerait si une fille de couleur accusait Chase Andrews d'agression et de tentative de viol. Ils ne feraient rien. Rien du tout. » La voix de Kya devenait de plus en plus aiguë. « Et au bout du compte c'est cette fille qui aurait de gros ennuis. Les articles dans le journal. Des gens qui l'accuseraient de se prostituer. Eh bien, ça serait la même chose pour moi, et vous le savez bien. S'il vous plaît, promettez-moi que vous n'en parlerez à personne. » Sa voix se brisa dans un sanglot.

« Vous avez raison, mademoiselle Kya. Je sais bien que vous avez raison. Vous inquiétez pas, je ferai rien pour envenimer les choses. Mais comment vous pouvez être sûre qu'il va pas recommencer, vous qui êtes toujours toute seule là-bas ?

– Je me suis toujours protégée. Je me suis laissé surprendre cette fois parce que je ne l'ai pas entendu arriver. Je vais faire attention, Jumping. Si je décide d'aller à Greenville, à mon retour, j'irai peut-être m'installer dans la hutte où j'ai appris à lire. Je ne pense pas que Chase la connaisse.

– Comme vous voulez. Mais il faudra venir ici plus souvent, je voudrais que vous passiez me voir de temps à autre pour me dire si tout va bien. Vous savez aussi que vous pouvez toujours vous installer avec Mabel et moi, on serait ravis.

– Merci, Jumping. Je le sais.

– Quand est-ce que vous partez pour Greenville ?

– Je n'en suis pas sûre. La lettre de l'éditeur parlait de fin octobre. Je n'ai pas encore pris mes dispositions, je n'ai même pas encore accepté l'invitation. » Elle savait qu'elle ne pouvait pas s'y rendre tant que ses bleus n'auraient pas complètement disparu.

« Eh bien vous me direz quand vous y allez et quand vous rentrez. On est bien d'accord ? Il faut que je sache quand vous serez loin d'ici. Parce que si je vous vois pas pendant un jour ou plus, moi, j'irai jusque chez vous. Et même accompagné s'il le faut.

– Entendu, merci, Jumping. »

47
L'expert

1970

Le procureur Eric Chastain avait déjà posé diverses questions au shérif sur la façon dont les deux garçons avaient découvert le corps de Chase Andrews au pied de la tour de guet le 30 octobre, sur l'examen effectué par le médecin et sur les débuts de l'enquête.

Il poursuivit : « Shérif, dites-nous s'il vous plaît ce qui vous a amené à affirmer que Chase Andrews n'était pas tombé de la tour par accident. Qu'est-ce qui vous a fait penser qu'il s'agissait d'un crime ?

– Eh bien, une des premières choses que j'ai remarquées, c'était qu'il y avait pas d'empreintes autour du corps de Chase, même pas les siennes. À part les traces laissées par les garçons qui l'ont trouvé. Et donc, je me suis dit que quelqu'un les avait fait disparaître pour dissimuler un crime.

– N'est-il pas également vrai, shérif, qu'il n'y avait aucune empreinte de doigts et aucune trace de pneus sur les lieux ?

– Oui, c'est exact. Les rapports du laboratoire ont conclu qu'il y avait aucune empreinte de doigts récente sur la tour. Même pas sur la grille, alors qu'il fallait bien que quelqu'un l'ait soulevée. Mon adjoint et moi, on a fouillé partout à la recherche de traces de pneus, mais il y en avait aucune non plus. Tout ça indiquait que quelqu'un avait délibérément effacé les traces.

– Et donc, quand les rapports du laboratoire ont démontré que des fibres de laine rouge appartenant au bonnet de Mlle Clark ont été retrouvées sur les vêtements de Chase ce soir-là, vous…

– Objection, monsieur le juge, protesta Tom. L'accusation cherche à influencer le témoin. D'autre part, les témoignages ont déjà établi que les fibres rouges pouvaient avoir été transférées des vêtements de Mlle Clark à ceux de M. Andrews avant la nuit du 29 au 30 octobre.

– Objection accordée, gronda le juge.

– Pas d'autres questions. Le témoin est à vous. »

Eric savait que le témoignage du shérif ne serait pas d'une grande utilité pour l'accusation – que peut-on faire en l'absence d'arme du crime, d'empreintes ou de traces d'aucune sorte ? –, néanmoins il disposait de suffisamment d'éléments pour convaincre les jurés que quelqu'un avait assassiné Chase et, étant donné la présence de ces fibres rouges, que ce quelqu'un pouvait bien être Mlle Clark.

Tom Milton s'approcha du box des témoins.

« Shérif, avez-vous – personnellement ou quelqu'un d'autre – demandé à un expert de rechercher la présence d'empreintes ou la preuve que ces mêmes empreintes avaient été effacées ?

– Complètement inutile. L'expert, c'est moi. L'examen des empreintes, ça fait partie de ma formation professionnelle. Aucun besoin d'un autre expert.

– Je vois. Par conséquent, je suppose que vous avez trouvé des preuves que les empreintes avaient été effacées du sol ? Je veux dire, par exemple, y avait-il des traces du passage d'une brosse ou d'une branche qui aurait servi à effacer les traces ? Avez-vous remarqué que de la boue avait été déplacée d'un endroit à l'autre pour recouvrir quelque chose ? Des preuves, des photographies de pareils actes ?

– Non. Je suis là pour témoigner en tant qu'expert qu'il n'y avait aucune trace de pas sous la tour à part les nôtres et celles des garçons. Donc que quelqu'un avait dû les effacer.

– Entendu. Mais, shérif, c'est une caractéristique naturelle du marais qu'au moment où la marée monte ou descend, l'eau souterraine – même au-delà de la limite des marais – monte et descend avec elle, asséchant complètement certaines zones, puis quelques heures plus tard, l'eau monte à nouveau. En différents endroits, quand l'eau souterraine gagne la surface et inonde la zone, elle fait disparaître toute marque laissée dans la boue, telle que des traces de pas. Comme une ardoise qu'on efface. Est-ce exact ?

– Euh, oui, c'est pas impossible. Mais il y a aucune preuve que quelque chose comme ça s'est produit.

– J'ai ici les horaires des marées pour la nuit du 29 au 30 octobre, et voyez-vous, shérif Jackson, ils montrent que la marée basse était à environ minuit. Donc, à l'heure où Chase est arrivé à la tour de guet et a gravi les marches, il a sans doute laissé des traces dans la boue mouillée. Puis, quand la marée est montée et l'eau avec elle, ces traces ont été effacées. C'est la raison pour laquelle vous et les garçons avez laissé des empreintes profondes, et c'est aussi la raison pour laquelle celles de Chase ont disparu. Êtes-vous d'accord pour dire que cela serait possible ? »

Kya hocha légèrement la tête – sa première réaction à un témoignage depuis le début du procès. Elle avait vu de nombreuses fois l'eau des marais engloutir l'histoire de la veille : les traces du passage d'un cerf au bord d'un ruisseau ou d'un lynx près d'un faon mort, évanouies.

Le shérif répondit : « Eh bien, j'ai jamais vu des choses aussi précises que ça se volatiliser, alors je sais pas.

– Mais, shérif, comme vous l'avez rappelé, vous êtes l'expert, un spécialiste de l'examen des empreintes. Et maintenant vous nous dites que vous ne savez pas si un phénomène aussi banal a pu se produire cette nuit-là ou non.

– À mon avis, ce serait pas difficile de prouver une chose ou le contraire, vous croyez pas ? Il suffit d'aller là-bas à marée basse, de laisser quelques traces, et de voir si elles ont été effacées quand la marée remonte.

– Précisément ! Si ce n'était pas difficile à déterminer d'une façon ou d'une autre, pourquoi pareille expérience n'a-t-elle pas été tentée ? Nous sommes ici au tribunal, et vous n'avez pas la moindre preuve que quelqu'un a effectivement essayé d'effacer des traces pour dissimuler un crime. Il est bien plus vraisemblable que Chase Andrews en a laissé sous la tour et qu'elles ont été effacées par l'eau montante. Et si quelques amis s'étaient trouvés avec lui pour s'amuser à grimper sur cette tour, leurs traces de pas auraient disparu elles aussi. Étant donné ces circonstances très vraisemblables, je ne vois absolument rien qui soutienne l'hypothèse d'un crime. N'ai-je pas raison, shérif ? »

Les pupilles d'Ed s'agitaient de droite et de gauche comme si la réponse était inscrite sur les murs. Les spectateurs remuèrent sur leurs sièges.

« Shérif ? répéta Tom.

– En tant que professionnel, je trouve pas très convaincant qu'un cycle normal d'eau montante ait pu effacer des traces au point qu'elles auraient complètement disparu. Je reconnais quand même, puisqu'on n'a pas relevé de signes d'effacement volontaire, que l'absence de traces en elle-même ne prouve pas qu'il y ait eu un crime. Mais…

– Je vous remercie. » Tom se tourna vers les jurés et répéta les mots du shérif : « L'absence de traces en elle-même ne prouve pas qu'il y ait eu un crime. Maintenant, poursuivons, shérif, reparlons un peu de la grille qui a été laissée ouverte sur le plancher de la tour de guet. L'avez-vous examinée à la recherche des empreintes de Mlle Clark ?

– Bien sûr que oui.

– Et avez-vous trouvé les empreintes de Mlle Clark sur la grille ou quelque part d'autre sur la tour ?

– Non. Non, mais on n'a pas trouvé d'autres empreintes non plus, alors… »

Le juge se pencha en avant. « Contentez-vous de répondre aux questions, Ed.

– Et des cheveux ? Mlle Clark a de longs cheveux noirs – si elle était montée jusqu'au sommet de la tour et s'était livrée à une action quelconque sur la plate-forme, comme ouvrir une grille ou autre, je suppose qu'on aurait retrouvé un ou deux cheveux. En avez-vous découvert ?

– Non. » Le front du shérif luisait de transpiration.

« Le coroner a attesté, après l'examen du corps de Chase, qu'il n'existait aucune preuve que Mlle Clark se soit trouvée à proximité de lui ce soir-là. Certes, il y a les fameuses fibres, mais elles ont pu avoir été collées là depuis quatre ans. Et maintenant, vous nous dites qu'il n'y a aucune preuve non plus que Mlle Clark soit même montée sur la tour de guet cette nuit-là. Vous ai-je bien compris ?

– Oui.

– En résumé, nous n'avons aucune preuve que Mlle Clark se soit trouvée sur cette tour la nuit où Chase Andrews a fait sa chute mortelle. Est-ce exact ?

– C'est bien ce que j'ai dit.

– Donc c'est un oui.

– Oui, c'est un oui.

– Shérif, n'est-il pas exact que les grilles en haut de cette tour ont souvent été laissées ouvertes par des enfants qui jouent là-haut ?

– C'est vrai qu'on les retrouve parfois ouvertes. Mais, comme je l'ai dit plus tôt, c'est plutôt celle qu'on doit utiliser pour monter au dernier étage, pas les autres.

– Néanmoins, n'est-il pas vrai que la grille commandant l'escalier et incidemment les autres ont été laissées ouvertes assez souvent – une négligence suffisamment dangereuse – pour que votre bureau adresse une requête écrite au service des Eaux et Forêts pour que soit apportée une solution à ce problème ? » Tom présenta un document au shérif. « Reconnaissez-vous ici la requête officielle adressée aux Eaux et Forêts le 18 juillet dernier ? » Le shérif examina la feuille de papier.

« Oui c'est bien ça.

– Qui exactement a rédigé cette requête ?

– Moi-même.

– Donc trois mois seulement avant la chute mortelle de Chase Andrews par la grille ouverte au sommet de la tour de guet, vous aviez soumis une requête écrite aux Eaux et Forêts en leur demandant de verrouiller les grilles de telle façon que personne ne soit blessé. Est-ce bien exact ?

– Oui.

– Shérif, voudriez-vous bien lire à la Cour la dernière phrase de ce document adressé par vous-même aux Eaux et Forêts ? Rien que la dernière phrase, là. » Il tendit le document au shérif en pointant le doigt sur la dernière ligne.

Le shérif lut à haute voix devant la Cour :

« "Je dois répéter que ces grilles sont très dangereuses et que, si aucune mesure n'est prise, une blessure sérieuse ou même un accident mortel risque de survenir."

– Pas d'autre question. »

48
Un voyage

1969

Le 28 octobre 1969, Kya accosta au ponton de Jumping pour lui dire au revoir, comme promis, puis poursuivit son chemin vers le quai de la ville, où pêcheurs et crevettiers interrompirent comme toujours leur travail pour la regarder passer. Les ignorant, elle amarra sa barque et marcha jusqu'à Main Street, chargée d'une vieille valise en carton dénichée au fond du placard de Ma. Elle n'avait pas de sac à main, mais son sac à dos était rempli de livres, d'un peu de jambon et de biscuits, ainsi que d'une petite quantité d'argent, après qu'elle eut enterré la plus grosse partie de ses droits d'auteur dans une boîte de conserve près du lagon. Pour une fois, elle avait l'air d'une jeune femme ordinaire, vêtue d'une jupe marron, d'un chemisier blanc, et de souliers plats, achetés chez Sears & Roebuck. Les commerçants qui s'affairaient auprès de leurs clients ou balayaient le trottoir la fixèrent avec curiosité.

Au coin de la rue, sous le panneau « Arrêt », elle attendit jusqu'à ce que le car Trailways s'immobilise dans un sifflement de freins à air comprimé, et bloque la vue de l'océan. Personne n'en descendit ni ne monta à bord tandis que Kya s'avançait et achetait un billet pour Greenville au chauffeur. Quand elle demanda les dates et les horaires de retour, il lui tendit un imprimé avant de ranger sa valise dans la soute. Elle agrippa son sac à dos et s'installa. Avant qu'elle ait eu le temps de beaucoup y réfléchir, le car, qui lui parut aussi long que la ville entière, quittait Barkley Cove.

Deux jours plus tard, à 13 h 16, Kya descendit du car en provenance de Greenville. Il y avait encore plus d'habitants de Barkley Cove alentour pour l'observer et murmurer quand elle rejeta ses longs cheveux par-dessus son épaule et prit sa valise des mains du chauffeur. Elle traversa la rue pour gagner le quai, monta dans sa barque, et rentra directement chez elle. Elle aurait voulu s'arrêter pour dire à Jumping qu'elle était de retour, comme elle le lui avait promis, mais d'autres bateaux faisaient la queue pour l'essence devant son ponton, et elle se dit qu'elle repasserait le lendemain. De plus, de cette façon, elle reverrait plus tôt les oiseaux de mer.

Donc, le lendemain matin, le 31 octobre, elle s'arrêta devant le ponton de Jumping, l'appela, et il sortit de sa petite boutique.

« Salut, Jumping, je voulais seulement vous dire que je suis de retour. Je suis rentrée hier. » Il garda le silence en marchant dans sa direction.

À peine eut-elle posé le pied sur le ponton qu'il bredouillait : « Mademoiselle Kya… je… »

Elle releva la tête. « Que se passe-t-il ? Quelque chose ne va pas ? »

Il la dévisagea longuement.

« Kya, vous avez entendu la nouvelle à propos de M. Chase ?

– Non. Quelle nouvelle ? »

Il secoua la tête. « Chase Andrews est mort. Il est mort au milieu de la nuit pendant que vous étiez à Greenville.

– Quoi ? »

Kya et Jumping se regardèrent droit dans les yeux.

« Ils l'ont trouvé hier matin au pied de la vieille tour avec… Enfin, ils ont dit qu'il s'était cassé le cou et que son crâne était défoncé. Ils pensent qu'il est tombé de là-haut. »

Les lèvres de Kya demeurèrent entrouvertes.

Jumping poursuivit : « Toute la ville est sens dessus dessous. Il y en a qui disent que c'est un accident, mais on raconte que le shérif en est pas si sûr. La mère de Chase est dans tous ses états, elle dit que c'est un crime. Dans tous les cas, c'est un drôle de bazar. »

Kya lui demanda : « Pourquoi est-ce qu'ils pensent à un crime… ?

– Il paraît qu'une des grilles sur le plancher de la tour a été laissée ouverte et qu'il est passé tout droit à travers, et ils racontent que c'est louche. Il y en a qui disent que ces grilles sont sans arrêt ouvertes avec tous ces gosses qui montent jouer là-haut, et que M. Chase a pu tomber par accident. Mais il y en a aussi qui parlent déjà de meurtre. »

Kya garda le silence et Jumping continua : « Une des raisons c'est que, quand on a retrouvé M. Chase, il avait plus ce coquillage qu'il portait depuis des années, et sa femme a dit qu'il l'avait au cou le soir où il a quitté la maison, juste avant d'aller retrouver sa famille pour manger. Il le portait tout le temps, qu'elle dit. »

En l'entendant parler de ce pendentif, Kya se sentit soudain la bouche sèche.

« Après, ces deux gamins qui ont trouvé Chase, eh bien, ils ont entendu le shérif dire qu'il y avait pas d'empreintes sur les lieux. Pas une seule. Comme si quelqu'un avait essayé d'effacer les preuves. Ces gamins en ont parlé dans toute la ville. »

Jumping lui dit quand aurait lieu l'enterrement mais il savait que Kya ne s'y rendrait pas. Quel spectacle ce serait pour ces dames des associations caritatives et d'étude de la Bible ! Assurément, les spéculations et les commérages concerneraient Kya. *Dieu soit loué, elle était à Greenville au moment de sa mort, sinon, ils pourraient bien lui faire porter le chapeau*, songea Jumping.

Kya salua le vieil homme d'un signe de tête et rentra chez elle. Sur la rive boueuse de la lagune, elle murmura quelques vers d'Amanda Hamilton :

Il ne faut pas sous-estimer
Le cœur qui peut envisager
Des actes non prémédités.
Le cœur ressent et il agit
Sinon qui pourrait expliquer
L'âpre chemin que j'ai suivi
Que toi aussi tu as suivi
À travers cols et défilés ?

49
Déguisements

1970

M. Larry Price, un homme aux cheveux blancs bouclés coupés court, et vêtu d'un costume en tissu scintillant bon marché, déclina son identité et déclara qu'il était chauffeur de cars pour la Trailways sur différents trajets dans cette région de Caroline du Nord. Après qu'il eut prêté serment, le procureur l'interrogea, et M. Price confirma qu'il était possible de faire l'aller-retour entre Greenville et Barkley Cove en une nuit. Il déclara aussi qu'il conduisait le car de Greenville en direction de Barkley Cove la nuit de la mort de Chase, et qu'aucun des passagers ne ressemblait à Mlle Clark.

Eric dit alors : « Allons, monsieur Price, vous avez dit au shérif durant son enquête qu'il y avait à bord de ce car un passager mince de corpulence qui aurait pu être une femme de haute taille déguisée en homme. Est-ce exact ? Décrivez ce passager.

– Effectivement. Un jeune homme blanc. Je suppose qu'il devait mesurer plus d'un mètre soixante-quinze, et son pantalon lui flottait sur les jambes comme des draps sur une clôture. Il portait une grosse casquette bleue. Il avait tout le temps la tête baissée, il regardait personne.

– Et maintenant que vous avez vu Mlle Clark, croyez-vous que l'homme en question dans ce car ait pu être Mlle Clark déguisée ? Ses longs cheveux auraient-ils pu être cachés sous cette grosse casquette ?

– Oui, je crois. »

Eric demanda au juge la permission de faire se lever Kya, et elle s'exécuta, Tom Milton à ses côtés.

« Vous pouvez vous rasseoir, mademoiselle Clark, dit Eric, avant de s'adresser à nouveau au témoin : Diriez-vous que le jeune homme du car était de la même taille et de la même stature que Mlle Clark ?

– À peu près exactement les mêmes, je dirais, répondit M. Price.

– Tout bien considéré, diriez-vous qu'il est possible que l'homme mince qui se trouvait à bord du car de 23 h 50 reliant Greenville à Barkley Cove la nuit du 29 octobre dernier soit en fait la prévenue, Mlle Clark ?

– Oui, je dirais que c'est fort possible.

– Merci, monsieur Price. Pas d'autre question. Le témoin est à vous. »

Tom se campa devant la barre et, après avoir interrogé M. Price pendant cinq minutes, il résuma les propos du témoin :

« Voici ce que vous nous avez déclaré : premièrement, qu'il n'y avait aucune femme ressemblant à Mlle Clark dans le car allant de Greenville à Barkley Cove la nuit du 29 octobre 1969 ; deuxièmement, qu'il y avait un homme mince de haute taille dans ce car, mais qu'à ce moment-là, bien que vous ayez vu son visage de près, il ne vous est pas venu à l'esprit qu'il aurait pu s'agir d'une femme déguisée ; troisièmement, que cette idée de déguisement vous a traversé seulement quand le shérif vous l'a suggérée. »

Tom continua avant que le témoin n'ait pu répondre : « Monsieur Price, dites-nous ce qui vous rend si sûr que l'homme en question se trouvait bien dans le car de 23 h 50 le 29 octobre ? Avez-vous pris des notes, avez-vous consigné quelque chose ? C'était peut-être la nuit précédente ou la nuit suivante. Êtes-vous sûr à 100 % qu'il s'agissait bien du 29 octobre ?

– Je vois où vous voulez en venir. Quand le shérif m'a demandé d'essayer de me rappeler, j'ai eu l'impression que cet homme était dans le car, mais maintenant, je dois dire que je suis plus sûr à 100 %.

– Par ailleurs, monsieur Price, n'était-il pas très tard cette nuit-là ? De fait, le car avait vingt-cinq minutes de retard et n'est pas arrivé à Barkley Cove avant 1 h 40 du matin. Est-ce exact ?

– Oui. » M. Price se tourna vers Eric. « J'essaie juste de donner un coup de main, de rien dire de faux. »

Tom le rassura : « Vous nous avez apporté une aide précieuse, monsieur Price. Nous vous remercions beaucoup. Pas d'autre question. »

Le procureur appela à la barre son témoin suivant, le chauffeur du car de 2 h 30 de Barkley Cove à Greenville le matin du 30 octobre, un certain M. John King. Il déclara que l'accusée, Mlle Clark, n'était pas dans le car, mais qu'il y avait une autre femme, « … aussi grande que Mlle Clark, mais elle avait les cheveux gris, courts et bouclés, une sorte de permanente.

– Regardez bien la prévenue, monsieur King. Est-il possible de dire que, si Mlle Clark s'était déguisée en vieille dame, elle aurait ressemblé à votre passagère ?

– Eh bien, j'ai du mal à me l'imaginer. Peut-être que oui.

– Donc ce serait possible ?

– Oui, je crois. »

Lors du contre-interrogatoire, Tom se montra ferme :

« Nous ne pouvons pas accepter des mots comme “je crois” dans un procès pour meurtre. Avez-vous ou non vu Mlle Clark dans le car de 2 h 30 reliant Barkley Cove à Greenville tôt le matin du 30 octobre 1969 ?

– Non.

– Et un autre car couvrait-il le même itinéraire de Barkley Cove à Greenville cette même nuit ?

– Non. »

50
Le journal

1970

Quand on amena Kya dans la salle d'audiences le jour suivant, elle jeta un coup d'œil en direction de Tate, Jumping et Mabel, et elle retint son souffle en découvrant un homme en grand uniforme, un léger sourire sur son visage balafré. Jodie. Elle lui adressa un petit signe de tête, se demandant comment il avait appris que son procès était en train de se tenir. Sans doute le journal d'Atlanta. De honte, elle enfonça la tête dans les épaules.

Eric se leva : « Monsieur le juge, s'il plaît à la Cour, nous appelons à la barre Mme Sam Andrews. » La salle poussa un soupir quand Patti Love, la mère endeuillée, se dirigea vers le box des témoins. En observant cette femme dont elle avait espéré qu'elle serait un jour sa belle-mère, Kya se rendit compte de l'absurdité de cette idée. Même dans ce sombre décor, Patti Love, vêtue de la plus fine soie noire, semblait avant tout préoccupée de son apparence et de sa propre importance. Elle prit place, le dos bien droit, son sac à main verni posé sur les genoux, ses cheveux noirs ramenés en un parfait chignon sous son chapeau, incliné juste ce qu'il fallait, avec une voilette noire qui lui obscurcissait théâtralement les yeux. Elle n'aurait jamais accepté une va-nu-pieds du marais comme belle-fille.

« Madame Andrews, je comprends que cela est difficile pour vous, je tenterai donc d'être aussi bref que possible. Est-il exact que votre fils, Chase Andrews, portait un pendentif composé d'un cordon de cuir et d'un coquillage ?

– Oui, c'est exact.

– Et quand, et à quelle fréquence, le portait-il ?

– Tout le temps. Il ne le quittait jamais. Ces quatre dernières années, je ne l'ai jamais vu sans ce collier. »

Eric présenta un journal relié de cuir à Mme Andrews. « Pouvez-vous identifier ce volume pour la Cour ? »

Kya baissa les yeux, ses lèvres frémirent. Furieuse de cette intrusion dans sa vie privée quand le procureur souleva le journal pour que toute la Cour puisse le voir. Elle l'avait confectionné pour Chase peu de temps après leur rencontre. Pendant la plus grande partie de sa vie, elle avait été privée de la joie de faire des cadeaux, une frustration que peu de gens comprennent. Après avoir travaillé des nuits et des jours à réaliser cet objet, elle l'avait enveloppé de papier marron décoré d'étonnantes fougères vertes et des plumes blanches d'une oie des neiges. Elle le lui avait tendu au moment où Chase descendait de son bateau sur la plage de la lagune.

« Qu'est-ce que c'est ?

– Rien qu'un cadeau que je voulais te faire », avait-elle répondu en souriant.

Un récit illustré des moments passés ensemble. Le premier tableau, une esquisse à l'encre qui les représentait tous les deux adossés contre des branches de bois flotté, Chase jouant de l'harmonica. Les noms latins des herbes marines et des coquillages éparpillés sur le sable avaient été notés de la main de Kya. Un tourbillon d'aquarelle montrait son bateau qui dérivait au clair de lune. Le deuxième était un dessin abstrait d'étranges marsouins qui encerclaient l'embarcation, avec la légende : « Michael Rowed the Boat Ashore » qui s'étalait sur les nuages. Sur un autre encore, on la voyait parmi des goélands argentés sur une étendue de sable de la même couleur.

Chase avait tourné les pages avec émerveillement. Il avait fait courir ses doigts sur plusieurs dessins, ri de certains, mais pour l'essentiel il avait hoché la tête sans un mot.

« Je n'ai jamais rien possédé de pareil. » Se penchant pour l'embrasser, il avait ajouté : « Merci, Kya. » Ils étaient restés sur la plage un moment, enveloppés dans des couvertures, se tenant la main et se parlant doucement.

Kya se rappela comme son cœur avait bondi à la joie d'offrir quelque chose, sans imaginer que qui que ce soit verrait jamais ce journal. En tout cas pas comme preuve à charge lors de son procès pour meurtre.

Elle ne regarda pas Patti Love tandis que celle-ci répondait aux questions d'Eric.

« C'est une collection de tableaux que Mlle Clark a peints pour Chase. Elle lui en avait fait cadeau. » Patti Love se rappelait avoir trouvé le journal sous une pile d'albums alors qu'elle faisait le ménage dans la chambre de son fils. Apparemment pour le lui cacher. Elle s'était assise sur le lit de Chase et avait soulevé l'épaisse couverture. Là, croqué à l'encre avec force détails, son fils était adossé contre du bois flotté avec cette fille. La Fille des marais. Son Chase avec cette racaille. Elle pouvait à peine respirer. *Et si l'affaire s'ébruitait ?* D'abord glacé, puis couvert de transpiration, son corps semblait vaciller.

« Madame Andrews, voudriez-vous bien décrire ce que vous voyez sur cette image peinte par la prévenue, Mlle Clark ?

– C'est un dessin qui représente Chase et Mlle Clark en haut de la tour de guet. » Un murmure parcourut la foule.

« Que se passe-t-il d'autre ?

– Là, entre leurs mains, on voit le pendentif qu'elle est en train de lui donner. » *Et il ne l'a plus jamais retiré*, songea Patti Love. *Je croyais qu'il me disait tout. Je pensais que mon lien à mon fils était plus fort que celui des autres mères ; c'est ce que je me disais. Mais je n'avais rien compris.*

« Et donc, parce qu'il vous l'avait dit et à cause de ce journal, vous n'ignoriez pas que votre fils avait une liaison avec Mlle Clark, et vous saviez qu'elle lui avait offert ce pendentif ?

– Oui.

– Quand Chase est venu dîner chez vous le soir du 29 octobre, portait-il ce pendentif ?

– Oui, il n'est pas parti de chez nous avant 23 heures, et il le portait encore.

– Ensuite, quand vous êtes allée à la clinique pour identifier le corps de Chase, le portait-il toujours ?

– Non.

– Voyez-vous une raison pour laquelle l'un de ses amis ou qui que ce soit à part Mlle Clark ait pu vouloir prendre ce coquillage ?

– Non.

– Objection, monsieur le juge, s'empressa d'intervenir Tom depuis son siège. Des rumeurs. Un appel aux conjectures. Le témoin ne peut pas raisonner à la place des autres.

– Objection accordée. Messieurs et mesdames les jurés, vous devez oublier cette dernière question et la réponse correspondante. » Puis, penchant la tête un peu comme un jars en direction du procureur, le juge ajouta : « Faites attention, Eric. Ne chantez pas trop fort ! Ça ne vous vaudra rien de bon. »

Sans se laisser démonter, Eric poursuivit :

« Et donc, après avoir consulté ces dessins, nous avons pu établir que la prévenue, Mlle Clark, était montée au sommet de la tour de guet avec Chase au moins une fois ; nous savons que c'est elle qui lui avait donné le pendentif. Après cela, il n'avait jamais cessé de le porter jusqu'à la nuit où il est mort. À ce moment-là, le collier a disparu. Tout cela est-il exact ?

– Oui.

– Je vous remercie. Pas d'autre question. Le témoin est à vous.

– Aucune question », répondit Tom.

51
Nuit sans lune

1970

Le langage du tribunal n'était évidemment pas aussi poétique que celui du marais. Pourtant, Kya leur trouvait quelques ressemblances de nature. Le juge, manifestement le mâle alpha, était assuré de sa position, par conséquent sa stature était imposante, mais il se comportait de façon détendue et sans aucune agressivité, comme un sanglier régnant sur son territoire. Tom Milton, lui aussi, témoignait d'une grande confiance en lui-même et d'une noblesse indiscutable par ses mouvements fluides et sa façon d'être. Un mâle puissant et reconnu comme tel. Le procureur, en revanche, avait besoin de cravates larges et bariolées, de vestes de costume aux épaules rembourrées pour mettre en valeur son statut. Il faisait pression en agitant les bras et en donnant de la voix. Un mâle de moindre importance a besoin de crier pour se faire remarquer. L'huissier de justice représentait le mâle de dernière catégorie et dépendait entièrement de sa ceinture, à laquelle étaient accrochés son revolver rutilant, son trousseau de clés cliquetant et sa radio vieillotte, pour faire croire à son importance. *La hiérarchie des dominations promeut la stabilité dans les populations naturelles, et dans certaines qui le sont moins*, se souvint Kya.

Le procureur, arborant une cravate vermillon, s'avança hardiment pour appeler son prochain témoin, Hal Miller, un jeune homme de vingt-huit ans, maigre comme un coucou et doté d'une épaisse tignasse de cheveux bruns.

« Monsieur Miller, pouvez-vous nous dire où vous vous trouviez et ce que vous avez vu la nuit du 29 au 30 octobre 1969 à environ 1 h 45 du matin ?

– Moi et Allen Hunt, on pêchait la crevette pour Tim O'Neal sur son chalutier, et on était en train de rentrer au port de Barkley Cove quand on a vu Mlle Clark passer sur son bateau à un ou deux kilomètres au large, à l'est de la baie. Cap nord-nord-ouest.

– Et où cette direction l'aurait-elle amenée ?

– Droit vers la crique à côté de la tour de guet. »

Le juge Sims dut avoir recours à son maillet pour calmer le chahut qui s'ensuivit pendant une bonne minute.

« N'aurait-elle pas pu se rendre ailleurs ?

– Sans doute que si, mais dans cette direction il y a rien d'autre que des kilomètres et des kilomètres de bois et de marais. Je vois pas d'autre destination à part la tour de guet. »

Les éventails de deuil des dames s'agitèrent dans la chaleur tumultueuse de la salle. Sunday Justice, qui dormait sur le rebord de la fenêtre, bondit à terre et se précipita vers Kya. Pour la première fois dans ce tribunal, il se frotta contre sa jambe, puis lui sauta sur les genoux et s'y installa. Le procureur cessa de parler, regarda le juge, songeant peut-être à émettre une objection devant une telle marque de partialité, mais il semblait n'y avoir aucun précédent légal.

« Comment pouvez-vous être sûr qu'il s'agissait de Mlle Clark ?

– On connaît bien sa barque. Ça fait des années qu'elle circule dans les parages.

– Y avait-il une quelconque lumière sur cette barque ?

– Non, aucune lumière. On aurait pu facilement lui rentrer dedans si on l'avait pas vue à temps.

– Mais n'est-ce pas illégal de naviguer la nuit sans lumière ?

– Si, elle était censée en avoir. Mais elle en avait pas.

– Donc, la nuit où Chase Andrews a fait cette chute mortelle, Mlle Clark se dirigeait vers cette tour en bateau, quelques minutes avant l'heure fatidique. Est-ce exact ?

– Oui, c'est ce qu'on a vu. »

Eric se rassit.

Tom s'approcha à son tour du témoin. « Bonjour, monsieur Miller.

– Bonjour.

– Monsieur Miller, depuis combien de temps travaillez-vous à bord du crevettier de Tim O'Neal ?

– Ça va faire trois ans.

– Et dites-moi, s'il vous plaît, à quelle heure s'était levée la lune la nuit du 29 au 30 octobre ?

– Elle était descendante, et elle s'est pas levée avant qu'on arrive à Barkley. Environ vers 2 heures du matin, je dirais.

– Je vois. Donc, quand vous avez aperçu ce petit bateau près de Barkley Cove cette nuit-là, il n'y avait pas de lune. Il devait faire très sombre.

– Oui. Il faisait noir. Quelques étoiles, mais oui, tout noir.

– Voudriez-vous dire à la Cour ce que portait Mlle Clark quand elle est passée près de vous sur son bateau cette nuit-là ?

– Eh bien, on n'était pas assez près pour savoir ce qu'elle avait sur le dos.

– Vraiment ? Pas assez près pour savoir ce qu'elle avait sur le dos, répéta Tom en fixant les jurés. Dites-nous un peu à quelle distance vous vous trouviez ?

– Je dirais à une bonne soixantaine de mètres au moins.

– Soixante mètres. » Tom regarda de nouveau les jurés. « Cela fait une certaine distance pour reconnaître un petit bateau dans le noir. Dites-moi, monsieur Miller, quelles caractéristiques, quels traits de cette personne sur ce bateau vous ont fait penser que c'était Mlle Clark ?

– Eh bien, comme j'ai dit, tout le monde dans cette ville sait à quoi ressemble sa barque, on la reconnaît de près et de loin. On repère facilement la forme de son bateau et sa silhouette quand elle est assise à l'arrière, grande et maigre comme elle est. Pas de risque de se tromper.

– Pas de risque de se tromper. Mais si je vous suis bien, quiconque aurait la même silhouette, toute personne qui soit à la fois grande et maigre dans ce type de bateau, pourrait ressembler à Mlle Clark. Exact ?

– C'est sans doute pas faux que quelqu'un d'autre aurait pu lui ressembler, mais on connaît bien les bateaux et leurs propriétaires, vous savez, à force de naviguer tout le temps dans les parages.

– Mais, monsieur Miller, puis-je vous rappeler qu'il s'agit d'un procès pour meurtre ? Rien ne saurait être plus sérieux, et dans ce genre d'affaires, il nous faut des certitudes. Nous ne pouvons pas nous contenter de silhouettes ou de formes que l'on croit distinguer à soixante mètres dans le noir. Et donc je vous prie de dire à la Cour si vous êtes absolument certain que la personne que vous avez vue la nuit du 29 au 30 octobre 1969 était bien Mlle Clark.

– Ben non. Je peux pas en être complètement sûr. J'ai jamais dit que j'étais complètement sûr que c'était elle. Mais je suis plutôt…

– Ce sera tout, monsieur Miller. Merci. »

Le juge Sims demanda : « Contre-interrogatoire, Eric ? »

Depuis son siège, le procureur demanda : « Hal, vous avez déclaré avoir vu et reconnu Mlle Clark dans son bateau régulièrement depuis au moins trois ans. Dites-moi, avez-vous jamais pensé avoir vu Mlle Clark sur ce même bateau de loin et découvert une fois parvenu plus près que ce n'était pas Mlle Clark au bout du compte ? Cela s'est-il jamais produit ?

– Non, pas une fois.

– Pas une seule fois en trois ans ?

– Non, pas une seule fois en trois ans.

– Monsieur le juge, l'accusation en a terminé. »

52
Le motel Three Mountains

1970

Le juge Sims entra dans la salle d'audiences et adressa un signe de tête à la défense.

« Monsieur Milton, êtes-vous prêt à appeler votre premier témoin ?

– Oui, monsieur le juge.

– Commençons. »

Après que le témoin eut prêté serment et se fut assis, Tom lui demanda :

« Déclinez, s'il vous plaît, votre identité et votre occupation professionnelle à Barkley Cove. »

Kya releva suffisamment la tête pour apercevoir la petite femme âgée aux cheveux blancs irisés de reflets violets et coiffés en une permanente serrée, qui des années auparavant lui avait demandé pourquoi elle venait toujours seule à l'épicerie. Elle était peut-être aujourd'hui un peu moins grande, et ses boucles sans doute plus serrées encore, mais elle était restée étonnamment la même. Mme Singletary lui avait alors semblé curieuse et autoritaire, mais c'est elle qui lui avait donné le bas de Noël avec un sifflet bleu à l'intérieur durant l'hiver après le départ de Ma. Le seul cadeau de Noël qu'avait reçu Kya.

« Je m'appelle Sarah Singletary, je suis employée au supermarché Piggly Wiggly à Barkley Cove.

– Sarah, est-il exact d'affirmer que, depuis votre caisse à l'intérieur du magasin, vous pouvez voir l'arrêt des cars Trailways ?

– Oui, très clairement.

– Le 28 octobre dernier, avez-vous vu la prévenue, Mlle Catherine Clark, en train d'attendre à cet arrêt le car de 14 h 30 ?

– Oui, j'ai vu Mlle Clark qui attendait le car. »

En prononçant ces mots, Sarah jeta un coup d'œil vers Kya et se souvint de la petite fille qui entrait pieds nus dans son magasin durant toutes ces années. Personne ne le saurait jamais, mais avant que Kya ne sache compter, Sarah lui glissait un peu d'argent supplémentaire en rendant la monnaie – de petites sommes qu'elle devait prendre sur son propre argent pour équilibrer les comptes. Bien sûr, il ne s'agissait que de montants dérisoires, et donc la contribution de Sarah ne s'élevait qu'à quelques pièces de cinq ou dix cents, mais cela l'avait sans doute aidée.

« Combien de temps a-t-elle attendu ? L'avez-vous effectivement vue monter dans le car de 14 h 30 ?

– Elle a attendu environ dix minutes, je crois. Nous l'avons tous vue acheter son billet au chauffeur, lui confier sa valise, et monter à bord. Quand le car s'est éloigné, je suis sûre qu'elle était à l'intérieur.

– Je crois savoir d'autre part que vous l'avez vue revenir deux jours plus tard, le 30 octobre, par le car de 13 h 16. Est-ce exact ?

– Oui, deux jours plus tard, à environ 13 h 15, j'ai levé les yeux quand le car s'est arrêté, et Mlle Clark était en train de descendre. Je l'ai même fait remarquer aux autres caissières.

– Ensuite qu'a-t-elle fait ?

– Elle a marché vers le quai, elle est montée dans sa barque et elle a pris la direction du sud.

– Je vous remercie, Sarah. Ce sera tout. »

Le juge Sims demanda : « Des questions, Eric ?

– Non, monsieur le juge, je n'en ai aucune. En fait, en consultant la liste des témoins, je me rends compte que la défense a l'intention d'appeler plusieurs habitants de la ville à témoigner que Mlle Clark est montée dans le car et en est bien descendue aux jours et aux heures que Mme Singletary vient de confirmer. L'accusation ne récuse pas ce témoignage. De fait, il est parfaitement cohérent dans cette affaire que Mlle Clark ait effectué ces trajets aux heures indiquées et, s'il plaît à la Cour, il n'est pas nécessaire d'entendre d'autres témoins sur ce point.

– Parfait. Madame Singletary, vous pouvez vous retirer. Qu'en pensez-vous, monsieur Milton ? Si l'accusation reconnaît le fait que Mlle Clark a bien pris le car de 14 h 30 le 28 octobre 1969 et qu'elle est rentrée à 13 h 16 environ le 30 octobre 1969, avez-vous besoin d'appeler d'autres témoins pour le démontrer ?

– Non, monsieur le juge. » Son visage restait calme, mais Tom tempêtait intérieurement. L'alibi qui prouvait que Kya n'était pas en ville au moment de la mort de Chase était l'un des points les plus forts de la défense. Mais Eric avait réussi à le minimiser rien qu'en l'acceptant, affirmant même qu'il n'avait pas besoin d'entendre un témoignage selon lequel Kya avait fait ce voyage aller-retour en deux journées. Cela n'avait aucune importance pour l'accusation qui prétendait que Kya était rentrée à Barkley la nuit précédant son retour pour y commettre le meurtre. Tom avait bel et bien envisagé ce risque mais jugé crucial que les jurés entendent ce témoignage, pour qu'ils visualisent Kya en train de quitter la ville de jour et ne pas y revenir avant que l'accident se soit produit. Maintenant, ils allaient penser que cet alibi avait si peu d'importance qu'il n'avait même pas besoin d'être confirmé.

« C'est noté. Venons-en maintenant à votre témoin suivant. »

Chauve et râblé, la veste serrée sur sa bedaine, M. Lang Furlough déclara qu'il possédait et gérait le motel Three Mountains à Greenville et que Mlle Clark avait séjourné dans son établissement du 28 au 30 octobre 1969.

Kya supporta difficilement d'entendre cet homme aux cheveux gras, qu'elle pensait ne jamais revoir, et qui parlait d'elle comme si elle n'était pas là. Il expliqua comment il lui avait montré sa chambre mais oublia de préciser qu'il avait tout fait pour s'attarder. Il ne cessait de trouver des raisons pour rester dans sa chambre jusqu'à ce qu'elle finisse par ouvrir la porte, en lui indiquant clairement la sortie. Quand Tom lui demanda comment il pouvait être sûr des allées et venues de Mlle Clark, il ricana et répondit qu'elle était le genre de femme que les hommes remarquent. Il ajouta qu'elle lui avait semblé très bizarre : elle ne savait même pas comment utiliser le téléphone, et était arrivée en car avec une valise en carton, chargée de surcroît de son repas emballé dans un sac.

« Monsieur Furlough, la seconde nuit, c'est-à-dire le 29 octobre 1969, celle où Chase Andrews a trouvé la mort, vous avez travaillé à la réception toute la nuit. Est-ce exact ?

– Oui.

– Quand Mlle Clark est rentrée dans sa chambre à 22 heures après avoir dîné avec son éditeur, l'avez-vous vue ressortir ? À un moment ou un autre de la nuit du 29 octobre jusqu'au petit matin du 30, l'avez-vous vue quitter sa chambre ou y revenir ?

– Non. J'étais là toute la nuit et je ne l'ai jamais vue sortir de sa chambre. Comme je l'ai dit, elle est située juste en face de la réception, donc je l'aurais forcément vue sortir.

– Merci, monsieur Furlough, ce sera tout. Le témoin est à vous. »

Après quelques minutes de contre-interrogatoire, Eric poursuivit : « Entendu, monsieur Furlough, pour l'instant nous avons établi que vous aviez quitté la réception deux fois en tout pour vous rendre dans votre appartement privé afin d'aller aux toilettes. Ensuite, le livreur de pizzas est passé, vous l'avez payé, etc. ; quatre clients se sont présentés, deux ont réclamé leurs notes ; et dans l'intervalle, vous vous êtes occupé de votre comptabilité. Puis-je suggérer, monsieur Furlough, que durant toute cette agitation, Mlle Clark aurait pu à plusieurs reprises sortir discrètement de sa chambre, traverser rapidement la rue, sans que vous vous en rendiez compte ? N'est-ce pas tout à fait plausible ?

– Oui, je suppose que c'est possible. Mais moi, je n'ai rien vu. Je ne l'ai pas vue quitter sa chambre ce soir-là, c'est tout ce que je dis.

– Je vous comprends, monsieur Furlough. Mais ce que je dis, moi, c'est qu'il est très possible que Mlle Clark ait quitté sa chambre, qu'elle se soit rendue à l'arrêt des cars, qu'elle ait pris celui de Barkley Cove, assassiné Chase Andrews, qu'elle soit revenue dans sa chambre, et que vous ne l'ayez jamais remarquée parce que vous étiez occupé par votre travail. Je n'ai pas d'autre question. »

Après la pause déjeuner, alors que chacun s'installait à nouveau et que le juge reprenait son fauteuil, Scupper entra dans la salle d'audiences. Tate se retourna pour regarder son père, qui portait comme toujours une salopette et de hautes bottes en caoutchouc jaunes, s'avancer dans l'allée. Ce n'était pas à cause de son travail que Scupper n'était pas venu au procès, avait-il dit, mais en fait parce que les sentiments durables de son fils pour Mlle Clark le déconcertaient. Il lui semblait que Tate n'avait jamais rien éprouvé pour aucune autre, et que même aujourd'hui, adulte, chercheur confirmé, il aimait toujours cette étrange fille. Une femme qu'on accusait maintenant de meurtre.

Mais ce matin-là, alors qu'il se tenait sur son bateau entouré de ses filets de pêche, Scupper s'aperçut qu'il avait du mal à respirer. Il rougit violemment en se rendant compte qu'il avait – comme tous ces ignorants de Barkley Cove – entretenu des préjugés contre Kya parce qu'elle avait grandi dans le marais. Il se rappela Tate lui montrant fièrement le premier livre de Kya sur les coquillages, et combien il avait été lui-même abasourdi par cette prouesse scientifique et artistique. Il s'était acheté un exemplaire de chacun de ses livres mais n'en avait jamais parlé à Tate. Quelle ânerie de sa part !

Il était tellement fier de son fils, de la façon dont il avait toujours su ce qu'il voulait et comment y parvenir. Eh bien, Kya avait fait la même chose dans des circonstances bien plus difficiles encore !

Comment pouvait-il ne pas être là pour Tate ? Rien d'autre ne comptait que soutenir son fils. Il lâcha le filet qui retomba à ses pieds, laissa son bateau se balancer doucement contre la jetée, et se rendit tout droit au tribunal.

Quand il atteignit le premier rang, Jodie, Jumping et Mabel lui firent de la place pour lui permettre de se glisser à côté de Tate. Le père et le fils se saluèrent d'un hochement de tête, et les larmes montèrent aux yeux du jeune homme.

Tom Milton attendit que Scupper soit assis et que le silence revienne dans la salle, puis il annonça :

« Monsieur le juge, la défense appelle Robert Foster à la barre. »

Portant une veste en tweed, un pantalon de toile et une cravate, M. Foster était un homme élégant, de taille moyenne, sa barbe était soignée et ses yeux bienveillants. Tom lui demanda de décliner son identité et son occupation professionnelle.

« Je m'appelle Robert Foster, je suis directeur de collection aux éditions Harrison Morris à Boston, Massachusetts. » Kya, la main sur le front, fixait le plancher. Son éditeur était la seule personne qu'elle connaissait pour qui elle n'était pas la Fille des marais, il l'avait toujours respectée, et semblait même admirer ses connaissances et son talent. Et voilà qu'il se trouvait au tribunal, qu'il la voyait dans le box des prévenus, accusée de meurtre.

« Êtes-vous bien l'éditeur des livres de Mlle Catherine Clark ?

– Oui. Mlle Clark est une naturaliste, une artiste, et un écrivain de grand talent. L'un de nos auteurs favoris.

– Pouvez-vous confirmer que vous vous êtes rendu à Greenville, Caroline du Nord, le 28 octobre 1969 et que vous avez rencontré Mlle Clark les 29 et 30 de ce même mois ?

– C'est exact. Je devais assister à une petite réunion dans cette ville, et sachant que j'aurais un peu de temps libre tandis que je m'y trouvais mais pas suffisamment pour aller jusque chez elle, j'ai invité Mlle Clark à Greenville pour que nous puissions nous rencontrer.

– Pouvez-vous nous dire à quelle heure exactement vous l'avez reconduite à son motel le soir du 29 octobre dernier ?

– Après notre entrevue, nous avons dîné à mon hôtel et ensuite j'ai ramené Kya à son motel à 21 h 55. » Kya se rappela s'être arrêtée sur le seuil de la salle du restaurant, avec ses nombreuses tables éclairées à la bougie sous des lustres à la lumière douce. Les hauts verres à vin posés sur des nappes blanches. Des clients élégants qui parlaient à voix basse, alors qu'elle portait sa jupe et son chemisier si ordinaires. Robert et elle avaient commandé des truites de Caroline du Nord aux amandes, du riz sauvage, des épinards à la crème, et des petits pains ronds. Kya s'était sentie à l'aise tandis qu'il tenait l'essentiel de la conversation avec facilité, s'attachant aux sujets qui concernaient la nature et lui étaient familiers.

À s'en souvenir aujourd'hui, elle s'étonnait de la façon dont elle s'en était tirée. Mais en fait, ce restaurant, malgré tous les feux dont il brillait, ne lui avait pas semblé aussi somptueux que le pique-nique qu'elle avait préféré de sa vie. Quand elle avait quinze ans, Tate avait amarré son bateau près de sa cabane un jour à l'aube et, après lui avoir posé une couverture sur les épaules, il l'avait conduite vers l'intérieur des terres à travers un labyrinthe de chenaux jusqu'à une forêt qu'elle n'avait jamais vue. Ils avaient parcouru encore plus d'un kilomètre pour atteindre la lisière d'une prairie inondée où de l'herbe verte poussait sous la boue, et il avait déplié la couverture sous des fougères plus grandes que des parapluies.

« Maintenant, on attend », avait-il annoncé en lui servant du thé maintenu bien chaud dans un thermos et en lui proposant des « couilles de raton laveur » – des saucisses piquantes et du cheddar au goût prononcé enveloppés de pâte qu'il avait préparés pour l'occasion. Même ce jour-là, dans cette salle d'audiences si froide, elle se rappelait la chaleur de son épaule qui touchait la sienne sous la couverture tandis qu'ils partageaient ce festin au petit matin.

Ils n'avaient pas eu longtemps à attendre. Quelques instants plus tard, venu du nord, un tintamarre aussi violent que des coups de canon avait retenti. « Les voilà ! » s'était exclamé Tate.

Un léger nuage noir apparut à l'horizon et, tout en se rapprochant, il monta vers le ciel. Les cris augmentèrent en intensité et en volume pendant que le nuage emplissait rapidement le ciel entier jusqu'à ce qu'il ne reste plus une seule zone bleue. Des centaines de milliers d'oies des neiges, battant des ailes et cacardant à tue-tête, envahirent tout l'espace. Des masses en mouvement tournoyèrent et se préparèrent à l'atterrissage. Un demi-million d'ailes blanches se déployèrent à l'unisson, autant de pattes d'un rose orangé s'allongèrent, et un blizzard d'oiseaux rasa la Terre. Une blancheur absolue s'abattit sur toute la planète, proche et lointaine. Une par une, puis dix par dix, et enfin des centaines d'oies se posèrent à quelques mètres de l'endroit où Kya et Tate s'étaient installés sous les fougères géantes. Le ciel se vida au fur et à mesure que la prairie détrempée s'emplissait jusqu'à être entièrement recouverte de flocons de neige.

Aucun restaurant élégant ne pouvait se comparer à ce spectacle, et les couilles de raton laveur étaient plus épicées et bien plus savoureuses que les truites aux amandes.

« Vous avez vu Mlle Clark rentrer dans sa chambre ?
– Bien sûr. J'ai ouvert la porte et me suis assuré qu'elle était en sécurité à l'intérieur avant de repartir en voiture.
– L'avez-vous revue le lendemain ?
– Nous avions prévu de nous retrouver pour le petit-déjeuner, donc je suis passé la chercher à 7 h 30 du matin. Nous avons mangé au Stack'em High, une crêperie. Je l'ai ramenée à son motel à 9 heures. Et c'est la dernière fois que je l'ai vue avant aujourd'hui. »

Il jeta un coup d'œil en direction de Kya, mais elle gardait la tête baissée.

« Merci, monsieur Foster. Je n'ai pas d'autre question. »

Eric se leva et demanda : « Monsieur Foster, je me demandais pourquoi vous étiez descendu à l'hôtel Piedmont, le meilleur de la région, tandis que votre maison d'édition n'a payé à Mlle Clark – un auteur aussi talentueux, l'un de vos favoris, selon vos propres mots – qu'une chambre dans un motel bon marché, le Three Mountains ?
– Eh bien, évidemment, nous avons proposé et insisté pour que Mlle Clark soit logée elle aussi au Piedmont, mais elle a insisté pour séjourner dans ce motel.
– Ah vraiment ? Elle connaissait le nom de ce motel ? A-t-elle spécifiquement demandé à être logée au Three Mountains ?
– Oui, elle nous a envoyé un mot en disant qu'elle préférait cette solution.
– A-t-elle expliqué pourquoi ?
– Non, je ne connais pas la raison.
– Moi, j'ai une idée. Voici une carte touristique de Greenville. » Eric agita la carte en s'approchant du témoin. « Comme vous voyez, monsieur Foster, l'hôtel Piedmont – le quatre-étoiles que vous proposiez

à Mlle Clark – se trouve au centre-ville. Le Three Mountains, en revanche, est situé sur la route nationale 258 près de l'arrêt des cars Trailways. En fait, si vous examinez cette carte comme je l'ai fait, vous verrez que le Three Mountains est le motel le plus proche de cet arrêt de cars…

– Objection, monsieur le juge, s'écria Tom. M. Foster n'est pas un spécialiste du plan de la ville.

– Non, mais la carte, oui. Je vois où vous voulez en venir, Eric, et je vous autorise à poursuivre, dit le juge.

– Monsieur Foster, si quelqu'un voulait se rendre rapidement à l'arrêt des cars au milieu de la nuit, il est logique qu'il ait choisi le Three Mountains plutôt que le Piedmont. En particulier s'il avait l'intention de s'y rendre à pied. J'ai seulement besoin que vous me confirmiez que Mlle Clark a spécifiquement demandé à séjourner dans ce motel plutôt qu'à votre hôtel.

– Comme je l'ai dit, elle a demandé ce motel.

– Je n'ai pas d'autre question.

– Contre-interrogatoire ? proposa le juge Sims.

– Oui, monsieur le juge. Monsieur Foster, combien de temps avez-vous travaillé avec Mlle Clark ?

– Trois ans.

– Et même si vous ne l'avez rencontrée qu'au moment de la visite à Greenville en octobre dernier, diriez-vous que vous avez appris à connaître Mlle Clark suffisamment bien à travers votre correspondance durant ces années ? Si c'est le cas, comment la décririez-vous ?

– Oui. C'est une personne timide et douce, j'en suis sûr. Elle préfère la solitude de la nature ; j'ai mis un certain temps à la convaincre de venir à Greenville. Je suis certain qu'elle choisirait d'éviter les endroits avec trop de passage.

– Trop de passage comme dans un grand hôtel tel que le Piedmont ?

– Exactement.

– En fait, ne diriez-vous pas, monsieur Foster, qu'il n'est guère surprenant que Mlle Clark, qui aime être seule, ait choisi un petit motel éloigné du centre plutôt qu'un grand hôtel bondé au centre-ville et diriez-vous que ce choix correspond bien à son caractère ?

– C'est évident.

– Par ailleurs, ne trouvez-vous pas logique que Mlle Clark, qui connaît mal les transports publics et savait qu'elle devrait aller à pied de l'arrêt du car à son hôtel dans les deux sens, en portant une valise, ait choisi un établissement qui soit le plus proche possible de cet arrêt ?

– Oui.

– Je vous remercie. Ce sera tout. »

Quand Robert Foster quitta le box, il prit place aux côtés de Tate, Scupper, Jodie, Jumping et Mabel, juste derrière Kya.

Cet après-midi-là, Tom rappela le shérif à la barre.

Pour avoir consulté la liste des témoins de son avocat, Kya savait qu'il n'en restait pas beaucoup, et cette idée l'angoissait. Les plaidoiries finales viendraient ensuite, et enfin le verdict. Tant que des témoins la soutenaient, elle pouvait espérer l'acquittement ou au moins un ajournement de la sentence. Si le procès s'éternisait, aucun jugement ne serait jamais prononcé. Elle s'efforça d'imaginer des champs constellés d'oies des neiges comme elle l'avait fait depuis le début des audiences, mais à la place, elle ne réussit à voir que des images de prison, de barreaux et de murs de ciment suintants. De temps à autre surgissait même une vision de la chaise électrique. Avec toutes ces courroies.

Soudain, elle eut l'impression de ne plus pouvoir respirer, de ne plus pouvoir rester assise là, sa tête lui semblait trop lourde pour la redresser. Elle s'affaissa légèrement, et Tom, se détournant du témoin, découvrit que la tête de Kya était tombée entre ses mains. Il se précipita vers elle.

« Monsieur le juge, je demande une courte pause. Mlle Clark a besoin de répit.

– Accordée. L'audience est suspendue pour un quart d'heure. »

Tom l'aida à se relever et la conduisit rapidement par une porte latérale vers la petite salle de réunion, où elle s'effondra sur une chaise. Il prit place à côté d'elle et lui demanda : « Que se passe-t-il ? Kya, qu'est-ce qui ne va pas ? »

Elle enfouit de nouveau sa tête entre ses mains.

« Comment pouvez-vous poser une question pareille ? C'est évident, non ? Comment peut-on supporter quelque chose comme ça ? Je me sens trop mal, trop fatiguée pour rester dans cette salle. Y suis-je obligée ? Le procès ne peut-il pas continuer sans moi ? »

Tout ce dont elle était capable, tout ce qu'elle voulait, c'était retourner dans sa cellule et se rouler en boule contre Sunday Justice.

« Non, je crains bien que non. Dans une affaire qui engage la peine capitale, comme celle-ci, la loi exige votre présence.

– Et si je ne peux pas ? Si je refuse ? Tout ce qu'ils peuvent faire, c'est me jeter en prison.

– Kya, c'est la loi. Vous devez être présente, et de toute façon, cela vaut mieux pour vous. C'est plus facile pour un jury d'inculper un prévenu en son absence. Mais, Kya, il n'y en a plus pour très longtemps.

– Ça ne rend pas les choses plus faciles, au contraire. Le pire reste à venir.

– Nous n'en savons rien. N'oubliez pas que nous avons toujours la possibilité de faire appel si nous n'obtenons pas satisfaction. »

Kya ne répondit pas. La seule idée d'un appel l'angoissait davantage encore, la même marche forcée à travers différentes salles d'audiences, plus loin encore du marais. Probablement dans de grandes villes. Un ciel sans oiseaux de mer. Tom quitta la pièce et revint avec un verre de thé glacé bien sucré et un sachet de cacahuètes salées. Elle sirota le thé, refusa de grignoter. Quelques minutes plus tard, l'huissier de justice frappait à la porte et les reconduisait dans la salle d'audiences. Kya n'était plus en prise avec la réalité que par intermittence, elle ne saisissait que des bribes de témoignages.

« Shérif Jackson, commença Tom, l'accusation affirme que Mlle Clark serait sortie discrètement de sa chambre durant la nuit, qu'elle serait allée à pied du motel Three Mountains jusqu'à l'arrêt des cars – un trajet d'au moins vingt minutes. Puis qu'elle aurait pris le car de 23 h 50 de Greenville à Barkley Cove, mais ce car était en retard, donc elle n'aurait pas pu arriver à destination avant 1 h 40 du matin. L'accusation prétend en outre qu'elle aurait marché de l'arrêt des cars à Barkley jusqu'au port – trois ou quatre minutes – puis qu'elle serait allée en bateau jusqu'à la crique près de la tour de guet – au moins vingt minutes –, qu'elle aurait ensuite marché jusqu'à cette même tour – encore huit minutes –, qu'elle serait montée au sommet dans l'obscurité la plus totale – disons quatre à cinq minutes au moins –, qu'elle aurait ouvert la grille – quelques secondes –, attendu

Chase – sur ce point aucune estimation de temps – avant de repartir en sens inverse. L'ensemble de ces actions aurait donc pris une heure et sept minutes au bas mot sans compter le temps censément passé à attendre Chase. Mais le car qui retournait à Greenville, qu'il lui aurait fallu prendre, n'est parti que cinquante minutes après son arrivée. Nous sommes donc en présence d'un simple fait. Il n'y avait matériellement pas assez de temps pour qu'elle commette le crime qu'on lui impute. Est-ce que je me trompe, shérif ?

– Il est sûr qu'il aurait fallu qu'elle fasse très vite. Mais elle aurait pu courir du bateau à la tour dans les deux sens, et elle aurait pu grignoter une minute ici et là.

– Une minute ici et là n'aurait pas suffi. Il lui en aurait fallu vingt. Au moins. Comment aurait-elle pu gagner vingt minutes ?

– Eh bien, peut-être qu'elle a pas pris sa barque du tout ; elle a peut-être marché ou couru depuis l'arrêt des cars de Main Street, puis suivi à pied le sentier qui mène à la tour. Ça aurait été beaucoup plus rapide qu'y aller en bateau. »

De son siège, Eric Chastain jeta un regard furibond au policier. Il avait démontré aux jurés qu'il y avait suffisamment de temps pour que Kya commette le crime et retourne à l'arrêt des cars. Nul besoin de les convaincre. De plus, ils avaient un témoin majeur, le crevettier, qui avait affirmé avoir vu Mlle Clark se diriger vers la tour dans sa barque.

« Pouvez-vous apporter la moindre preuve que Mlle Clark se soit rendue à la tour en empruntant ce chemin, shérif ?

– Non, mais c'est un raisonnement qui tient debout en théorie.

– En théorie ! » Tom se tourna vers le jury. « Le temps des théories était celui qui a précédé le moment où vous avez arrêté Mlle Clark, avant que vous ne la gardiez en prison pendant deux mois. Le fait est que vous ne pouvez apporter aucune preuve qu'elle ait gagné cette tour par la terre, et elle n'avait pas assez de temps pour le faire par la mer. Je n'ai pas d'autre question. »

Eric se campa face au policier pour le contre-interrogatoire :

« Shérif, n'est-il pas exact qu'au large de Barkley Cove la mer connaît de forts courants, contre-courants et courants sous-marins qui peuvent avoir une action sur la vitesse d'un bateau ?

– Oui, c'est exact. Il suffit de vivre ici pour le savoir.

– Quelqu'un qui saurait comment profiter de pareils courants pouvait se rendre très rapidement du port à la tour. En pareil cas, il serait tout à fait possible de gagner vingt minutes sur le trajet aller-retour. N'est-ce pas certain ? »

Eric était embarrassé de devoir échafauder encore une nouvelle hypothèse, mais il avait besoin d'un concept plausible auquel les jurés puissent se raccrocher pour emporter leur adhésion.

« Oui, c'est vrai.

– Je vous remercie. » À peine Eric eut-il tourné les talons que Tom se levait pour le contre-interrogatoire.

« Shérif, oui ou non, pouvez-vous nous apporter une preuve quelconque qu'un courant, un contre-courant, ou un vent violent ait sévi la nuit du 29 au 30 octobre qui puisse avoir réduit le temps nécessaire pour qu'un bateau se rende du port de Barkley Cove à la tour de guet, ou une preuve quelconque que Mlle Clark s'y soit rendue par la terre ?

– Non, mais je suis sûr que…

– Shérif, que vous soyez sûr d'une chose ou d'une autre ne fait aucune différence. Pouvez-vous apporter la preuve qu'un fort courant se soit manifesté la nuit du 29 au 30 octobre 1969 ?

– Non. »

53
Le chaînon manquant

1970

Le matin suivant, Tom n'avait plus qu'un seul témoin. Sa dernière carte.

Il appela à la barre Tim O'Neal, qui commandait son propre crevettier dans les eaux de Barkley Cove depuis trente-huit ans. Tim, qui approchait les soixante-cinq ans, était grand et robuste, il avait les cheveux châtains avec à peine quelques mèches grises, mais sa barbe était presque entièrement blanche. Il était connu comme un homme tranquille et sérieux, honnête et sympathique, qui tenait toujours la porte aux dames. Le dernier témoin parfait.

« Tim, est-il exact que, la nuit du 29 au 30 octobre 1969, vous étiez en train de rentrer au port de Barkley Cove entre 1 h 45 et 2 heures du matin ?

– Oui.

– Deux membres de votre équipage, M. Hal Miller, qui a porté témoignage ici, et M. Allen Hunt, qui a signé une déclaration sous serment, affirment tous les deux avoir vu Mlle Clark quitter le port et prendre la direction du nord dans son bateau approximativement aux heures indiquées. Êtes-vous au courant de ces témoignages ?

– Oui.

– Avez-vous, à l'heure et à l'endroit indiqués, vu la barque qu'ont aperçue M. Miller et M. Hunt ?

– Oui.

– Et confirmez-vous les déclarations selon lesquelles il s'agissait bien de Mlle Clark se dirigeant vers le nord dans sa barque ?

– Non, absolument pas.

– Pourquoi pas ?

– Il faisait noir. La lune s'est levée seulement plus tard. Et la barque en question était trop loin pour qu'on puisse la reconnaître avec certitude. Je connais tous ceux qui dans les parages ont ce genre de bateau, et j'ai vu Mlle Clark dans le sien de très nombreuses fois où j'ai été absolument sûr que c'était elle. Cette nuit-là, il faisait trop sombre pour reconnaître ce bateau ou la personne qui le pilotait.

– Merci, Tim. Pas d'autre question. »

Eric s'approcha du box des témoins.

« Tim, même si vous n'avez pu identifier ni ce bateau ni la personne qui se trouvait à l'intérieur, êtes-vous d'accord pour affirmer qu'une embarcation de la taille et de la forme de celle de Mlle Clark se dirigeait vers la tour de guet de Barkley aux environs de 1 h 45 la nuit où Chase Andrews a trouvé la mort plus ou moins à la même heure ?

– Oui, je peux dire que ce bateau avait une forme et une taille semblables à celui de Mlle Clark.

– Je vous remercie beaucoup. »

Pour procéder au contre-interrogatoire, Tom se leva et parla depuis sa place.

« Tim, seulement pour confirmer, vous affirmez avoir reconnu Mlle Clark dans son bateau de nombreuses fois, mais ce soir-là, vous n'avez rien vu qui permette d'identifier la prévenue avec certitude. Est-ce exact ?

– Oui.

– Et pouvez-vous me dire s'il y a de nombreux bateaux de la même taille et de la même forme que celui de Mlle Clark dans les parages ?

– Oh oui, son bateau est d'un genre très commun. Il y en a énormément juste comme le sien dans les environs.

– Donc, le pilote que vous avez vu cette nuit-là aurait pu être n'importe quelle autre personne dans un bateau similaire ?

– Absolument.

– Je vous remercie. Monsieur le juge, la défense en a terminé. »

Le juge Sims annonça : « Nous allons faire une pause de vingt minutes. La séance est ajournée. »

Pour son réquisitoire, Eric portait une cravate à grosses rayures dorées et bordeaux. La salle était paisible quand il s'approcha du jury et se tint à la barre, en s'appliquant à regarder l'un après l'autre chacun de ses membres.

« Mesdames et messieurs les jurés, vous appartenez à une communauté, dans une ville unique dont vous êtes légitimement fiers. Il y a quelques mois, vous avez perdu l'un de vos fils, un homme jeune, une étoile montante de votre quartier, qui pouvait compter sur une longue vie en compagnie de sa belle… »

Kya l'entendit à peine tandis qu'il reprenait le récit décrivant la façon dont elle avait assassiné Chase Andrews. Assise, les coudes sur la table, la tête entre les mains, elle ne saisissait que des fragments de son discours.

« … Deux hommes bien connus de cette communauté ont vu Mlle Clark et Chase dans les bois… L'ont entendue prononcer les mots “je te tuerai !”… Un bonnet de laine rouge qui a laissé des fibres sur son blouson en jean… Qui d'autre aurait pu vouloir récupérer ce coquillage… vous connaissez les courants et les vents qui peuvent augmenter significativement la vitesse…

« Son mode de vie nous apprend qu'elle est tout à fait capable de piloter un bateau la nuit, et de monter au sommet de cette tour dans l'obscurité. Tous les détails s'emboîtent comme un mécanisme sans faille. Chaque mouvement qu'elle a effectué cette nuit-là est parfaitement clair. Vous pouvez et devez déclarer la prévenue coupable de meurtre avec préméditation. Je vous remercie par avance de faire votre devoir. »

Le juge Sims adressa un signe de tête à Tom, qui s'approcha à son tour du box.

« Mesdames et messieurs les jurés, j'ai moi-même grandi à Barkley Cove, et quand j'étais plus jeune, j'ai souvent entendu des récits autour de la Fille des marais. Oui, parlons-en sans ambages. Nous l'appelions la Fille des marais. Nombreux sont ceux qui la surnomment encore ainsi. Certaines personnes murmuraient qu'elle était peut-être une sorte de loup-garou, ou le chaînon manquant entre le singe et l'homme. Que ses yeux scintillaient dans le noir. Pourtant, en réalité, elle n'était qu'une enfant abandonnée, une petite fille qui survivait toute seule dans un marais, qui connaissait la faim et le froid, mais nous ne l'avons pas aidée. Mis à part un de ses seuls amis, Jumping, aucune de nos églises ou de nos associations communautaires ne lui a jamais offert nourriture ou vêtements. À la place, nous l'avons étiquetée et rejetée parce que nous pensions qu'elle était différente.

« Mais, mesdames et messieurs, je vous le demande, avons-nous exclu Mlle Clark parce qu'elle était différente, ou est-elle devenue différente parce que nous l'avons exclue ? Si nous l'avions considérée comme l'une des nôtres – c'est ce qu'elle serait à mon avis aujourd'hui. Si nous l'avions nourrie, vêtue, si nous l'avions aimée, invitée dans nos églises et nos maisons, nous n'aurions pas de préjugés à son encontre. Et je crois qu'elle ne serait pas assise ici aujourd'hui accusée de meurtre. La tâche de juger cette jeune femme timide et rejetée vous incombe, mais il vous faut fonder votre jugement sur les actes qui ont été présentés dans cette salle d'audiences, et non pas sur des rumeurs ou des sentiments qui remontent aux vingt-quatre dernières années.

« Quels sont les faits incontestables ? »

Exactement comme lors du réquisitoire du procureur, Kya ne saisissait que des bribes de discours.

« … L'accusation n'a absolument pas prouvé que les faits en question étaient effectivement un meurtre et non un accident tragique. Pas d'arme du crime, aucune trace prouvant que la victime ait été poussée dans le vide, aucun témoin, aucune empreinte…

« Un des faits les plus importants et attestés est que Mlle Clark possède un alibi solide. Nous savons qu'elle était à Greenville la nuit où Chase a trouvé la mort, il n'a été apporté aucune preuve qu'elle se soit déguisée en homme, qu'elle ait pris le car pour Barkley… En fait, l'accusation n'a pas réussi à démontrer qu'elle était revenue à Barkley Cove cette nuit-là, n'a pas réussi à démontrer qu'elle était bien montée en haut de cette tour. Je le répète : il n'y a pas la moindre preuve que Mlle Clark se soit trouvée sur cette tour à Barkley Cove ou qu'elle ait tué Chase Andrews.

« … et le crevettier, M. O'Neal, propriétaire de son bateau depuis trente-huit ans, a témoigné qu'il faisait trop sombre pour identifier la barque en question.

« … des fibres sur ce blouson, qui auraient pu être là depuis quatre ans… Ce sont les seuls faits incontestables…

« Pas un seul des témoins présentés par l'accusation n'est sûr de ce qu'il a vu. Pas un seul d'entre eux. En revanche, la défense vous a présenté des témoins certains à 100 % que… »

Tom se tint quelques instants face au jury.

« Je connais très bien la plupart d'entre vous, et je vous sais capables de mettre de côté tous les préjugés que vous avez pu entretenir à l'encontre de Mlle Clark. Même si elle n'est allée à l'école qu'un seul jour dans sa vie, parce que les autres enfants la tourmentaient, elle s'est instruite toute seule et est devenue une naturaliste et un écrivain reconnu. Nous, nous l'appelions la Fille des marais, aujourd'hui des institutions scientifiques la reconnaissent comme l'Experte des marais. Je crois que vous êtes à même d'écarter rumeurs et mensonges. Je crois que vous parviendrez à un jugement fondé sur les faits que vous avez entendus exposés dans cette salle d'audiences, et non pas sur les fausses rumeurs auxquelles vous avez été exposés depuis des années.

« Il est temps, enfin, que nous nous montrions justes envers la Fille des marais. »

54
Vice versa

1970

En désignant des chaises dépareillées dans une petite salle de conférence, Tom proposa de s'asseoir à Tate, Jodie, Scupper et Robert Foster. Ils prirent place autour d'une table rectangulaire, tachée d'auréoles laissées par des tasses de café. Les murs étaient couverts de plâtre écaillé de deux couleurs : jaune citron en haut, vert foncé à la base. Des relents d'humidité – montant des murs autant que du marais – envahissaient l'espace.

« Vous pouvez attendre ici, dit Tom en refermant la porte derrière lui. Il y a une machine à café au bout du couloir en face du bureau de l'assesseur, mais je dois vous prévenir que c'est du vrai jus de chaussettes. Le restaurant en revanche en sert du bon. Voyons, il est un peu plus de 11 heures. Nous réfléchirons où nous voulons déjeuner plus tard. »

Tate s'approcha de la fenêtre, obscurcie par un treillis métallique blanc, comme pour dissuader des prévenus en attente de verdict d'essayer de s'échapper. Il demanda à Tom : « Où ont-ils emmené Kya ? Dans sa cellule ? Est-ce qu'elle doit attendre là-bas toute seule ?

– Oui, elle est dans sa cellule. Je vais aller la voir maintenant.

– Combien de temps croyez-vous que vont durer les délibérations du jury ? demanda Robert.

– C'est impossible à évaluer. Quand on pense que ça va être rapide, ils prennent plusieurs jours et vice versa. La plupart d'entre eux ont sans doute déjà décidé – et pas en faveur de Kya. Si quelques jurés ont des doutes et tentent de convaincre les autres que la culpabilité n'a pas été définitivement prouvée, nous avons une chance. »

Ils hochèrent la tête sans un mot, accablés par le terme « définitivement », comme si la culpabilité avait été démontrée, mais pas de façon complète.

« OK, poursuivit Tom. Je vais voir Kya, puis je me mets au travail. Il faut que je prépare l'appel et même la demande de non-lieu pour préjugés. Gardez bien en mémoire, s'il vous plaît, que si elle est condamnée, ce n'est pas forcément la fin de l'histoire. Absolument pas. Je reviendrai vous voir de temps en temps et je vous tiendrai au courant dès qu'il y aura des nouvelles.

– Merci, répondit Tate avant d'ajouter : Dites à Kya s'il vous plaît que nous sommes ici et que nous irons la rejoindre si elle le souhaite. » Cela en dépit du fait qu'elle avait refusé de voir qui que ce soit à part Tom au cours des derniers jours et pratiquement tout le monde depuis deux mois.

« Bien sûr, je vais le lui dire. » Tom quitta la pièce.

Jumping et Mabel durent attendre le verdict dehors parmi les palmiers nains et les joncs de la place, en compagnie de quelques autres Noirs. Alors qu'ils étendaient des quilts colorés à même le sol et déballaient des biscuits et des saucisses qu'ils avaient apportés dans des sacs en papier, une averse soudaine les fit tout ramasser et se précipiter à couvert sous l'auvent du Sing Oil.

M. Lane leur cria qu'ils devaient rester dehors – ce qu'ils savaient parfaitement depuis une centaine d'années – et ne pas empêcher les clients d'entrer. Certains Blancs s'entassaient dans le restaurant ou au Dog-Gone pour boire un café, tandis que d'autres restaient dans la rue sous des parapluies clairs. Des enfants jouaient à s'éclabousser dans les flaques qui venaient de se former et mangeaient du pop-corn, comme s'ils attendaient un défilé.

Dûment formée par ces millions d'heures passées sans la moindre compagnie, Kya pensait qu'elle savait ce que « solitude » voulait dire. Une vie à fixer la vieille table de la cuisine, à fouiller du regard des chambres vides, et des étendues infinies de vagues et d'herbes. Personne avec qui partager la joie de la découverte d'une plume ou de la dernière touche apportée à une aquarelle. À réciter des poèmes aux mouettes et aux goélands.

Mais après que Jacob eut refermé sa cellule dans le claquement métallique des barreaux, avant de disparaître dans le couloir et de verrouiller la lourde porte avec un bruit sourd, un silence glacé s'installa. Attendre le verdict de son propre procès pour homicide plongeait dans une solitude toute différente. La question de savoir si elle allait vivre ou mourir ne faisait pas surface dans son esprit, elle restait enfouie sous la peur plus grande encore des années à passer isolée loin de son marais. Ni oiseaux de mer ni océan dans un lieu sans étoiles.

Les compagnons de détention au bout du couloir avaient été relâchés. Elle regrettait presque leur bavardage incessant – une présence humaine, aussi peu enviable qu'elle paraisse. Plus personne d'autre n'habitait ce long tunnel en ciment hérissé de verrous et de barreaux.

Elle connaissait l'étendue des préjugés qui pesaient contre elle et savait, si le verdict était rendu rapidement, après des délibérations brèves, que sa condamnation serait certaine. Elle eut une image de tétanos : la longue torture de quelqu'un qui se sait voué à une mort certaine. Kya songea à pousser la caisse sous la fenêtre pour entrevoir les rapaces qui volaient au-dessus du marais. Mais elle resta prostrée. Plongée dans le silence.

Deux heures plus tard, à 13 heures, Tom ouvrit la porte de la salle où attendaient Tate, Jodie, Scupper et Robert Foster.

« Bon, il y a des nouvelles.

– Lesquelles ? s'écria Tate en relevant brusquement la tête. Pas déjà le verdict ?

– Non, non. Pas le verdict. Mais je crois que ce sont de bonnes nouvelles. Les jurés ont demandé à relire les témoignages des chauffeurs de cars. Cela signifie, au moins, qu'ils se sont mis à réfléchir – qu'ils ne se sont pas précipités vers une conclusion. Les chauffeurs jouent un rôle essentiel, bien sûr, et ils ont tous les deux dit qu'ils étaient certains que Kya n'était pas dans leurs cars respectifs et qu'ils n'étaient pas non plus convaincus par l'idée des déguisements. Parfois, voir les témoignages noir sur blanc rend les choses plus nettes pour les jurés. Ne nous réjouissons pas trop vite, mais il y a une lueur d'espoir.

– C'est déjà ça, dit Jodie.

– Écoutez, il est largement l'heure du déjeuner. Pourquoi n'allez-vous tous pas au restaurant ? Je vous promets que je viendrai vous y retrouver si quelque chose se passe.

– Ce n'est pas une très bonne idée, dit Tate. Tout le monde là-dedans va être en train de dire qu'elle est coupable.

– Je comprends. Je vais envoyer mon assistant chercher des hamburgers. Qu'en dites-vous ?

– D'accord, merci », dit Scupper, et il tira quelques dollars de son portefeuille.

À 14 h 15, Tom revint leur dire que les jurés avaient demandé à lire le témoignage du coroner.

« Je ne sais pas comment interpréter cette demande.

– Bon Dieu ! s'exclama Tate. Comment est-ce qu'on peut supporter une attente pareille ?

– Essayez de vous détendre ; nous en avons peut-être pour plusieurs jours. Je vous tiens au courant. »

Sans sourire, le visage fermé, Tom revint ouvrir la porte à 16 heures.

« Eh bien, messieurs, les jurés sont parvenus à un verdict. Le juge a ordonné que tout le monde regagne la salle d'audiences. »

Tate se leva. « Qu'est-ce que cela signifie, que ça arrive aussi vite ?

– Allons, Tate, dit Jodie en lui prenant le bras. Allons-y. »

Dans le couloir, ils retrouvèrent la cohorte des habitants de la ville qui se bousculaient pour rentrer. L'air était humide, empestait la cigarette, les cheveux mouillés, les vêtements détrempés, et toutes ces odeurs s'engouffrèrent avec eux.

La salle d'audiences se remplit en moins de dix minutes. Plusieurs personnes ne trouvèrent pas de siège et s'entassèrent dans le couloir ou sur le perron. À 16 h 30, l'huissier de justice conduisit Kya vers sa chaise. Pour la première fois, il la soutenait en la tenant par le coude et, de fait, il semblait qu'elle aurait pu tomber s'il la lâchait. Elle gardait les yeux rivés au sol. Tate guettait chaque frémissement de son visage. Il luttait contre la nausée qui l'envahissait.

Mlle Jones, la greffière, entra et retrouva sa place. Puis tel un chœur funèbre, graves et solennels, les jurés entrèrent l'un après l'autre dans leur box. Mme Culpepper jeta un coup d'œil en direction de Kya. Les autres regardaient droit devant eux. Tom essaya de déchiffrer leurs expressions. Dans la salle, plus un seul toussotement ni aucun mouvement de pied.

« Veuillez vous lever. »

La porte du juge Sims s'ouvrit, et il reprit son fauteuil.

« Asseyez-vous, je vous en prie. Monsieur le premier juré, est-il exact que le jury a rendu son verdict ? »

M. Tomlinson, un homme tranquille qui possédait le magasin de chaussures Buster Brown, se leva au premier rang et répondit : « Oui, monsieur le juge. »

Le juge Sims regarda Kya.

« La prévenue peut-elle se lever pour la lecture du verdict ? »

Tom toucha le bras de Kya, comme pour l'aider à se remettre debout.

Tate posa la main sur la barrière, aussi près de Kya qu'il le pouvait. Jumping saisit celle de Mabel et la garda dans la sienne.

Personne dans cette salle n'avait jamais fait l'expérience de ce battement de cœur collectif, de cette impression de manquer d'air que tous partageaient. Les yeux s'agitaient, les mains transpiraient. Le marin du crevettier, Hal Miller, se faisait des nœuds au cerveau, cherchant à se convaincre que c'était bien le bateau de Mlle Clark qu'il avait vu cette nuit-là. Et s'il s'était trompé… Tous avaient le regard fixe, non pas posé sur la nuque de Kya mais sur le plancher ou les murs. Il semblait que c'était la ville entière – et non pas Kya – qui attendait le jugement, et ils étaient bien peu à éprouver la joie malsaine qu'ils avaient escomptée. Le premier juré, M. Tomlinson, tendit un petit morceau de papier à l'huissier de justice qui le passa au juge. Ce dernier le déplia et le lut, le visage impassible. L'huissier de justice le reprit de la main du juge Sims et le tendit à Mlle Jones, la greffière.

« Quelqu'un va-t-il enfin nous le lire ? » s'impatienta Tate.

Mlle Jones se leva et fit face à Kya. Elle déplia le papier et le lut à haute voix :

« Le jury déclare Mlle Catherine Danielle Clark non coupable d'homicide volontaire avec préméditation sur la personne de Chase Andrews. » Kya se laissa retomber sur sa chaise. Tom l'imita.

Tate cligna des yeux. Jodie inspira bruyamment. Mabel se mit à sangloter. Dans la galerie, plus un seul mouvement. Ils avaient sans doute mal compris. « Est-ce qu'elle a bien dit "non coupable" ? » Les murmures montèrent bientôt en intensité et en volume pour devenir un flot de questions rageuses. M. Lane s'écria : « Ça n'est pas juste. »

Le juge donna quelques coups de maillet.

« Silence ! Mademoiselle Clark, le jury vous a reconnue non coupable des charges qui pesaient contre vous. Vous êtes libre, et au nom de cet État, je vous présente mes excuses pour les deux mois où vous êtes restée en prison. Mesdames et messieurs les jurés, nous vous remercions pour le temps passé au service de cette communauté. L'audience est levée. »

Un petit attroupement se forma autour des parents de Chase. Patti Love pleurait. Sarah Singletary fronçait les sourcils comme tout le monde mais s'aperçut qu'elle était grandement soulagée. Mlle Pansy se prit à espérer que personne ne verrait sa mâchoire se détendre. Une larme coula le long de la joue de Mme Culpepper, puis un sourire fugitif se dessina sur ses lèvres à l'idée que la petite vagabonde du marais venait encore de s'échapper, comme autrefois de l'école.

Un groupe d'hommes en salopettes se tenait près du fond de la salle.

« Il va falloir que ces jurés s'expliquent !

– Est-ce qu'Eric ne peut pas dénoncer une erreur de procédure ? Et faire tout recommencer ?

– Non. Tu te souviens ? On peut pas être jugé deux fois pour le même crime. Elle est libre. Elle s'en est tirée à bon compte.

– C'est le shérif qui a tout foutu par terre pour le procureur. Pas capable de tenir son histoire jusqu'au bout, il arrêtait pas de changer de version au fur et à mesure. "En théorie" par-ci, "en théorie" par-là…

– Il paradait dans ce tribunal comme s'il jouait dans *Police des plaines*. »

Mais ce petit concert de protestations se tut rapidement, certains se hâtèrent de prendre la porte en expliquant qu'ils avaient du travail à rattraper, et que la pluie avait un peu rafraîchi l'atmosphère.

Jodie et Tate avaient franchi la barrière de bois jusqu'à la table de la défense. Scupper, Jumping, Mabel et Robert les suivirent et tous entourèrent Kya. Sans la toucher, ils s'approchèrent aussi près que possible alors qu'elle restait comme figée. Jodie prit la parole :

« Kya, tu peux rentrer à la maison. Est-ce que tu veux que je te reconduise ?

– Oui, s'il te plaît. »

Kya se leva et remercia Robert d'être venu d'aussi loin que Boston. Il sourit.

« Oubliez toute cette absurdité et continuez votre merveilleux travail. »

Elle effleura la main de Jumping, et Mabel la pressa contre sa poitrine généreuse. Puis Kya s'adressa à Tate :

« Merci pour toutes ces choses que tu m'as apportées. » Enfin, elle se tourna vers Tom mais ne trouva pas les mots. Il se contenta de la serrer dans ses bras. Puis elle regarda Scupper. Elle ne lui avait jamais été présentée, mais à observer ses yeux, elle devina qui il était. Elle murmura un merci, et pour sa plus grande surprise, il posa la main sur son épaule et la pressa gentiment.

Puis, suivant l'huissier de justice, elle se dirigea avec Jodie vers la porte arrière du tribunal et, en passant devant le rebord de la fenêtre, tendit la main pour caresser la queue de Sunday Justice. Il affecta de l'ignorer, et elle admira cette comédie parfaitement mise au point de celui qui n'a pas besoin d'adieu.

Quand la porte s'ouvrit, elle sentit le souffle de la mer sur son visage.

55
Herbes en fleurs

1970

Pendant que le pick-up de Jodie quittait l'asphalte pour s'avancer en cahotant sur la route sablonneuse du marais, il parla gentiment à Kya, lui dit que tout irait bien, qu'il lui faudrait seulement du temps. Elle balaya du regard les roseaux et les aigrettes, les pins et les étangs qui défilaient. Se dévissa le cou pour observer deux castors qui barbotaient. Comme une sterne qui a parcouru des dizaines de milliers de kilomètres lors de la migration pour rejoindre son rivage natal, son cœur cognait du désir et de l'attente de se retrouver chez elle ; elle prêtait à peine attention au bavardage de Jodie. Aurait préféré qu'il se taise et qu'il écoute la nature sauvage à l'intérieur de lui-même. Alors il aurait été capable de voir.

Elle retint son souffle quand Jodie prit le dernier virage du chemin sinueux, et que la vieille maison apparut, tapie sous les chênes. La mousse espagnole se balançait doucement dans la brise au-dessus du toit rouillé, et le héron était perché sur une patte dans les ombres de la lagune. Dès qu'il eut coupé le moteur, Kya bondit et se précipita vers la cabane, posant les mains sur le lit, la table, le vieux fourneau. Devinant ce qu'elle voudrait faire au plus tôt, il avait laissé un sac de miettes sur la table, et trouvant une énergie toute nouvelle, elle se précipita vers la plage, des larmes lui coulant sur les joues quand mouettes et goélands volèrent à sa rencontre. Big Red se posa et sautilla autour d'elle en dodelinant de la tête.

À genoux sur le sable, encerclée par cette frénésie de plumes, elle se mit à trembler.

« Je n'ai jamais rien demandé à personne. Peut-être maintenant vont-ils me laisser tranquille. »

Jodie porta les rares possessions de sa sœur dans la maison et fit du thé dans la vieille théière. Il s'assit à table et attendit. Finalement, il entendit la porte de la véranda s'ouvrir et elle entra dans la cuisine en s'exclamant : « Ah, tu es encore là ! » Bien sûr qu'il était encore là – son pick-up était garé juste devant la porte.

« S'il te plaît, pose-toi cinq minutes. Je voudrais qu'on parle un peu. »

Elle ne s'assit pas. « Je me sens bien, Jodie. Vraiment.

– Est-ce que ça veut dire que tu veux que je m'en aille ? Kya, tu as passé deux mois seule dans cette cellule, à penser que toute la ville était contre toi. Tu acceptais à peine les visites. Je comprends tout ça, sincèrement, et je ne crois pas que je devrais repartir et te laisser seule. Je peux rester avec toi quelques jours. Ça t'irait ?

– J'ai vécu seule pratiquement toute ma vie, pas seulement deux mois ! Et je ne *pensais* pas que la ville était contre moi, je le *savais* !

– Kya, ne laisse pas cette horrible affaire t'éloigner davantage encore des gens. Ça a été une épreuve terrible, mais tu peux la voir comme une chance de repartir de zéro. Ce verdict est peut-être leur façon de dire que dorénavant ils t'accepteront.

– La plupart des gens n'ont pas besoin d'être acquittés après une accusation de meurtre pour se faire accepter.

– Je le sais, et tu as toutes les raisons du monde de les détester. Je ne te le reproche pas, mais…

– C'est exactement ce que personne ne comprend à mon sujet. » D'une voix de plus en plus forte, elle poursuivit : « Moi, je n'ai jamais détesté les gens. C'est eux qui m'ont haïe. Eux qui se sont moqués de moi. Eux qui m'ont quittée. Qui m'ont harcelée. Eux qui m'ont agressée. C'est vrai, j'ai appris à vivre sans eux. Sans toi. Sans Ma ! Sans personne ! »

Il tenta de la prendre dans ses bras mais elle se dégagea.

« Jodie, je suis peut-être seulement fatiguée. En fait, je suis épuisée. S'il te plaît, j'ai besoin de digérer tout ça – le procès, la prison, l'idée d'être exécutée – seule, parce que la solitude c'est ce que j'ai toujours connu. Je ne sais pas me laisser consoler. Je suis trop fatiguée même pour avoir cette conversation. Je… » Sa voix s'éteignit.

Avant qu'il ait pu répondre, elle sortit de la cabane pour s'enfoncer dans la forêt de chênes. Sachant que c'était inutile, il ne la suivit pas. Il attendrait. La veille, il avait apporté des provisions – juste au cas où elle serait acquittée – et il se mit à découper des légumes pour préparer le plat favori de sa sœur, une tourte au poulet. Mais alors que le soleil se couchait et que Jodie ne supportait plus l'idée de la forcer à rester éloignée de chez elle, il laissa la tourte encore fumante sur la cuisinière et s'en alla. Kya s'était rendue à la plage en faisant un grand détour, et quand elle entendit son pick-up s'éloigner lentement sur le chemin, elle se précipita pour rentrer. Une bonne odeur de pâte bien dorée emplissait la cabane jusqu'au plafond, mais elle n'avait toujours pas faim. Dans la cuisine, elle sortit d'un tiroir son matériel de peinture et se mit à penser à son nouveau livre sur les herbes du marais. Les gens s'intéressent rarement aux herbes sauf pour les tondre, les écraser ou les empoisonner. Elle balaya furieusement la toile de son pinceau d'une couleur qui tirait plus sur le noir que le vert. De sombres images émergèrent, peut-être des prairies à l'agonie sous des cellules orageuses. C'était difficile à dire.

Sa tête retomba et elle se mit à sangloter : « Pourquoi suis-je tellement en colère ? Pourquoi maintenant ? Pourquoi ai-je été si dure avec Jodie ? » Aussi molle qu'une poupée de chiffon, elle se laissa glisser à terre. Elle se recroquevilla, toujours en pleurs, regrettant de ne pouvoir se blottir contre le seul être qui l'ait jamais acceptée telle qu'elle était. Mais le chat était resté à la prison.

Avant la tombée du jour, Kya retourna sur la plage où mouettes et goélands lissaient leurs plumes et s'installaient pour la nuit. S'avançant dans la vague, elle sentit les coquillages et les carapaces des crabes lui piquer les orteils alors qu'ils se laissaient ballotter par la mer qui se retirait. Elle se pencha pour ramasser une plume de pélican, pareille à celle que Tate avait glissée dans la section P du dictionnaire qu'il lui avait offert pour Noël des années auparavant.

Elle murmura un poème d'Amanda Hamilton :

Ce soir tu es rentré, et tu m'as aveuglée
Comme un soleil d'or sur la mer le reflet.
Libre je me croyais, oui mais dans ma stupeur
Par la vitre je vois sous la lune danser
Les traits que j'avais crus à jamais effacés.

Tes yeux hantent mon cœur
J'ai peine à respirer.
Alors je prends congé
Jusqu'à la fois prochaine
Jusqu'au jour où sans peine
Je saurai t'oublier.

Le lendemain matin avant l'aube, Kya se redressa sur son séant dans son lit de la véranda et se laissa pénétrer par les fortes senteurs du marais. Alors qu'une faible lumière s'infiltrait dans la cuisine, elle se prépara du gruau de maïs, des œufs brouillés, et des biscuits aussi légers et aériens que ceux de Ma. Elle n'en laissa pas une miette. Puis, alors que le soleil se levait, elle se précipita vers son bateau et traversa la lagune, plongeant les doigts dans l'eau claire et profonde.

En traversant le chenal, elle parla aux tortues d'eau et aux aigrettes, levant haut les bras au-dessus de sa tête. Chez elle, enfin. *Je vais passer la journée à ramasser tout ce qu'il me plaira*, se dit-elle. Sans vouloir se l'avouer, elle pensait qu'elle pourrait entrevoir Tate. Il travaillait sans doute dans les parages et elle le croiserait peut-être par hasard. Elle pourrait l'inviter à partager la tourte au poulet que Jodie avait préparée.

Moins de quinze cents mètres plus loin, Tate marchait dans l'eau peu profonde, et recueillait des échantillons dans de minuscules éprouvettes. Un sillage de petites vagues allait en s'élargissant autour de lui à chaque pas, à chaque prélèvement. Il avait l'intention de rester dans les environs de chez Kya. Peut-être prendrait-elle sa barque pour faire un tour dans le marais, et ils se rencontreraient. Sinon, il irait lui rendre visite le soir même. Il n'avait pas encore décidé exactement ce qu'il lui dirait, mais il lui vint à l'esprit qu'un baiser pourrait remettre les choses en place dans la tête de la jeune femme.

Au loin, un moteur vrombissait, plus aigu et plus bruyant que celui d'un bateau ordinaire – et noyait les sons discrets du marais. Il repéra la source de ce tumulte qui s'approchait, et soudain, un de ces nouveaux hydroglisseurs, qu'il n'avait pas vu venir, s'avança à vive allure. Il semblait flotter au-dessus de l'eau, et même au-dessus des herbes, laissant derrière lui un éventail d'écume. Chantant plus fort que dix sirènes.

Écrasant sur son passage buissons et roseaux, l'embarcation se frayait un chemin dans le marais avant de croiser vers l'estuaire. Hérons et aigrettes poussèrent des cris rauques. Trois hommes étaient à l'avant et, en apercevant Tate, ils virèrent de bord dans sa direction. Alors qu'ils s'approchaient, il discerna le shérif Jackson et son adjoint accompagnés d'un autre individu.

L'hydroglisseur s'affaissa sur ses coussins d'air tout en poursuivant sur sa lancée au ralenti. Le shérif cria quelque chose à l'adresse de Tate, mais même en portant les mains à ses oreilles et en se courbant, il n'entendit rien dans ce raffut. Ils manœuvrèrent pour se positionner encore plus près, jusqu'à soulever une gerbe d'eau qui le trempa jusqu'aux cuisses. Le shérif se pencha à son tour, criant à nouveau quelque chose.

Non loin de là, Kya avait elle aussi repéré l'étrange bateau et, alors qu'elle se dirigeait vers lui, elle s'aperçut qu'il s'était arrêté à côté de Tate. Elle recula dans les broussailles et vit qu'il écoutait les paroles du shérif, puis se figeait et penchait la tête, les épaules affaissées comme s'il se rendait. Même de loin, elle lut du désespoir dans cette posture. Le shérif cria de nouveau, et Tate finit par tendre les mains et laissa l'adjoint le hisser sur l'hydroglisseur. L'autre homme se laissa descendre dans l'eau et monta sur le bateau de Tate. Menton et yeux baissés, Tate se tenait debout entre les deux hommes en uniforme alors qu'ils faisaient demi-tour et se hâtaient de traverser le marais pour regagner Barkley Cove, suivis par l'autre homme qui pilotait le petit yacht de Tate.

Kya resta à fixer les deux embarcations qui disparaissaient derrière une pointe de terre couverte de zostère marine. Pourquoi avaient-ils arraisonné Tate ? Cela avait-il quelque chose à voir avec la mort de Chase ? Le conduisaient-ils au poste de police ?

L'angoisse l'étreignit. Finalement, au bout d'une éternité, elle admit que c'était la possibilité d'entrevoir Tate, l'espoir de le voir passer le coude d'un ruisseau et de l'apercevoir entre les roseaux, qui l'avaient conduite dans le marais chaque jour de sa vie depuis l'âge de sept ans. Elle connaissait ses lagunes et ses itinéraires favoris à travers les bourbiers les plus improbables ; elle le suivait toujours à distance prudente. Espionnant, volant des instants d'amour. Sans jamais rien partager. Impossible d'être blessée si on aime quelqu'un depuis l'autre bord d'un estuaire. Toutes ces années passées à le rejeter, elle avait survécu parce qu'elle savait qu'il était quelque part dans le marais à l'attendre. Mais aujourd'hui, peut-être n'y serait-il jamais plus.

Kya continua de percevoir le ronronnement qui s'estompait. Jumping était toujours au courant de tout – il saurait pourquoi le shérif avait emmené Tate et ce qu'elle pouvait y faire.

Elle fit redémarrer son moteur et fila à travers le marais.

56
Le héron de nuit

1970

Le cimetière de Barkley Cove disparaissait sous des tunnels de chênes sombres. Les voiles de mousse espagnole pendaient telles de longues draperies et créaient une sorte de sanctuaire souterrain pour les vieilles sépultures – ici les restes d'une famille, là un défunt solitaire, sans ordre établi. Des racines noueuses s'étaient emparées des pierres tombales et les avaient transformées en autant de silhouettes voûtées et torturées. Des traces de la mort métamorphosées en fragments par des signes de la vie. Dans le lointain, la mer et le ciel lançaient à l'unisson un chant trop clair pour ce lieu si grave.

La veille encore, le cimetière était animé par la présence des habitants du bourg, pareils à des fourmis obstinées, y compris tous les pêcheurs et les commerçants, venus pour enterrer Scupper. Les gens s'attroupaient dans un silence insolite tandis que Tate serrait les mains des hommes et des femmes de Barkley Cove qu'il connaissait et des membres de sa famille qu'il ne connaissait pas. Depuis que le shérif était venu dans le marais pour lui dire que son père était mort, Tate se laissait guider comme un somnambule – une main se posait sur son dos ou lui donnait une tape amicale sur les côtes. Il ne se rappelait rien de tout cela et il était revenu au cimetière ce jour-là pour un ultime adieu.

Au cours des derniers mois, se languissant de Kya, puis tentant de lui rendre visite en prison, il n'avait guère consacré de temps à Scupper. La culpabilité et le regret résistaient. S'il n'avait pas été aussi obsédé par son propre cœur, peut-être aurait-il remarqué que celui de son père faiblissait. Avant son arrestation, Kya avait donné les signes d'un retour possible – lui offrant un exemplaire de son premier livre, montant sur son bateau pour regarder dans le microscope, riant aux éclats quand ils s'étaient lancé le bonnet – mais, depuis le début du procès, elle s'était éloignée plus que jamais. Il se disait que la prison peut avoir cet effet sur quelqu'un.

Même en ce moment, alors qu'il se dirigeait vers la nouvelle tombe, portant une mallette en plastique marron, il se surprit à penser à Kya plus qu'à son père et s'en voulut. Il s'approcha du monticule de terre fraîchement retournée sous les chênes entre lesquels il apercevait le vaste océan. La tombe se trouvait près de celle de sa mère, celle de sa sœur de l'autre côté, toutes trois bordées par un petit muret de pierres brutes et de mortier incrusté de coquillages. Il restait assez d'espace pour lui. Tate n'avait pas l'impression que son père soit là. « J'aurais dû te faire incinérer comme Sam McGee », murmura-t-il en souriant presque. Puis, regardant de nouveau l'océan, il se prit à espérer que son père avait un bateau où qu'il puisse être. Un bateau rouge.

Il posa la mallette en plastique – un électrophone à piles – sur le sol près de la tombe et plaça un 78 tours sur la platine. Le bras de l'aiguille oscilla, puis retomba, et la voix argentée de Miliza Korjus s'éleva parmi les arbres. Il s'assit entre la tombe de sa mère et le monticule couvert de fleurs. Étrangement, il montait de la terre fraîchement retournée une odeur douce qui parlait davantage de début que de fin.

À haute voix, tête baissée, il demanda à son père de lui pardonner d'avoir passé tant de temps loin de lui, et il sentit que Scupper ne lui en gardait pas rancune. Tate se rappela la définition que donnait son père d'un homme : il savait pleurer sans honte, il pouvait lire de la poésie avec son cœur, l'opéra touchait son âme, et il savait faire ce qu'il fallait pour défendre une femme. Scupper aurait compris qu'il recherche les traces de l'amour sous la boue. Tate resta là un long moment, une main sur sa mère, l'autre sur son père.

Finalement, il effleura la tombe une toute dernière fois, retourna à son pick-up, et repartit vers son bateau amarré au port. Il allait reprendre le travail, s'immerger dans toutes les formes de vie grouillante. Plusieurs pêcheurs s'approchèrent de lui sur le dock, et il accepta gauchement des condoléances exprimées de façon tout aussi maladroite.

Tête baissée, décidé à prendre la mer avant que quiconque l'aborde encore, il monta sur le pont arrière de son petit yacht. Mais avant qu'il ne se soit installé à la barre, il découvrit une plume beige posée sur le coussin du siège. Il comprit aussitôt qu'elle provenait du jabot d'un héron de nuit femelle, une créature secrète qui avait coutume de s'enfoncer seule dans les marais sur ses longues pattes. Pourtant là, elle était toute proche de la mer.

Il regarda alentour. Impossible qu'elle soit là, si près de la ville. Il tourna la clé et s'élança en direction du sud pour regagner le marais. Il fila trop vite à travers les chenaux, effleurant les branches basses qui claquaient contre la coque. Les puissants remous qu'il soulevait vinrent heurter la rive quand il s'arrêta dans sa lagune et amarra son bateau près du sien. De la fumée montait de la cheminée de la cabane, comme d'épaisses volutes montant vers la liberté.

« Kya, s'écria-t-il. Kya ! »

Elle ouvrit la porte de la véranda et s'avança jusque sous le chêne. Elle portait une longue jupe blanche et un pull-over bleu ciel – de la couleur d'ailes d'oiseaux – et ses cheveux lui tombaient en cascade sur les épaules.

Il attendit qu'elle s'approche de lui, la prit par les épaules et posa la tête de la jeune femme contre sa poitrine, puis il recula.

« Je t'aime, Kya, tu le sais. Tu le sais depuis longtemps.

– Tu m'as abandonnée comme tous les autres.

– Je ne te quitterai plus jamais.

– Je le sais.

– Kya, est-ce que toi tu m'aimes ? Tu ne me l'as jamais dit.

– Je t'ai toujours aimé. Même toute petite – à une époque dont je ne me souviens pas – je t'aimais déjà. » Elle laissa retomber sa tête.

« Regarde-moi », murmura-t-il doucement. Elle hésita, le visage toujours baissé.

« Kya, j'ai besoin d'être sûr que les fuites et les jeux de cache-cache sont terminés. Que tu peux m'aimer sans avoir peur. »

Elle releva les yeux et les plongea dans les siens, puis le conduisit à travers bois jusqu'à la clairière des chênes, là où ils échangeaient autrefois des plumes.

57

La luciole

La première nuit, ils dormirent sur la plage, et il emménagea avec elle dans la cabane le lendemain. Faire ses bagages et les défaire avait pris le temps d'une seule marée. Comme les créatures qui vivent dans le sable.

Alors qu'ils longeaient la vague en fin d'après-midi, il lui prit la main et la regarda :

« Est-ce que tu veux m'épouser, Kya ?

– Nous sommes déjà mariés. Comme les oies sauvages.

– D'accord. Je peux accepter ça. »

Chaque matin, ils se levaient avec l'aube, Tate faisait du café et Kya préparait des beignets de maïs dans le vieux poêlon en fonte de Ma – tout noirci et cabossé – ou bien du gruau de maïs et des œufs, tandis que le soleil montait lentement sur la lagune. Le héron était perché sur une patte dans la brume. Ils traversaient les estuaires, pataugeaient dans les ruisseaux, s'avançaient dans les étroits cours d'eau pour ramasser des plumes et des amibes. Le soir venu, ils se laissaient dériver dans la vieille barque de Kya jusqu'au coucher du soleil, puis ils nageaient nus au clair de lune ou faisaient l'amour dans des lits de fougères fraîches.

Le laboratoire Archbald proposa un emploi à Kya, mais elle refusa et continua d'écrire ses livres. Tate et elle engagèrent à nouveau le bricoleur, et il leur construisit un laboratoire et un atelier, en bois brut, avec des piliers façonnés à la main et un toit en tôle ondulée pour elle derrière la cabane. Tate lui offrit un microscope et installa des tables de travail, des étagères, et des placards pour ses spécimens. Des casiers d'outils et de fournitures. Puis ils réaménagèrent la maison, ajoutant une nouvelle chambre, une salle de bains, et un salon plus grand. Elle insista pour garder la cuisine telle qu'elle était et pour ne pas faire repeindre l'extérieur, si bien que leur cabane, qui ressemblait davantage à un bungalow maintenant, continuait d'avoir l'air authentique et patinée par les ans.

D'une cabine téléphonique à Sea Oaks, elle appela Jodie, l'invita lui et sa femme Libby à venir en visite. Tous quatre explorèrent le marais et allèrent à la pêche. Quand Jodie remonta une grosse brème, Kya s'écria : « Regarde un peu. Tu en as pêché une aussi grosse que l'Alabama ! » Ils firent frire le poisson et sauter des pommes de terre aussi grosses que des œufs d'oie.

Kya ne retourna jamais à Barkley Cove de sa vie, et pour l'essentiel, Tate et elles passèrent tout leur temps seuls dans le marais. Les habitants de la ville ne la voyaient que comme une forme lointaine qui se glissait dans le brouillard et, au fil des ans, les mystères de son histoire devinrent une légende, qui se racontait et se racontait encore au dîner devant des crêpes au babeurre et des saucisses de porc épicées. Les différentes hypothèses et les commérages sur la façon dont Chase Andrews était mort continuèrent à courir.

Avec le temps, tous convinrent que le shérif n'aurait jamais dû l'arrêter. Après tout, il n'existait aucune preuve solide contre elle, aucun signe tangible qu'un crime avait été commis. On jugeait cruel d'avoir traité une jeune femme aussi timide et simple de cette façon. De temps à autre, un nouveau shérif – Jackson ne fut jamais réélu – rouvrait le dossier, menait une enquête sur un suspect ou un autre, mais il n'en sortit jamais rien. Au fil des ans, l'affaire tout entière elle aussi devint une légende. Et bien que Kya ne se soit jamais complètement remise du mépris et des soupçons qui l'avait entourée, elle se laissa peu à peu aller à un bien-être plus tranquille, quelque chose qui ressemblait au bonheur.

Un après-midi, Kya était étendue sur le doux humus qui bordait la lagune, elle attendait le retour de Tate, parti faire quelques prélèvements d'eau. Elle respirait profondément, sachant qu'il reviendrait toujours, sûre pour la première fois de sa vie qu'elle ne serait pas abandonnée. Elle entendit le ronronnement grave de son bateau qui remontait le chenal ; elle sentit ce bruit qui résonnait doucement à travers le sol. Elle se releva quand son bateau s'avança entre les broussailles et lui fit un geste de la main. Sans lâcher la barre, il lui rendit son salut mais ne sourit pas. Elle se releva.

Il amarra son embarcation au ponton qu'il avait construit et remonta la plage jusqu'à elle.

« Kya, je suis désolé. Je t'apporte de mauvaises nouvelles. Jumping est mort la nuit dernière dans son sommeil. »

Elle ressentit une violente douleur à la poitrine. Tous ceux qui l'avaient quittée l'avaient fait délibérément. Cette fois, c'était différent. Ce n'était pas un rejet ; c'était comme l'épervier de Cooper qui remontait vers le ciel. Les larmes lui coulèrent sur les joues, et Tate la prit dans ses bras.

Tate et d'ailleurs pratiquement toute la ville assistèrent à l'enterrement de Jumping. Kya non. Après l'office et l'enterrement proprement dit, elle se rendit jusqu'à la maison de Jumping et Mabel, avec la confiture de mûres qu'elle avait voulu leur porter si longtemps auparavant.

Kya marqua une pause devant la clôture. Les amis et la famille se tenaient sur le carré de terre devant la maison, propre comme un sou neuf. Certains parlaient, d'autres riaient en évoquant les histoires du vieux Jumping, et d'autres encore pleuraient. Quand elle ouvrit le portail, tout le monde la regarda, puis s'écarta pour la laisser passer. Mabel, qui se tenait sur le perron, se précipita à sa rencontre. Elles s'étreignirent, se serrèrent dans les bras l'une de l'autre en pleurant.

« Dieu du ciel, il vous aimait comme sa propre fille, dit Mabel.

– Je le sais, répondit Kya, et il était mon papa. »

Plus tard, Kya marcha jusqu'à la plage et dit adieu à Jumping avec ses propres mots, de sa façon à elle, en solitaire.

Elle arpenta le sable en se souvenant de Jumping, et se surprit à repenser à sa mère. Comme si Kya était à nouveau une petite fille de six ans, elle vit Ma s'éloigner sur le chemin sablonneux, perchée sur ses hauts talons en alligator, en évitant les profondes ornières. Mais dans cette version, Ma s'arrêtait au bout du chemin et se retournait pour agiter la main en signe d'adieu. Elle souriait à sa fille, gagnait la route, et disparaissait dans la forêt. Et cette fois-ci, enfin, Kya le comprit.

Sans larmes ni reproches, Kya murmura : « Au revoir, Ma. » Elle pensa fugitivement aux autres – à son frère Murph et à ses sœurs. Mais elle n'avait pas assez de liens avec cette famille disparue pour lui dire au revoir.

Ce regret s'évanouit lui aussi quand Jodie et Libby commencèrent à amener leurs deux enfants – Murph et Mindy – en visite chez Kya et Tate plusieurs fois par an. De nouveau, la cabane s'emplissait de vie autour du vieux fourneau, elle leur préparait les beignets de maïs de Ma, des œufs brouillés et des rondelles de tomates. Mais désormais, il y avait aussi des rires et de l'amour.

Avec les années, Barkley Cove connut de nombreux changements. Un homme venu de Raleigh construisit une élégante marina là où l'échoppe de Jumping était restée ouverte plus de cent ans. Sous des auvents bleu roi au-dessus de chaque emplacement, les yachts pouvaient faire halte. Les plaisanciers qui arrivaient en cabotant du nord et du sud se rassemblaient à Barkley Cove et payaient jusqu'à trois dollars cinquante un expresso.

Dans Main Street, on vit fleurir de petits cafés sur les trottoirs avec des parasols multicolores et des galeries d'art exposant des marines. Une dame de New York ouvrit un magasin de souvenirs qui vendait tout ce dont les habitants n'avaient pas besoin mais que les touristes réclamaient à cor et à cri. Dans pratiquement toutes les boutiques, il y avait un présentoir spécial pour les livres de « Catherine Danielle Clark, auteur local et biologiste médaillée ». Le gruau de maïs figurait sur les menus sous le nom de « polenta à la sauce aux champignons » et atteignait les six dollars. Et un jour, des touristes venues de l'Ohio entrèrent dans la brasserie Dog-Gone, sans se douter quelles étaient les premières femmes à franchir ce seuil, et commandèrent des crevettes épicées dans des barquettes en carton et de la bière, désormais vendue à la pression. Des hommes et des femmes, de toutes couleurs de peau, peuvent aujourd'hui passer la porte, mais le guichet ménagé dans le mur pour que les femmes puissent commander en restant sur le trottoir est encore là.

Tate continua de travailler au laboratoire, et Kya publia sept livres de plus qui tous reçurent des prix. Et même si elle se vit attribuer beaucoup de récompenses – entre autres un doctorat *honoris causa* de l'université de Caroline du Nord à Chapel Hill –, elle n'accepta jamais les invitations à venir donner des conférences dans les universités et les musées.

Tate et Kya espéraient fonder une famille, mais ils ne parvinrent jamais à avoir d'enfants. Cette déception les souda davantage encore, et ils ne se séparaient jamais plus de quelques heures par jour.

Parfois, Kya marchait seule sur la plage et, tandis que le coucher du soleil embrasait le ciel, elle sentait les vagues cogner dans son cœur. Elle se penchait, touchait le sable, puis tendait les bras vers les nuages. Elle ressentait les liens. Non pas ceux dont Ma et Mabel avaient parlé – Kya n'eut jamais de bande d'amis proches, ni les liens que Jodie avait décrits, parce qu'elle n'avait jamais connu sa propre famille. Les années de solitude qu'elle avait traversées avaient altéré son comportement au point qu'elle finisse par être différente des autres, mais ce n'était pas sa faute si elle avait été abandonnée de tous. Presque tout ce qu'elle savait, elle l'avait appris de la nature. Du monde sauvage. La nature l'avait nourrie, instruite et protégée quand personne n'était là pour le faire. Si sa façon de se comporter différemment des autres avait eu des conséquences, celles-ci aussi faisaient partie du noyau dur de la vie.

Les sentiments que lui portait Tate finirent par la convaincre que l'amour humain est plus fort que les étranges compétitions auxquelles se livrent les créatures du marais pour s'accoupler, mais l'existence lui apprit aussi que les gènes anciens de la survie persistent sous des formes indésirables dans les spirales du code génétique des hommes.

Pour Kya, il était suffisant de faire partie de cette suite naturelle d'événements, rythmée par la même régularité que les marées. Elle se sentait attachée à sa planète d'une façon que peu de gens connaissent. Elle était enracinée dans la terre. Elle lui devait la vie.

À soixante-quatre ans, Kya vit ses longs cheveux noirs devenir aussi blancs que le sable. Un soir où elle était partie en expédition pour collecter des spécimens, elle ne rentra pas, et Tate sillonna le marais à sa recherche. Alors que le crépuscule tombait, au détour d'une boucle de la rivière, il vit sa barque dériver dans une lagune bordée de sycomores qui effleuraient le ciel. Kya était tombée à la renverse, la tête posée contre son vieux sac à dos. Il murmura son prénom et, voyant qu'elle ne bougeait pas, il le répéta plus fort, puis se mit à crier. Amarrant son bateau près du sien, il tituba gauchement jusqu'à l'arrière de sa barque. Il tendit ses longs bras, la prit par les épaules et la secoua gentiment. Sa tête retomba sur le côté. Ses yeux étaient aveugles.

« Kya, Kya, non. Non ! »

Encore jeune et tellement belle ! Son cœur s'était arrêté doucement de battre. Paisiblement. Elle avait vécu assez longtemps pour voir les pygargues à tête blanche revenir ; pour Kya, c'était suffisant. La serrant dans ses bras, il la berça en pleurant. Il l'enveloppa dans une couverture et la ramena jusqu'à sa lagune dans la vieille barque à travers un labyrinthe de ruisseaux et d'estuaires, où pour la dernière fois elle passa devant les hérons et les cerfs.

Et quand la mort sera proche, je cacherai
Ma fiancée dans le tronc d'un cyprès.

Il obtint la permission spéciale de l'inhumer sur ses terres sous un chêne qui dominait la mer, et toute la ville assista à l'enterrement. Kya n'aurait jamais imaginé l'hommage d'un aussi long cortège. Bien sûr, Jodie et sa famille étaient présents ainsi que tous les cousins de Tate. Il y avait aussi quelques curieux, mais la plupart des gens étaient venus par respect pour la façon dont elle avait survécu toutes ces années seule dans le marais. Certains se souvenaient de la petite fille, dans son manteau trop grand et loqueteux, qui venait en barque jusqu'au port, marchait pieds nus jusqu'à l'épicerie pour acheter du gruau de maïs. Certains voulaient s'incliner sur sa tombe parce que ses livres leur avaient appris comment le marais relie la terre à l'océan, combien ils ont chacun besoin de l'autre. Tate désormais avait compris que la façon dont tous l'appelaient n'avait rien de cruel. Seuls quelques rares surnoms deviennent une légende, et donc, comme épitaphe, il choisit de faire graver :

Catherine Danielle Clark
« Kya »
La Fille des marais
1945-2009

Le soir de son enterrement, quand tout le monde fut enfin parti, Tate rentra dans le laboratoire de Kya. Ses échantillons soigneusement étiquetés, collectés pendant plus de cinquante ans, constituaient la collection la plus exhaustive et la plus ancienne qui soit. Elle avait souhaité qu'on en fasse don au laboratoire Archbald, et un jour Tate suivrait ses instructions, mais s'en séparer aujourd'hui lui paraissait impensable. Il entra dans la cabane – comme elle l'avait toujours appelée – et il sentit que les murs exhalaient encore son souffle, que le plancher murmurait encore son pas, et il ne put s'empêcher de crier son nom. Puis il s'adossa au mur, et pleura longtemps. Il souleva le vieux sac à dos et le serra contre sa poitrine.

Les employés de l'état civil avaient demandé à Tate de rechercher le testament et le certificat de naissance de Kya. Dans la vieille chambre du fond, qui autrefois avait été celle de ses parents, il fouilla le placard et trouva tout au fond des cartons presque cachés sous des couvertures ; il les posa sur le plancher et il s'assit à côté.

Avec un soin infini, il ouvrit une vieille boîte à cigares, celle dans laquelle elle avait placé les premiers objets de sa collection. La boîte sentait encore le tabac aromatisé et exhalait un parfum de petite fille. Parmi quelques plumes d'oiseaux, des ailes d'insectes et diverses graines, se trouvaient le bocal qui contenait les cendres de la lettre de Ma, et un flacon de vernis à ongles Revlon, « Rose nacré ». Les bribes et les traces d'une vie. Les pierres de son ruisseau. Tout au fond de la boîte, il trouva l'acte de propriété du terrain, que Kya avait protégé de toute acquisition, et de toute entreprise menée par des promoteurs. Cette fraction du marais au moins resterait sauvage. Mais il n'y avait ni testament ni instructions personnelles, ce qui ne le surprit pas, elle n'aurait jamais pensé à pareille chose. Tate décida de passer le restant de ses jours dans cette maison, en sachant que c'était ce qu'elle avait voulu et que Jodie ne s'y opposerait pas.

Plus tard dans la journée, alors que le soleil se couchait derrière la lagune et que Tate touillait sur le fourneau une bouillie de maïs pour les oiseaux de mer, sans y réfléchir, il baissa les yeux vers le plancher de la cuisine. Il eut un mouvement de surprise en constatant pour la première fois que le lino n'avait jamais été glissé sous le tas de bois ou la vieille cuisinière. Kya conservait toujours une grosse pile de bûches, même en été, mais en ce moment, il en restait peu, et il remarqua que le bout d'une latte avait été découpé. Il déplaça les bûches restantes et remarqua une trappe ménagée dans le contreplaqué. S'agenouillant, il la souleva et découvrit un compartiment fermé entre les traverses, qui contenait entre autres choses un vieux carton couvert de poussière. Il le tira de sa cachette et y trouva des dizaines d'enveloppes en papier kraft et une petite boîte. Toutes les enveloppes portaient les initiales AH et il en sortit des pages et des pages de poèmes composés par Amanda Hamilton, cette poétesse du cru qui avait souvent publié dans les magazines régionaux. Tate avait toujours jugé ces poèmes assez inintéressants, mais Kya avait manifestement conservé ces innombrables coupures de journaux, et les enveloppes en étaient pleines. Sur certaines pages, il lut des poèmes terminés, mais la plupart étaient inachevés, avec des lignes raturées et quelques mots corrigés dans la marge de la main de l'auteur : l'écriture de Kya.

Amanda Hamilton n'était autre que Kya. Kya était la poétesse. Incrédule, Tate fit la grimace. Au fil des ans, elle avait dû poster ses poèmes en les confiant à la vieille boîte à lettres rouillée, les soumettant aux magazines locaux pour publication. À l'abri d'un nom de plume. Une façon peut-être de tendre la main, d'exprimer ses sentiments à quelqu'un d'autre que les oiseaux de mer. Une parole adressée.

Il parcourut quelques-uns des textes, qui, pour la plupart, parlaient de la nature ou d'amour. L'un d'eux avait été soigneusement glissé dans une enveloppe. Il le déplia et lut :

LA LUCIOLE
Il n'avait pas été difficile à berner :
Rien qu'un serment d'amour aisément proféré.
Mais pareil à l'appel que lance la luciole
C'est la mort que cachaient mes belles cabrioles.
Un geste décidé
Laissé inachevé…
La trappe qui l'attend
Et le voilà qui tombe
Ses yeux fixant les miens
Il voit un autre monde.
Je les ai vus changer
D'abord une question
Et bientôt la réponse
Avant la toute fin.
L'amour regagne alors ce néant dont il vient
Là où sans être né il ne sera plus rien.

A. H.

Toujours à genoux sur le plancher, Tate serra le papier contre son cœur qui cognait dans sa poitrine. Il regarda par la fenêtre pour vérifier que personne ne venait sur le chemin – aucune chance d'ailleurs, pourquoi l'aurait-on fait ? Mais mieux valait s'en assurer. Puis il ouvrit la petite boîte, sachant ce qu'il allait y découvrir. Là, soigneusement posé sur le coton, se trouvait le pendentif que Chase avait porté jusqu'à la nuit de sa mort.

Tate s'assit à la table de la cuisine un long moment, mesurant peu à peu les implications de sa découverte, s'imaginant Kya prenant des cars la nuit, profitant du courant, échafaudant ses plans au clair de lune. Puis appelant doucement Chase dans l'obscurité. Le poussant en arrière. Ensuite, accroupie dans la boue au pied de la tour, lui soulevant la tête, déjà lourde, pour reprendre le coquillage. Faisant disparaître ses empreintes, ne laissant aucune trace.

Après avoir découpé du petit bois, Tate fit du feu dans le vieux poêle et, une enveloppe après l'autre, brûla tous les poèmes. Il n'était peut-être pas nécessaire de tous les faire disparaître, il aurait peut-être dû se contenter de celui-là, mais il n'avait pas les idées très claires. Les vieux papiers jaunis firent jaillir une flamme haute de plus de trente centimètres avant de retomber en cendres. Il détacha le coquillage, lâcha le cordon de cuir dans le feu, et remit les planches du parquet en place.

Puis, dans la pénombre, il se dirigea vers la plage et se campa sur un lit blanc de coquilles et de carapaces écrasées. Pendant une seconde, il fixa le coquillage de Chase dans sa paume ouverte puis le laissa tomber sur le sable. Pareil à tous les autres, il disparut. La marée montait, et une vague lui recouvrit les pieds, emportant avec elle des centaines de coquillages tous semblables vers la mer.

Kya avait appartenu à cette terre et à cette eau ; maintenant elles allaient la reprendre. Elles sauraient garder ses secrets. Puis les goélands et les mouettes s'approchèrent. Le voyant là, ils tournoyèrent au-dessus de sa tête en criaillant. Comme un appel.

Alors que la nuit tombait, Tate retourna vers la cabane. Mais quand il atteignit la lagune, il fit une pause sous les épais feuillages et observa les centaines de lucioles dont les lumières clignotaient jusqu'au plus profond du marais. Loin là-bas, où l'on entend le chant des écrevisses.

Remerciements

À mon frère jumeau, Bobby Dykes, mes plus profonds remerciements pour une vie entière d'encouragements et de soutien. Merci à ma sœur, Helen Cooper, d'avoir toujours été là pour moi, et à mon frère, Lee Dykes, d'avoir cru en moi. Je suis si reconnaissante à mes amis de toujours et à ma famille pour leur indéfectible soutien, leurs encouragements et les rires partagés : Amanda Walker Hall, Margaret Walker Weatherly, Barbara Clark Copeland, Joanne et Tim Cady, Mona Kim Brown, Bob Ivey et Jill Bowman, Mary Dykes, Doug Kim Brown, Ken Eastwell, Jesse Chastain, Steve O'Neil, Andy Vann, Napier Murphy, Linda Denton (et pour le cheval et les randonnées à ski), Sabine Dahlmann, ainsi que Greg et Alicia Johnson.

Pour avoir lu et commenté ce manuscrit, je remercie : Joanne et Tim Cady (tant de relectures !), Jill Bowman, Bob Ivey, Carolyn Testa, Dick Burgheim, Helen Cooper, Peter Matson, Mary Dykes, Alexandra Fuller, Mark Owens, Dick Houston, Janet Gause, Jennifer Durbin, John O'Connor et Leslie Anne Keller.

À mon agent, Russell Galen, je veux dire ma gratitude d'avoir aimé et compris Kya et les lucioles, et pour sa détermination à ce que cette histoire voie le jour.

Merci à G. P. Putnam's Sons d'avoir publié mon récit. Je suis si reconnaissante à mon éditrice, Tara Singh Carlson, pour tous ses encouragements, son si beau travail et sa vision de mon roman. Également chez Putnam, mes remerciements vont à Helen Richard pour son aide précieuse à chaque étape.

Des remerciements spéciaux à Hannah Cady pour sa collaboration enthousiaste aux tâches les plus humbles et les plus ingrates – un peu comme celles auxquelles il faut se livrer pour allumer un feu de camp – qui accompagnent l'écriture d'un roman.

RÉALISATION : NORD COMPO À VILLENEUVE-D'ASCQ
IMPRESSION : CPI FRANCE
DÉPÔT LÉGAL : MAI 2021. N° 148057-4 (3044969)
IMPRIMÉ EN FRANCE

Éditions Points

Collection Points Les Grands Romans

P8. La Marche de Radetzky, *Joseph Roth*
P46. La Ville des prodiges, *Eduardo Mendoza*
P52. La Maison du guerrier. Dar Baroud, *Louis Gardel*
P66. L'Inquisiteur, *Henri Gougaud*
P76. Pour la plus grande gloire de Dieu, *Morgan Sportès*
P87. L'Alliance, tome 1, *James A. Michener*
P88. L'Alliance, tome 2, *James A. Michener*
P117. Le Tarbouche, *Robert Solé*
P154. Le Maître d'escrime, *Arturo Pérez-Reverte*
P163. La Mère du printemps (L'Oum-er-Bia) *Driss Chraïbi*
P174. Le Dieu manchot, *José Saramago*
P196. La Crypte des capucins, *Joseph Roth*
P231. Ceux de 14, *Maurice Genevoix*
P236. Le Sémaphore d'Alexandrie, *Robert Solé*
P260. Le Guépard, *Giuseppe Tomasi di Lampedusa*
P263. Un loup est un loup, *Michel Folco*
P280. Dixie, *Julien Green*
P301. Dieu et nous seuls pouvons, *Michel Folco*
P305. L'Homme à la vie inexplicable, *Henri Gougaud*
P306. Bélibaste, *Henri Gougaud*
P345. Kamouraska, *Anne Hébert*
P349. Fort Saganne, *Louis Gardel*
P374. L'Amant du volcan, *Susan Sontag*
P387. Les Seigneurs du thé, *Hella S. Haasse*
P396. Le Médecin de Cordoue, *Herbert Le Porrier*
P452. La Femme de chambre du *Titanic*, *Didier Decoin*
P453. Abraham de Brooklyn, *Didier Decoin*
P484. Les Lauriers du lac de Constance, *Marie Chaix*
P518. La Peau du tambour, *Arturo Pérez-Reverte*
P524. L'Expédition, *Henri Gougaud*
P529. Sarah et le Lieutenant français, *John Fowles*
P545. La Terre et le Sang, *Mouloud Feraoun*
P546. L'Aurore des bien-aimés, *Louis Gardel*
P562. La Poussière du monde, *Jacques Lacarrière*
P623. Marie d'Égypte. Ou le désir brûlé, *Jacques Lacarrière*
P641. Pologne, *James A. Michener*
P655. Naissance à l'aube, *Driss Chraïbi*
P660. Nu couché, *Dan Franck*
P692. Le Roman du conquérant, *Nedim Gürsel*

P738. La Porte d'or, *Michel Le Bris*
P740. Les Bûchers de Bocanegra, *Arturo Pérez-Reverte*
P753. Le Soleil de Breda, *Arturo Pérez-Reverte*
P845. Les Enfants des morts, *Heinrich Böll*
P868. Le Seul Amant, *Éric Deschodt, Jean-Claude Lattès*
P874. L'Opéra de Vigàta, *Andrea Camilleri*
P894. Les Trois Vies de Babe Ozouf, *Didier Decoin*
P974. Les Feux du Bengale, *Amitav Ghosh*
P991. Les Étoiles du Sud, *Julien Green*
P992. En avant comme avant !, *Michel Folco*
P1033. Arthur, *Michel Rio*
P1047. Le Grand Roman indien, *Shashi Tharoor*
P1059. Le Mètre du monde, *Denis Guedj*
P1077. Les Turbans de Venise, *Nedim Gürsel*
P1091. Les Comptoirs du Sud, *Philippe Doumenc*
P1128. Les Adieux à la reine, *Chantal Thomas*
P1200. Le Luthier de Crémone, *Herbert Le Porrier*
P1217. Les Cheveux de Bérénice, *Denis Guedj*
P1290. La Dormeuse de Naples, *Adrien Goetz*
P1334. L'Amandière, *Simonetta Agnello Hornby*
P1388. Le Gentilhomme au pourpoint jaune
Arturo Pérez-Reverte
P1458. Sisyphe, roi de Corinthe. Le Châtiment des dieux I
François Rachline
P1459. Le Voyage d'Anna, *Henri Gougaud*
P1460. Le Hussard, *Arturo Pérez-Reverte*
P1461. Les Amants de pierre, *Jane Urquhart*
P1462. Corcovado, *Jean-Paul Delfino*
P1500. La Tante marquise, *Simonetta Agnello Hornby*
P1501. Anita, *Alicia Dujovne Ortiz*
P1553. Saint-Sépulcre !, *Patrick Besson*
P1568. La Rose pourpre et le Lys, tome 1, *Michel Faber*
P1569. La Rose pourpre et le Lys, tome 2, *Michel Faber*
P1570. Sarnia, *Gerald Basil Edwards*
P1571. Saint-Cyr. La Maison d'Esther, *Yves Dangerfield*
P1586. Femme en costume de bataille, *Antonio Benitez-Rojo*
P1587. Le Cavalier de l'Olympe. Le Châtiment des dieux II
François Rachline
P1588. Le Pas de l'ourse, *Douglas Glover*
P1627. Equador, *Miguel Sousa Tavares*
P1628. Du côté où se lève le soleil, *Anne-Sophie Jacouty*
P1629. L'Affaire Hamilton, *Michelle de Kretser*
P1630. Une passion indienne, *Javier Moro*
P1674. L'Époux divin, *Fransisco Goldman*
P1689. En la forêt de Longue Attente.
Le roman de Charles d'Orléans, *Hella S. Haasse*

P5319. L'Effet maternel, *Virginie Linhart*
P5320. L'Amour, le rôle de notre vie. Rééduquer les cœurs *Sarah Serievic*
P5321. Comme au cinéma, *Fiona Kidman*
P5322. La Déesse des mouches à feu, *Geneviève Pettersen*
P5323. Dé mem brer, *Joyce Carol Oates*
P5324. Conversations entre amis, *Sally Rooney*
P5325. Tous les hommes n'habitent pas le monde de la même façon, *Jean-Paul Dubois*
P5326. La Leçon de ténèbre, *Léonor de Récondo*
P5327. Disparaître, *Mathieu Menegaux*
P5328. Le Cercle des hommes, *Pascal Manoukian*
P5329. Il y a un seul amour, *Santiago H. Amigorena*
P5330. Solénoïde, *Mircea Cărtărescu*
P5331. « La vraie vie est absente ». Et autres fragments rimbaldiens. *Suivi du* Dictionnaire homo-érotique *Arthur Rimbaud, Frédéric Martel*
P5332. Un participe qui ne passe pas, *Bernard Cerquiglini*
P5333. La Monnaie des songes et autres recueils *Marie-Christine Gordien*
P5334. Une jupe trop courte. Récits de la cuisine, *Sofi Oksanen*
P5335. L'Homme aux murmures, *Alex North*
P5336. Jeux de dames, *André Buffard*
P5337. Les Fantômes de Reykjavik, *Arnaldur Indridason*
P5338. La Défaite des idoles, *Benjamin Dierstein*
P5339. Les Ombres de la toile, *Christopher Brookmyre*
P5340. Dry Bones, *Craig Johnson*
P5341. Une femme de rêve, *Dominique Sylvain*
P5342. Les Oubliés de Londres, *Eva Dolan*
P5343. Chinatown Beat, *Henry Chang*
P5344. Sang chaud, *Kim Un-Su*
P5345. Si tu nous regardes, *Patrice Guirao*
P5346. Tu vois !, *Patrice Guirao*
P5347. Du sang sur l'asphalte, *Sara Gran*
P5348. Cool Killer, *Sébastien Dourver*
P5349. City of Windows, *Robert Pobi*
P5350. L'Avenir des simples, *Jean Rouaud*
P5351. La Solitude de François, *Marco Politi*
P5352. Jenny Bel'Air, une créature, *François Jonquet*
P5353. Sororité, *Chloé Delaume, Collectif*
P5354. Le Regard féminin. Une révolution à l'écran, *Iris Brey*
P5355. Le Sexe selon Maïa. Au-delà des idées reçues *Maïa Mazaurette*
P5356. Testo Junkie. Sexe, drogue et biopolitique *Paul B. Preciado*

P5357. Heureux et Grincheux. 108 conseils d'un moine bouddhiste pour profiter de la vie, *Ajahn Brahm*
P5358. Voyage sans cartes, *Graham Greene*
P5359. La Folle Équipée, *Patrice Franceschi*
P5360. Là où chantent les écrevisses, *Delia Owens*
P5361. La Redoutable Veuve Mozart, *Isabelle Duquesnoy*
P5362. Les Trois Filles du Capitán, *Maria Duenas*
P5363. América, *Michel Moutot*
P5364. Cités à la dérive, I. Le cercle, *Stratis Tsirkas*
P5367. Alta Rocca, *Philippe Pujol*
P5368. Café Vivre. Chroniques en passant, *Chantal Thomas*
P5369. Victor Kessler n'a pas tout dit, *Cathy Bonidan*
P5370. Projet Starpoint, tome 2, *Marie-Lorna Vaconsin*
P5372. Retour de service, *John le Carré*
P5373. Coupable de tout, *Herbert Huncke*
P5374. La Vie vagabonde, *Lawrence Ferlinghetti*
P5375. De l'urgent, du presque rien et du rien du tout *Olivier de Kersauson*
P5376. Nous ne trahirons pas le poème. Et autres recueils *Rodney Saint Eloi*
P5377. Le Chant du collectionneur de pierres. Et autres recueils *Sjón*
P5378. Angkar, *Christian Blanchard*
P5379. Que tombe le silence, *Christophe Guillaumot*
P5380. Nuuk, *Mo Malø*
P5381. Or, encens et poussière, *Valerio Varesi*
P5382. Le Goût du rouge à lèvres de ma mère, *Gabrielle Massat*
P5383. Richesse oblige, *Hannelore Cayre*
P5384. Breakdown, *Jonathan Kellerman*
P5385. Mauvaise graine, *Nicolas Jaillet*
P5386. Le Séminaire des assassins, *Petros Markaris*
P5387. Y. La Trilogie de K, *Serge Quadruppani*
P5388. Norlande, *Jérôme Leroy*
P5389. Trahison, *Lilja Sigurdardóttir*
P5390. Noire n'est pas mon métier, *Collectif*
P5391. Lady Lucille, *Gilles Lhote*
P5392. Le Journal de Frank Berton, *Elsa Vigoureux*
P5393. Harry et Meghan, libres *Caroline Durand, Omid Scobie*
P5394. Chroniques de l'homme d'avant, *Philippe Lançon*
P5395. Tomber amoureux de ce qui est, *Jeff Foster*
P5396. Amelia. Le fascinant destin de la plus grande aviatrice du monde, *Bernard Marck*
P5397. Un art de parcourir le monde. Paris - Hong Kong à vélo. 11 155 km, 371 jours, 23 pays, *Florian Coupé*
P5398. Les Aventurières du ciel, *Katell Faria*

P5244. L'Heure d'été, *Prune Antoine*
P5245. Pourquoi je déteste l'économie, *Robert Benchley*
P5246. Cora dans la spirale, *Vincent Message*
P5247. La Danse du roi, *Mohammed Dib*
P5248. Il était une fois dans l'Est, *Arpád Soltész*
P5249. La Tentation du pardon, *Donna Leon*
P5250. Ah, les braves gens !, *Franz Bartelt*
P5251. Crois-le !, *Patrice Guirao*
P5252. Lyao-Ly, *Patrice Guirao*
P5253. À sang perdu, *Rae DelBianco*
P5254. Mémoires vives, *Edward Snowden*
P5255. La Plus Belle Histoire de l'intelligence
Stanislas Dehaene, Yann Le Cun, Jacques Girardon
P5256. J'ai oublié, *Bulle Ogier, Anne Diatkine*
P5257. Endurance. L'incroyable voyage de Shackleton
Alfred Lansing
P5258. Le Cheval des Sforza, *Marco Malvaldi*
P5259. La Purge, *Arthur Nesnidal*
P5260. Eva, *Arturo Pérez-Reverte*
P5261. Alex Verus. Destinée, tome 1, *Benedict Jacka*
P5262. Alex Verus. Malediction, tome 2, *Benedict Jacka*
P5263. Alex Verus. Persécution, tome 3, *Benedict Jacka*
P5264. Neptune Avenue, *Bernard Comment*
P5265. Dernière Sommation, *David Dufresne*
P5266. Dans la maison de la liberté, *David Grossman*
P5267. Le Roman de Bolaño, *Gilles Marchand, Eric Bonnargent*
P5268. La Plus Précieuse des marchandises. Un conte
Jean-Claude Grumberg
P5269. L'avenir de la planète commence dans notre assiette
Jonathan Safran Foer
P5270. Le Maître des poupées, *Joyce Carol Oates*
P5271. Un livre de martyrs américains, *Joyce Carol Oates*
P5272. Passe-moi le champagne, j'ai un chat dans la gorge
Loïc Prigent
P5273. Invasion, *Luke Rhinehart*
P5274. L'Extase du selfie. Et autres gestes qui nous disent
Philippe Delerm
P5275. Archives des enfants perdus, *Valeria Luiselli*
P5276. Ida, *Hélène Bessette*
P5277. Une vie violente, *Pier Paolo Pasolini*
P5278. À cinq ans, je suis devenue terre-à-terre, *Jeanne Cherhal*
P5279. Encore plus de bonbons sur la langue. Le français
n'a jamais fini de vous surprendre !, *Muriel Gilbert*
P5280. L'Ivre de mots, *Stéphane de Groodt*
P5281. The Flame, *Leonard Cohen*
P5282. L'Artiste, *Antonin Varenne*

P5283. Les Roses de la nuit, *Arnaldur Indridason*
P5284. Le Diable et Sherlock Holmes, *David Grann*
P5285. Coups de vieux, *Dominique Forma*
P5286. L'Offrande grecque, *Philip Kerr*
P5287. Régression, *Fabrice Papillon*
P5288. Un autre jour, *Valentin Musso*
P5289. La Fabrique du crétin digital, *Michel Desmurget*
P5290. Le Grand Manipulateur. Les réseaux secrets de Macron
Marc Endeweld
P5291. Vieillir ensemble. Un tour du monde des solutions qui rapprochent les générations
Clément Boxefeld, Julia Chourri
P5292. La vie est une célébration, *Mata Amritanandamayi*
P5293. Les Plus Beaux Contes zen, *Henri Brunel*
P5295. L'Indomptée. La papesse Jeanne, *Donna Cross*
P5296. Au cœur de la violence, *Edouard Louis*
P5297. Querelle, *Kevin Lambert*
P5298. Ordesa, *Manuel Vilas*
P5299. Papa, *Régis Jauffret*
P5300. Un peu, beaucoup, passionnément, à la folie, pas du tout
Alice Munro
P5301. Ainsi parlait ma mère, *Rachid Benzine*
P5302. Lake Success, *Gary Shteyngart*
P5303. L'Ombre d'un père, *Christoph Hein*
P5304. Nino dans la nuit, *Simon Johannin, Capucine Johannin*
P5305. Zébu Boy, *Aurélie Champagne*
P5306. Monsieur le Commandant, *Romain Slocombe*
P5307. Le Bureau des jours perdus et Autres Récits étranges
Eric Faye
P5308. Ces îles de plein sel et autres poèmes
Louis-Philippe Dalembert
P5309. Habitant de nulle part, originaire de partout
Souleymane Diamanka
P5310. Hammett Détective, *Stéphanie Benson, Benjamin et Julien Guérif, Jérôme Leroy, Marcus Malte, Jean-Hugues Oppel, Benoît Séverac, Marc Villard, Tim Willocks*
P5311. L'Arbre aux fées, *B. Michael Radburn*
P5312. Le Coffre, *Jacky Schwartzmann, Lucian-Dragos Bogdan*
P5313. Le Manteau de neige, *Nicolas Leclerc*
P5314. L'Île au secret, *Ragnar Jónasson*
P5315. Sous les eaux noires, *Lori Roy*
P5316. La Chute du monstre. Marseille année zéro
Philippe Pujol
P5317. Lesbos, la honte de l'Europe, *Jean Ziegler*
P5318. Algérie. La nouvelle indépendance, *Jean-Pierre Filiu*

P4586. Lointaines Merveilles, *Chantel Acevedo*
P4599. Comme deux sœurs, *Rachel Shalita*
P4642. Le Jour de l'émancipation, *Wayne Grady*
P4643. La Cure de Framley, *Anthony Trollope*
P4646. Histoire du lion Personne, *Stéphane Audeguy*
P4707. La Ville des tempêtes, *Jean Contrucci*
P4750. Deux hommes de bien, *Arturo Pérez-Reverte*
P4770. Avant que les ombres s'effacent
Louis-Philippe Dalembert
P4796. Fille de l'air, *Fiona Kidman*
P4805. Soledad, *María Dueñas*
P4813. L'Embaumeur, *Isabelle Duquesnoy*
P4818. Lucia, Lucia, *Adriana Trigiani*
P4834. L'Empereur à pied, *Charif Majdalani*
P4837. Je suis Jeanne Hébuterne, *Olivia Elkaim*
P4926. Quatre lettres d'amour, *Niall Williams*
P4938. Kong, *Michel Le Bris*
P4952. Niels, *Alexis Ragougneau*
P5000. L'Expédition de l'espoir, *Javier Moro*
P5001. Séquoias, *Michel Moutot*
P5002. Indu Boy, *Catherine Clément*
P5104. Le Prix, *Cyril Gely*
P5182. Très chère Valentine, *Adriana Trigani*
P5183. La Partition, *Diane Brasseur*
P5184. Château de femmes, *Jessica Shattuck*
P5185. Les Âmes silencieuses, *Mélanie Guyard*
P5186. Le Cartographe des Indes boréales, *Olivier Truc*
P5187. Les Méandres du Nil, *Robert Solé*
P5228. N'oublie pas de te souvenir, *Jean Contrucci*
P5229. Mur méditerranée, *Louis-Philippe Dalembert*
P5230. La Débâcle, *Romain Slocombe*
P5258. Le Cheval des Sforza, *Marco Malvaldi*
P5295. L'Indomptée. La papesse Jeanne, *Donna Cross*
P5321. Comme au cinéma, *Fiona Kidman*
P5360. Là où chantent les écrevisses, *Delia Owens*
P5361. La Redoutable Veuve Mozart, *Isabelle Duquesnoy*
P5362. Les Trois Filles du Capitán, *Maria Duenas*
P5363. América, *Michel Moutot*
P5364. Cités à la dérive, I. Le cercle, *Stratis Tsirkas*
P5367. Alta Rocca, *Philippe Pujol*

Éditions Points

DERNIERS TITRES PARUS

P5205. Travelling. Un tour du monde sans avion
Tangy Viel, Christian Garcin
P5206. Va où il est impossible d'aller. Mémoires, *Costa-Gavras*
P5207. Tous les films sont politiques. Pour Costa-Gavras
Edwy Plenel
P5209. Les Imprudents. Sur les traces des résistants du maquis
Bir-Hakeim, *Olivier Bertrand*
P5210. Maudits mots. La fabrique des insultes racistes
Marie Treps
P5211. Les Mots du football, *Vincent Duluc*
P5212. En marge, *Silvia Baron Supervielle*
P5213. Le Cœur et la Chair, *Ambrose Parry*
P5214. Dernier Tacle, *Emmanuel Petit, Gilles Del Pappas*
P5215. Crime et Délice, *Jonathan Kellerman*
P5216. Le Sang noir des hommes, *Julien Suaudeau*
P5217. À l'ombre de l'eau, *Maïko Kato*
P5218. Vik, *Ragnar Jónasson*
P5219. Koba, *Robert Littell*
P5220. Le Dernier Thriller norvégien, *Luc Chomarat*
P5222. Steak machine, *Geoffrey Le Guilcher*
P5224. Petit Traité de bienveillance envers soi-même
Serge Marquis
P5225. Sex & Rage, *Eve Babitz*
P5226. Histoire de ma vie, *Henry Darger*
P5227. Hors-bord, *Renata Adler*
P5228. N'oublie pas de te souvenir, *Jean Contrucci*
P5229. Mur méditerranée, *Louis-Philippe Dalembert*
P5230. La Débâcle, *Romain Slocombe*
P5231. À crier dans les ruines, *Alexandra Koszelyk*
P5233. Nuit d'épine, *Christiane Taubira*
P5234. Les Fillettes, *Clarisse Gorokhoff*
P5235. Le Télégraphiste de Chopin, *Eric Faye*
P5236. La Terre invisible, *Hubert Mingarelli*
P5237. Une vue exceptionnelle, *Jean Mattern*
P5238. Louvre, *Josselin Guillois*
P5239. Les Petits de décembre, *Kaouther Adimi*
P5240. Les Yeux rouges, *Myriam Leroy*
P5241. Dévorer le ciel, *Paolo Giordano*
P5242. Amazonia, *Patrick Deville*
P5243. La Grande à bouche molle, *Philippe Jaenada*

P2850. Le Roman de Bergen. 1950 Le Zénith – tome IV
Gunnar Staalesen
P2851. Pour tout l'or du Brésil, *Jean-Paul Delfino*
P2864. Rêves de Russie, *Yasushi Inoué*
P2865. Des garçons d'avenir, *Nathalie Bauer*
P2903. Cadix, ou la diagonale du fou, *Arturo Pérez-Reverte*
P2904. Cranford, *Elizabeth Gaskell*
P2905. Les Confessions de Mr Harrison, *Elizabeth Gaskell*
P2906. Jón l'Islandais, *Bruno d'Halluin*
P2948. Les Mille Automnes de Jacob de Zoet, *David Mitchell*
P2949. La Tuile de Tenpyô, *Yasushi Inoué*
P2981. Karitas, livre II – L'art de la vie
Kristín Marja Baldursdóttir
P3003. Pour l'amour de Rio, *Jean-Paul Delfino*
P3004. Les Traîtres, *Giancarlo de Cataldo*
P3016. La Reine des Cipayes, *Catherine Clément*
P3017. Job. Roman d'un homme simple, *Joseph Roth*
P3037. Doña Isabel (ou la véridique et très mystérieuse histoire d'une Créole perdue dans la forêt des Amazones)
Christel Mouchard
P3057. Les Sœurs Brelan, *François Vallejo*
P3058. L'Espionne de Tanger, *María Dueñas*
P3071. Les Amoureux de Sylvia, *Elizabeth Gaskell*
P3072. Cet été-là, *William Trevor*
P3085. Quel trésor !, *Gaspard-Marie Janvier*
P3086. Rêves oubliés, *Léonor de Récondo*
P3087. Le Valet de peinture, *Jean-Daniel Baltassat*
P3102. Relevé de terre, *José Saramago*
P3145. Le Pont des assassins, *Arturo Pérez-Reverte*
P3146. La Dactylographe de Mr James, *Michiel Heyns*
P3147. Télex de Cuba, *Rachel Kushner*
P3154. Au pays du Cerf blanc, *Chen Zhongshi*
P3155. Juste pour le plaisir, *Mercedes Deambrosis*
P3179. Richard W., *Vincent Borel*
P3180. Moi, Clea Shine, *Carolyn D. Wall*
P3210. Le Roman de Bergen. 1999 Le crépuscule – tome V
Gunnar Staalesen
P3211. Le Roman de Bergen. 1999 Le crépuscule – tome VI
Gunnar Staalesen
P3246. Un homme loyal, *Glenn Taylor*
P3247. Rouge de Paris, *Jean-Paul Desprat*
P3275. L'Excellence de nos aînés, *Ivy Compton-Burnett*
P3276. Le Docteur Thorne, *Anthony Trollope*
P3282. Moi, Giuseppina Verdi, *Karine Micard*
P3283. Les oies sauvages meurent à Mexico, *Patrick Mahé*
P3284. Le Pont invisible, *Julie Orringer*

P3324. Le Dictionnaire de Lemprière, *Lawrence Norfolk*
P3325. Le Divan de Staline, *Jean-Daniel Baltassat*
P3326. La Confrérie des moines volants, *Metin Arditi*
P3327. L'Échange des princesses, *Chantal Thomas*
P3328. Le Dernier Arbre, *Tim Gautreaux*
P3355. Le Tango de la Vieille Garde, *Arturo Pérez-Reverte*
P3356. Blitz, et autres histoires, *Esther Kreitman*
P3398. L'homme qui aimait les chiens, *Leonardo Padura*
P4012. Pietra viva, *Léonor de Récondo*
P4013. L'Égaré de Lisbonne, *Bruno d'Halluin*
P4048. La Clandestine du voyage de Bougainville
Michèle Kahn
P4049. L'Italienne, *Adriani Trigiani*
P4060. Dans le Pavillon rouge, *Pauline Chen*
P4061. La Petite Copiste de Diderot, *Danielle Digne*
P4094. Demain à Santa Cecilia, *María Dueñas*
P4104. L'Empereur aux mille conquêtes, *Javier Moro*
P4126. Le Livre des secrets, *Fiona Kidman*
P4134. Le Printemps des enfants perdus, *Béatrice Égémar*
P4135. Les Enfants du duc, *Anthony Trollope*
P4155. Les Indomptées, *Nathalie Bauer*
P4156. Nos disparus, *Tim Gautreaux*
P4157. Sarah Thornhill, *Kate Grenville*
P4175. Suzon, *Louise Bachellerie*
P4176. La Maîtresse du commandant Castro, *Eduardo Manet*
P4190. Passent les heures, *Justin Gakuto Go*
P4203. Le Festin de John Saturnal, *Lawrence Norfolk*
P4204. Aimons-nous les uns les autres, *Catherine Clément*
P4242. Westwood, *Stella Gibbons*
P4243. Hérétiques, *Leonardo Padura*
P4255. Bienvenue à Big Stone Gap, *Adriana Trigiani*
P4274. Les Silences de la guerre, *Claire Fourier*
P4275. Louise, *Louise Bachellerie*
P4288. Les Premiers de leur siècle, *Christophe Bigot*
P4289. Mary Barton, *Elizabeth Gaskell*
P4317. Ciel d'acier, *Michel Moutot*
P4335. Le Voile de Téhéran, *Parinoush Saniee*
P4336. Les Rumeurs du Nil, *Sally Beauman*
P4366. La Table d'émeraude, *Carla Montero*
P4369. Poussières d'exil, *Patrick Bard*
P4396. Mille regrets, *Vincent Borel*
P4414. Claire, *Louise Bachellerie*
P4449. Marie Curie prend un amant, *Irène Frain*
P4556. Les Ravissements du Grand Moghol, *Catherine Clément*
P4581. Le Célibataire, *Stella Gibbons*
P4582. Les Princesses assassines, *Jean-Paul Desprat*

P1696. La Sœur de Mozart, *Rita Charbonnier*
P1697. La Science du baiser, *Patrick Besson*
P1700. Dans l'ombre du Condor, *Jean-Paul Delfino*
P1732. Persée, prince de la lumière. Le Châtiment des dieux III *François Rachline*
P1733. Bleu de Sèvres, *Jean-Paul Desprat*
P1765. L'Œuvre des mers, *Eugène Nicole*
P1805. L'Amante du pharaon, *Naguib Mahfouz*
P1808. Fleurs de Chine, *Wei-Wei*
P1851. Rescapée, *Fiona Kidman*
P1900. Tango, *Elsa Osorio*
P1901. Julien, *Gore Vidal*
P1917. La Religieuse de Madrigal, *Michel del Castillo*
P1918. Les Princes de Francalanza, *Federico de Roberto*
P1919. Le Conte du ventriloque, *Pauline Melville*
P1936. Les Rescapés du Styx, *Jane Urquhart*
P1968. Pampa, *Pierre Kalfon*
P1973. La Statue du commandeur, *Patrick Besson*
P1983. Toutes ces vies qu'on abandonne, *Virginie Ollagnier*
P2034. La Méridienne, *Denis Guedj*
P2048. La Pension Eva, *Andrea Camilleri*
P2049. Le Cousin de Fragonard, *Patrick Roegiers*
P2090. Même le mal se fait bien, *Michel Folco*
P2091. Samba triste, *Jean-Paul Delfino*
P2104. Les Pays lointains, *Julien Green*
P2131. Jubilee, *Margaret Walker*
P2150. Treize Lunes, *Charles Frazier*
P2180. Corsaires du Levant, *Arturo Pérez-Reverte*
P2191. L'homme qui voulait voir Mahona, *Henri Gougaud*
P2198. Ambre, vol. 1, *Kathleen Winsor*
P2199. Ambre, vol. 2, *Kathleen Winsor*
P2206. La Beauté du monde, *Michel Le Bris*
P2213. L'Enfant pain, *Agustin Gomez-Arcos*
P2220. Une année dans la vie de Tolstoï, *Jay Parini*
P2230. J'ai vécu 1 000 ans, *Mariolina Venezia*
P2231. La Conquistadora, *Eduardo Manet*
P2232. La Sagesse des fous, *Einar Karason*
P2259. La Montagne en sucre, *Wallace Stegner*
P2260. Un jour de colère, *Arturo Pérez-Reverte*
P2261. Le Roi transparent, *Rosa Montero*
P2285. Tarabas, *Joseph Roth*
P2287. Récit des temps perdus, *Aris Fakinos*
P2315. Luz ou le temps sauvage, *Elsa Osorio*
P2316. Le Voyage des grands hommes, *François Vallejo*
P2338. La Servante insoumise, *Jane Harris*
P2366. La Couleur du bonheur, *Wei-Wei*

P2370. Le Sang des Dalton, *Ron Hansen*
P2373. L'Agent indien, *Dan O'Brien*
P2383. Robin des bois, prince des voleurs
Alexandre Dumas
P2388. L'Île du lézard vert, *Eduardo Manet*
P2402. Si loin de vous, *Nina Revoyr*
P2403. Les Eaux mortes du Mékong, *Kim Lefèvre*
P2423. La Couturière, *Frances de Pontes Peebles*
P2424. Le Scandale de la saison, *Sophie Gee*
P2425. Ursúa, *William Ospina*
P2453. Baptiste, *Vincent Borel*
P2458. Le Voyage de l'éléphant, *José Saramago*
P2507. Villa des hommes, *Denis Guedj*
P2520. Nord et Sud, *Elizabeth Gaskell*
P2552. Un monde d'amour, *Elizabeth Bowen*
P2568. Les Amants papillons, *Alison Wong*
P2569. Dix mille guitares, *Catherine Clément*
P2619. L'Histoire très ordinaire de Rachel Dupree
Ann Weisgarber
P2639. Le Roman de Bergen. 1900 L'Aube – tome I
Gunnar Staalesen
P2640. Aurora, Kentucky, *Carolyn D. Wall*
P2643. Le Ruban rouge, *Carmen Posadas*
P2652. Le Sari rose, *Javier Moro*
P2653. Le Roman de Bergen. 1900 L'Aube – tome II
Gunnar Staalesen
P2654. Jaune de Naples, *Jean-Paul Desprat*
P2656. Qui a tué Arlozoroff ?, *Tobie Nathan*
P2662. L'Incertain, *Virginie Ollagnier*
P2674. Le Testament d'Olympe, *Chantal Thomas*
P2675. Antoine et Isabelle, *Vincent Borel*
P2712. Mon patient Sigmund Freud, *Tobie Nathan*
P2713. Trois explications du monde, *Tom Keve*
P2715. Shim Chong, fille vendue, *Hwang Sok Yong*
P2716. La Princesse effacée, *Alexandra de Broca*
P2737. La Jeunesse mélancolique et très désabusée d'Adolf Hitler
Michel Folco
P2738. L'Enfant des livres, *François Foll*
P2739. Karitas, livre I – L'esquisse d'un rêve
Kristín Marja Baldursdóttir
P2761. Caravansérail, *Charif Majdalani*
P2762. Les Confessions de Constanze Mozart
Isabelle Duquesnoy
P2801. Le Marquis des Éperviers, *Jean-Paul Desprat*
P2822. Le Roman de Bergen. 1950 Le Zénith – tome III
Gunnar Staalesen